ROBERT CRAIS

Robert Crais est né en Lousiane et vit en Californie. Il a été scénariste pour des séries télévisées comme *La loi de Los Angeles* et *Hill Street Blues*. Avec *L.A. Requiem, Indigo blues, Un ange sans pitié, Otages de la peur* – adapté au cinéma en 2005 –, *Le dernier détective, L'homme sans passé, Deux minutes chrono, Mortelle protection, À l'ombre du mal* et dernièrement *Règle n°1* (tous publiés chez Belfond et repris par Pocket), il s'est imposé parmi les plus grands noms de la littérature policière d'aujourd'hui, à l'égal d'un Ellroy ou d'un Connelly.

Retrouvez toute l'actualité de l'auteur sur
www.robertcrais.com

RÈGLE NUMÉRO UN

DU MÊME AUTEUR
CHEZ POCKET

ROBERT CRAIS

RÈGLE NUMÉRO UN

Traduit de l'américain
par Hubert Tézenas

belfond

Titre original :
THE FIRST RULE
publié par G.P. Putnam's Sons, New York

Pour mon ami
Harlan Ellison,
dont le travail, plus que tout autre chose,
m'a mené là où je suis.

Les bandes criminelles organisées des quinze républiques de l'ex-Union soviétique sont soumises à ce qu'elles appellent le « Vorovskoï Zakon » – le Code des voleurs –, constitué de dix-huit règles écrites. La première règle est la suivante :

Un voleur doit renoncer à ses parents, à ses frères et à ses sœurs. Il ne doit pas avoir de famille – pas de femme, pas d'enfants.
Nous sommes sa famille.

Toute violation de l'une de ces dix-huit règles est punie de mort.

Gotta do that right thing
Please
Please
Please
Someone be that hard thing
For me

DECONSTRUCTED CHILD

Frank Meyer referma son ordinateur tandis que le soir de ce début d'hiver tombait sur sa maison de Westwood, Californie, non loin du campus de l'UCLA. Ce quartier cossu du Westside de Los Angeles, blotti entre Beverly Hills et Brentwood, est formé d'un gracieux entrelacs de rues résidentielles et d'opulentes villas. Frank Meyer – ce qui le surprenait plus que quiconque au vu de ses origines – vivait dans une de ces villas.

Son travail terminé, Frank se renversa dans son siège de bureau et écouta ses fils cavaler dans les profondeurs de la maison tels deux petits rhinocéros. Leur vacarme le rendait heureux, tout comme la généreuse odeur de viande braisée qui lui apportait une promesse de ragoût ou de bœuf bourguignon. Des voix lui parvenaient du séjour, trop lointaines pour permettre d'identifier l'émission, un jeu télévisé presque à coup sûr. Cindy avait horreur des journaux du soir.

Frank sourit, car Cindy ne s'intéressait guère plus aux programmes de jeux, mais elle appréciait d'entendre un brouhaha télévisuel lorsqu'elle cuisinait. Cindy avait ses habitudes, pas de doute, et ses habitudes avaient changé la vie de Frank. S'il possédait aujourd'hui une belle maison, une entreprise florissante et une famille merveilleuse, c'était grâce à son épouse.

Songeant à tout ce qu'il devait à cette femme, Frank sentit les larmes lui monter aux yeux. Il était sentimental et émotif, et l'avait toujours été. Comme aimait à le dire Cindy, Frank Meyer n'était au fond qu'un gros nounours, et c'était même pour cela qu'elle en était tombée amoureuse.

Frank travaillait dur pour rester à la hauteur des attentes de sa femme, ce qu'il considérait comme un privilège – reçu le jour où, onze ans plus tôt, il avait compris qu'il l'aimait et qu'il allait devoir se réinventer. Il s'était lancé avec succès dans l'importation de vêtements venus d'Asie et d'Afrique, qu'il revendait à des grossistes aux quatre coins des États-Unis. À quarante-trois ans, il était costaud et en forme, certes moins qu'auparavant. Bon, d'accord, il s'était un peu empâté, mais il faut dire qu'entre son travail et les gosses, Frank ne faisait plus de musculation depuis des années et mettait rarement les pieds sur son tapis de course. Quand il s'y risquait, ses efforts manquaient du zèle qui l'avait consumé comme une fièvre tout au long de son ancienne vie.

Cette vie-là ne manquait pas à Frank, ne lui avait jamais manqué ; et s'il lui arrivait d'avoir une pensée nostalgique pour les hommes avec lesquels il l'avait partagée, il la gardait pour lui et n'en tenait pas rigueur à sa femme. Frank s'était recréé, et, par une espèce de miracle, ses efforts avaient été récompensés. Cindy. Les enfants. Le foyer qu'ils avaient fondé. Frank pensait encore à tous ces changements lorsque Cindy apparut sur le seuil avec un petit sourire sensuel.

— Salut, mec. Tu as faim ?

— Je viens de finir. C'est quoi, cette odeur ? Ça m'a l'air fabuleux.

Il y eut un piétinement, et Frank junior, qui, à dix ans, possédait déjà la carrure râblée de son géniteur, pila net en agrippant le chambranle à côté de Cindy ; son frère cadet, Joey, six ans et presque aussi trapu, lui rentra dans le dos.

— De la viande ! cria le petit Frank.

— Du ketchup ! s'époumona Joey.

— De la viande et du ketchup, récapitula Cindy. Que demander de mieux ?

Frank recula son fauteuil et se leva.

— Je serais prêt à mourir pour de la viande et du ketchup.

Elle leva les yeux au ciel et se retourna du côté de la cuisine.

— Tu as cinq minutes, mec. Le temps que je passe ces petits monstres au jet. Lave-toi les mains et rejoins-nous.

Les garçons s'enfuirent avec des cris exagérés, frôlant Ana, qui venait d'apparaître derrière Cindy. Ana était leur nounou, une fille au pair adorable, aux yeux d'un bleu limpide et aux pommettes hautes. Elle s'occupait d'eux depuis près de six mois et leur donnait un coup de main fantastique. Encore un à-côté de la réussite croissante de Frank.

— Il faut que je nourrisse le bébé, Cindy, dit Ana. Vous avez encore besoin de quelque chose ?

— Nous avons la situation en main. Vous pouvez y aller.

Ana chercha le regard de Frank.

— Frank ? Besoin de quelque chose ?

— Ça ira, trésor. Merci. J'arrive dans une minute.

Frank acheva de ranger ses papiers, puis baissa le volet roulant avant d'aller rejoindre les siens pour le dîner. Son bureau, dont la fenêtre donnait sur la rue, était désormais isolé des ombres de la nuit. Frank Meyer n'avait aucune raison de se douter qu'un événement innommable était imminent.

Pendant que Frank savourait son dîner en famille, un Cadillac Escalade noir quittait Wilshire Boulevard pour s'engager au ralenti dans sa rue – un véhicule fauché dans la journée sur le parking d'un centre commercial de Long Beach et dont Moon Williams avait ensuite échangé les plaques contre celles d'un Escalade identique, repéré devant un club pour messieurs de Torrance. C'était la troisième fois que Moon et ses potes faisaient le tour du pâté de maisons pour voir s'il y avait des passants, des voisins aux fenêtres, ou des connards assis dans les bagnoles en stationnement.

Ce coup-ci, les vitres arrière s'abaissèrent telles des paupières somnolentes et les réverbères s'éteignirent les uns après les autres, dégommés par le pistolet calibre 22 de Jamal.

L'obscurité talonnait l'Escalade comme une marée montante.

Quatre hommes à bord, des silhouettes noires dans l'habitacle baigné d'ombre, Moon au volant, son pote Lil Tai à la place du mort, Jamal derrière avec le

Ruskof. Les yeux de Moon faisaient la navette entre les baraques et le Blanc, un étranger dont il ne savait d'ailleurs pas s'il était russe ou quoi. Avec tous les enfoirés venus de l'Est qui traînaient aujourd'hui dans les parages, ce mec aurait pu être un Arménien, un Lituanien, ou même un putain de vampire transylvanien, Moon ne voyait pas la différence. Tout ce qu'il savait, c'est qu'il ne s'était jamais fait autant de thune que depuis qu'il bossait avec le fils de pute d'étranger assis sur sa banquette arrière.

En revanche, thune ou pas thune, ça ne plaisait pas à Moon d'avoir dans le dos un mec aux yeux vitreux qui lui foutait la trouille. En plusieurs mois, c'était la première fois que ce fils de pute demandait à les accompagner. Et ça non plus, ça ne plaisait pas à Moon.

— T'es sûr, mec ? fit Moon. C'est celle-là ?

— La même que tout à l'heure, celle qui ressemble à une église.

Moon lorgna une chouette baraque à toiture en pente raide, avec des trucs genre gargouilles sur les avant-toits. La rue était large et bordée de villas bâties en retrait sur de belles pelouses en pente douce. Il devait y avoir là-dedans des avocats, des hommes d'affaires et peut-être quelques dealers occasionnels.

Lil Tai se tordit le bassin pour mater le Blanc.

— Combien on va se faire, cette fois ?

— Beaucoup. Un gros paquet.

Jamal s'en lécha les babines et sourit de toutes ses dents.

— Ça sent la thune, les mecs. J'en ai même des frissons tellement ça sent fort la thune.

— Allons chercher c'te merde, dit Moon.

Il éteignit les phares et s'engagea dans l'allée. Les quatre portières s'ouvrirent dès qu'il eut coupé le moteur ; les quatre hommes descendirent. L'éclairage intérieur de l'Escalade avait été désactivé : le plafonnier ne s'alluma pas. Seul Lil Tai fit un peu de barouf en laissant sa masse de huit kilos tinter contre le marchepied.

Ils marchèrent droit sur la porte d'entrée, Jamal en tête et Moon en queue, à reculons pour vérifier que personne ne les avait repérés. Jamal péta les ampoules du perron en tendant le bras et en les écrasant dans le creux de sa main, *pop, pop, pop*. Moon coinça une serviette pliée entre la poignée et la serrure afin d'amortir le bruit, et Lil Tai fit sauter cette saloperie d'un coup de masse.

Frank et Cindy débarrassaient la table lorsqu'un fracas monstrueux résonna à travers la villa, comme si une voiture venait d'enfoncer la porte d'entrée. Joey regardait une émission sur les Lakers dans le séjour et Frank junior venait de monter dans sa chambre. En entendant le vacarme, Frank crut que son aîné avait renversé l'horloge de parquet du vestibule. Frank junior avait un jour tenté de l'escalader pour accéder au palier de l'étage et, même si elle était fixée à la cloison par mesure de sécurité antisismique, Frank avait averti les garçons qu'elle pouvait basculer.

Le bruit fit sursauter Cindy. Joey courut rejoindre sa mère. Frank reposa les assiettes, prêt à se précipiter vers l'entrée.

— Frankie ! Ça va, fiston ?

À peine eurent-ils le temps de bouger que quatre hommes armés se déployèrent dans la pièce, avec un mélange d'organisation et de nonchalance qui fit penser à Frank qu'ils n'en étaient pas à leur coup d'essai.

Frank Meyer avait déjà été confronté à des raids éclairs et avait toujours su comment y réagir, mais ces situations s'étaient déroulées dans son ancienne vie. Aujourd'hui, après onze années passées assis derrière son bureau, il n'était plus dans le coup.

Quatre hommes. Gantés. Pistolets de 9 mm.

L'homme de tête était couleur café et de taille moyenne, coiffé de lourdes dreadlocks tombant sur ses épaules. Frank sut que c'était le chef parce qu'il se comportait comme tel, donnant des ordres avec les yeux. Un homme plus petit arriva juste derrière, teigneux, un bandana noir autour du crâne, à côté d'un malabar à nattes plaquées qui avait de l'or plein la bouche et la démarche du type fier d'être un malabar. Le quatrième, en retrait d'un pas, semblait se comporter en simple observateur. Blanc et presque aussi massif que le malabar, avec un crâne en boule de bowling, des yeux globuleux, et de minces favoris qui dévalaient sur ses maxillaires comme des aiguilles.

Deux secondes leur suffirent pour prendre le contrôle des lieux. Avec une seconde de retard, Frank comprit qu'il avait affaire à des braqueurs expérimentés. Il éprouva le bourdonnement d'excitation qui avait toujours vibré en lui à l'approche du combat, avant de se rappeler qu'il était aujourd'hui un chef d'entreprise en petite forme physique et qu'il avait une famille à protéger. Frank leva les mains en l'air et se décala de quelques pas pour s'interposer entre les hommes et sa femme.

— Prenez ce que vous voulez. Servez-vous et partez. On ne fera pas d'histoires.

Le chef vint droit à lui, brandissant son pistolet à la fois très haut et sur le côté comme un crétin de film d'action, roulant les yeux pour bien montrer sa férocité à Frank.

— T'as intérêt, sac à merde. Bon, où c'est que tu planques tout ça ?

Sans attendre la réponse, il gifla Frank avec le canon de son arme. Cindy poussa un cri, mais Frank avait été frappé beaucoup plus fort que ça dans sa première vie. Il adressa un signe de la main à sa femme, pour la calmer.

— Tout va bien. Ne t'en fais pas, Cin, ça va aller.

— Ça va saigner, ouais, si tu fais pas c'que j'dis !

Le chef enfonça son canon dans la joue de Frank, qui surveillait les autres. Le malabar et le teigneux se séparèrent ; le premier fonça vers la porte-fenêtre pour inspecter le jardin arrière pendant que le deuxième ouvrait à la volée portes et placards. Tous deux gueulaient et juraient. Ces types allaient vite. Vite entrés. Vite sur Frank. Vite à travers les pièces. Vite pour garder la main, et fort pour augmenter le désarroi. Seul l'homme aux favoris effilés prenait son temps, évoluant à la lisière du périmètre comme s'il nourrissait d'autres intentions que ses compagnons.

Frank savait d'expérience qu'il ne suffisait pas de suivre le mouvement : pour survivre, il fallait l'anticiper. Il tenta donc de gagner un peu de temps afin de rattraper son retard.

— Mon portefeuille est dans le bureau. Je dois avoir trois ou quatre cents dollars…

Le chef le frappa à nouveau.

— Tu me prends pour une bille avec ton histoire de larfeuille à la con ?

— Nous avons des cartes de crédit...

Un deuxième coup. Plus violent.

L'homme aux favoris se décida à quitter l'arrière-plan et s'approcha de la table.

— Vous voyez les assiettes ? Il y en a d'autres. Il faut trouver les autres.

Frank fut surpris par son accent. Polonais, peut-être, mais ce n'était pas sûr.

L'homme à l'accent disparut dans la cuisine au moment où le malabar ressortait du séjour et fonçait sur Cindy et Joey. Il colla son pistolet sur la tempe de Cindy et hurla à Frank :

— Tu veux la voir crever, ta salope ? Tu veux que je lui foute mon calibre dans la bouche ? Tu veux que je le lui fasse sucer ?

Le chef flanqua un nouveau coup de poing à Frank.

— Tu crois p't'êt' qu'il plaisante ?

Sans sommation, le malabar frappa Cindy avec le canon de son pistolet, faisant gicler de sa joue un serpentin rouge vif. Joey hurla, et Frank Meyer sut tout à coup quoi faire.

L'homme qui s'occupait de lui avait les yeux fixés sur sa femme et le malabar quand Frank attrapa sa main droite, lui retourna le poignet et lui cassa le coude. Même s'il avait changé de vie depuis des années, les bons gestes étaient restés gravés dans la mémoire de ses muscles après des milliers d'heures d'entraînement. Il allait devoir neutraliser son agresseur et s'emparer de son arme tout en le projetant au sol, remettre le pistolet en position de tir et en coller deux dans le buffet de l'homme qui tenait Cindy, puis faire volte-face, repérer sa cible suivante et toucher deux fois celui qu'il aurait dans sa ligne de tir. Frank Meyer avait retrouvé ses automatismes. Les gestes s'enchaînèrent dans son esprit exactement comme jadis, et, à l'époque, il aurait pu plier une affaire de ce genre en moins d'une seconde. Mais avant que Frank ait raffermi sa prise sur le pistolet, trois balles l'atteignirent ; la dernière se fracassa contre une des grosses vertèbres du bas de son dos, et Frank s'écroula.

Frank ouvrit la bouche, d'où ne sortit qu'un chuintement. Cindy et Joey hurlèrent. Frank tenta de se relever avec la volonté farouche du guerrier qu'il avait été, mais la volonté ne faisait pas tout.

— J'entends quelqu'un, dit l'homme à l'accent. Dans le fond.

Une ombre frôla Frank sans qu'il puisse la voir.

Le chef apparut au-dessus de lui, tenant d'une main son coude blessé. D'énormes larmes se détachaient au ralenti de ses tresses, scintillantes comme des gouttes de pluie.

— Il me faut ce fric, dit-il.

Il s'avança vers Cindy.

Le monde de Frank s'assombrissait, l'abandonnant peu à peu avec un sentiment d'échec et de honte. Il savait qu'il était en train de mourir, exactement comme il s'était toujours attendu à mourir – mais pas ici, pas maintenant. Ces choses-là n'auraient jamais dû resurgir.

Il aurait voulu tendre la main à sa femme. Cela lui était impossible.

Il aurait voulu la toucher. Cela lui était impossible.

Il aurait voulu la protéger, mais il n'avait pas pu.

Seul son index bougeait encore.

Se contractant comme s'il était animé d'une vie propre.

Le doigt de la détente.

Appuyant dans le vide.

Vue du dehors, avec ses stores baissés, la maison des Meyer semblait paisible. Les murs épais avaient amorti la plupart des sons venus de l'intérieur, et la rumeur toute proche de la circulation sur Wilshire Boulevard occultait le reste. Ces cris étouffés auraient pu venir d'un home cinema équipé de bonnes enceintes surround.

Des voitures roulaient dans la rue, certaines en partance pour une virée nocturne, d'autres de retour après une longue journée au bureau.

Un coup de feu s'échappa de la maison, assourdi, anormal. Une grosse Lexus passa, mais, entre ses vitres fermées et la playlist d'un iPod qui faisait pulser l'habitacle de cette voiture luxueuse, la conductrice n'entendit rien. Et ne ralentit pas.

Un nouveau coup de feu claqua dans la maison quelques instants plus tard, ponctué d'un léger flash derrière les volets roulants, une sorte d'éclair lointain.

Un autre éclair suivit.

Et d'autres encore.

L'on devient responsable, pour toujours, de ce que l'on a apprivoisé.

Antoine de Saint-Exupéry (1900-1944), combattant de la France libre et aviateur, également adepte de la machine à écrire

PREMIÈRE PARTIE

Professionnels

1

À 10 h 14 le lendemain matin, soit une quinzaine d'heures après la tuerie, plusieurs hélicoptères gravitaient comme des étoiles noires au-dessus de la villa des Meyer lorsque le sergent Jack Terrio, du LAPD, slaloma entre le fouillis de voitures pie, véhicules banalisés, fourgons de la SID[1] et de l'institut médico-légal. Il téléphona à son coéquipier de la cellule spéciale, Louis Deets, tout en marchant vers la maison. Deets était sur place depuis une heure.

— Je suis là.

— Retrouve-moi à l'entrée. Il faut que tu voies ça.

— Attends un peu. Des nouvelles du témoin ?

Il existait une probabilité infime pour que leur témoin – une jeune femme de type européen, retrouvée en vie par les premiers secours et identifiée comme la nounou des enfants Meyer – survive à ses blessures.

---

1. *Scientific Investigation Division*, service d'investigation scientifique du département de police de Los Angeles. *(Toutes les notes sont du traducteur.)*

— Pas fameux, répondit Deets. Ils l'ont emmenée à l'hosto, mais elle est à deux doigts d'y passer. Elle s'en est pris une en pleine poire, Jack. Et une autre dans le thorax.

— Essaie de rester positif. On aurait besoin d'un peu de chance.

— C'est peut-être le cas. Viens voir.

Terrio referma sèchement son portable, exaspéré par Deets autant que par cette enquête qui démarrait franchement mal. Une bande de braqueurs s'attaquait à des maisons de riches à West L.A. et dans les collines d'Encino depuis trois mois, et il s'agissait vraisemblablement ici de leur septième opération. Toutes les autres avaient aussi eu lieu entre l'heure du dîner et onze heures du soir. Deux de ces maisons étaient vides de leurs occupants au moment des faits, au contraire des cinq autres. Dans celle des Meyer, on avait retrouvé un tas de douilles de 9 mm et des cadavres, mais rien d'autre – pas d'empreintes, pas d'ADN, pas d'images vidéo, pas de témoins. À part cette fille en train de mourir.

Terrio s'arrêta pour attendre Deets près du paravent en plastique installé devant la porte d'entrée pour cacher celle-ci aux yeux fureteurs des caméras. Sur le trottoir d'en face, il reconnut deux bureaucrates du siège central autour d'une femme qui avait tout de l'agent fédéral. Les bureaucrates surprirent son regard et se détournèrent.

« Et merde, pensa Terrio. Qu'est-ce que c'est que ça, encore ? »

La femme mesurait environ un mètre soixante-cinq et était bâtie comme une adepte de la musculation, ce qui était le cas de beaucoup de feds pressés d'évoluer dans la chaîne alimentaire menant à Washington. Un blazer bleu marine sur un jean dégriffé. D'énormes lunettes noires. Une petite bouche en fente qui n'avait pas dû sourire depuis un mois.

Deets le rejoignit par-derrière.

— Faut que tu voies ça.

Terrio lui indiqua la femme du menton.

— C'est qui ?

Deets la regarda en plissant les yeux, puis secoua la tête.

— J'ai passé un moment là-dedans. C'est un sacré merdier, mec, il faut que tu voies ça. Viens, mets tes chaussons.

On leur demandait d'enfiler des surchaussons en papier pour ne pas contaminer les scènes de crime.

Deets ayant disparu derrière le paravent sans l'attendre, Terrio se hâta de le rattraper tout en se blindant mentalement contre ce qu'il allait découvrir. Même après dix-huit ans de maison et des centaines d'affaires de meurtre, la vue du sang et de la chair humaine mutilée continuait de lui donner mal au cœur. Gêné par ce qu'il considérait comme un manque de professionnalisme, Terrio garda les yeux rivés sur le dos de Deets tout le temps qu'il le suivit parmi la cohorte de techniciens et d'inspecteurs de la Criminelle de West L.A. qui avaient investi la villa. Il ne tenait à voir ni le sang, ni le reste, tant que ce ne serait pas absolument nécessaire.

Ils débouchèrent dans une vaste salle à manger, ouverte sur le salon attenant, où un enquêteur des

31

services du coroner photographiait la silhouette recroquevillée d'une victime blanche de sexe masculin.

— On peut toucher au corps ? demanda Deets.

— Sûr. J'ai fini.

— Vous me passez une de vos lingettes ?

L'enquêteur en tendit une à Deets puis s'écarta pour leur céder la place.

La chemise de la victime avait été découpée et retirée. Deets enfila une paire de gants en latex puis jeta un coup d'œil à Terrio. Le corps gisait dans une mare de sang au contour irrégulier, large de près de deux mètres.

— Attention au sang.

— Je vois très bien d'ici. Pas question de patauger dans cette merde.

Deets souleva un des bras de l'homme, essuya d'un coup de lingette une tache qui lui souillait l'épaule et maintint son bras levé pour que Terrio le voie.

— Qu'est-ce que tu en penses ? Ça ne te dit rien ?

Malgré la lividité qui marbrait la peau d'ecchymoses violettes et noires, Terrio reconnut le tatouage. Une sourde appréhension l'envahit.

— J'ai déjà vu ça.

— Ouais. C'est aussi ce que je me disais.

— Il en a un sur l'autre bras ?

— Le même.

Deets reposa le bras et s'éloigna du corps. Il ôta ses gants en latex.

— Je ne connais qu'un seul mec qui ait ce genre de tatouage. Il était flic chez nous, au LAPD.

Une grosse flèche rouge vif ornait le deltoïde de Frank Meyer. Elle était pointée vers l'avant.

Les idées de Terrio se bousculaient sous son crâne.

— C'est une bonne chose, Lou. Ça nous donne une direction. Il va juste falloir qu'on trouve comment s'y prendre avec lui.

Une voix de femme s'éleva derrière eux :

— Avec qui ?

Terrio se retourna et vit la femme, toujours flanquée des deux bureaucrates. Les yeux invisibles sous ses lunettes, la bouche tellement pincée qu'elle semblait dotée d'une mâchoire en acier.

Elle s'avança, sans se soucier apparemment de savoir si elle marchait ou non dans le sang.

— Je vous ai posé une question, sergent. Comment s'y prendre avec qui ?

Terrio décocha un coup d'œil à la flèche avant de répondre :

— Joe Pike.

2

La première fois que Joe Pike croisa la femme tatouée, elle courait péniblement vers le sommet du versant est de Runyon Canyon alors qu'il en descendait. Tous deux soufflaient de la buée dans l'air froid précédant l'aube. La montée était rude : une succession de rampes abruptes et de terrasses reliant les quartiers d'immeubles du fond du canyon à Mulholland Drive, en haut des collines de Hollywood. En la voyant apparaître dans la lumière trouble de ce premier matin, Pike crut d'abord qu'elle était en collant, mais il s'aperçut à mesure qu'elle approchait que ses jambes et ses bras étaient couverts de tatouages élaborés. Des piercings métalliques étincelaient à ses oreilles, son nez et ses lèvres. Pike ne possédait que deux tatouages. Une flèche rouge sur chaque deltoïde, toutes deux pointées vers l'avant.

Depuis ce jour-là, il la voyait deux ou trois fois par semaine, quelquefois dans la pénombre du petit matin, quelquefois plus tard, lorsque le soleil brillait haut et que le parc grouillait de monde. Ils n'avaient jamais échangé plus d'un mot ou deux.

Le jour où Pike apprit ce qui était arrivé à Frank et Cindy Meyer, la femme tatouée et lui ressortaient du parc côte à côte et empruntaient au trot une rue située au nord de Hollywood Boulevard, bordée de petites maisons bruissantes de rêves évanouis. Ils ne couraient pas ensemble, mais elle se trouvait en bas quand il avait fini sa descente et elle lui avait emboîté le pas en réglant sa foulée sur la sienne. Pike se demandait si c'était calculé ; il y pensait toujours quand il vit le premier homme.

Celui-ci attendait sous un jacaranda du trottoir opposé, en jean, avec des lunettes de soleil et un polo serré aux épaules. Les yeux fixés sur Pike, il les laissa passer avant de les suivre à petites foulées, quinze ou vingt mètres en arrière.

Le deuxième homme était adossé à une voiture un peu plus loin, les bras croisés. Après avoir regardé passer Pike et la fille, il se mit aussi à courir dans leur sillage. Sachant qu'il avait affaire à des officiers de police en civil, Pike décida de prendre du champ. Il grommela un au revoir à la femme et accéléra.

— À la prochaine, lança-t-elle.

Au moment où Pike se décalait vers le centre de la chaussée, une voiture bleue émergea d'une rue latérale deux blocs derrière lui. Devant, une automobile beige s'écarta du trottoir pour lui bloquer le passage. Deux hommes étaient assis à l'avant du véhicule beige, et une femme à l'arrière côté passager. Pike la vit se retourner vers lui. Cheveux bruns courts. Lunettes larges. Visage fermé. L'homme assis à l'avant droit brandit nonchalamment un insigne à travers la portière, pour que Pike le voie.

Pike ralentit puis s'arrêta. Les voitures et les officiers à pied l'imitèrent en gardant leurs distances.

La femme tatouée rattrapa Pike, sentit qu'il se passait quelque chose d'anormal et se mit à danser nerveusement sur la pointe des pieds.

— C'est quoi ce délire, mec ?

— Continuez à courir.

Elle n'obtempéra pas. Visiblement inquiète, elle fit un pas vers la maison la plus proche en regardant alternativement les deux voitures.

— Je n'aime pas ça. Vous voulez que je demande de l'aide ?

— Ils sont de la police. Ils veulent juste me parler.

S'ils avaient voulu l'arrêter, ils ne l'auraient pas fait au beau milieu d'une rue résidentielle.

L'homme à l'insigne s'extirpa de la voiture de tête. Il arborait une calvitie naissante et une fine moustache trop foncée par rapport à ses cheveux. Le conducteur descendit à son tour, plus jeune, les yeux clairs. La femme resta dans la voiture, le buste tourné vers l'arrière. Un portable collé à l'oreille. Pike se demanda ce qu'elle disait.

L'homme à l'insigne se chargea des présentations :

— Jack Terrio, LAPD. Et voici Lou Deets. On peut approcher ?

Ils savaient qui il était, de même que les officiers qui isolaient le périmètre derrière le second véhicule. Ils étaient en train de dévier la circulation vers les rues transversales.

— Bien sûr.

Pike retira son sac à dos. Il courait avec un sac lesté, et il portait aussi une banane, un sweat-shirt gris sans

36

manches, un short bleu, des chaussures de course New Balance et des lunettes noires militaires. La sueur assombrissait son sweat-shirt.

Quand Terrio et Deets l'eurent rejoint, Deets se décala sur le côté.

— Un chouette tatouage que vous avez là, Pike, ces flèches rouges. On n'en voit pas des masses comme ça, hein, chef ?

Terrio l'ignora.

— Vous êtes armé ?

— Le pistolet est dans ma banane. Avec le permis.

Deets toucha son sac à dos de la pointe du pied.

— Qu'est-ce qu'il y a là-dedans, un lance-roquette ?

— De la farine.

— Sans blague. Vous allez nous préparer un gâteau ?

Deets ouvrit prudemment le sac et fronça les sourcils.

— Il se promène avec quatre sacs de farine de cinq kilos.

— C'est ce qu'il t'a dit, non ? Allez, concentrons-nous sur notre sujet.

Terrio rempocha son insigne et regarda Pike.

— Ne touchez pas à cette banane, d'accord ?

Pike acquiesça.

— Vous connaissez un certain Frank Meyer ?

Pike sentit une sueur froide se répandre sur son abdomen. Il ne voyait plus Frank depuis des années, même s'il pensait souvent à lui, et voilà que son nom flottait soudain dans l'air matinal tel un spectre froid. Pike lança un bref regard à la voiture de tête. La femme continuait de l'observer tout en parlant dans son portable, à croire qu'elle décrivait ses réactions.

— Qu'est-ce qui s'est passé ?

— Vous l'avez vu dernièrement ? Peut-être dans la semaine ? interrogea Deets.

— Pas depuis longtemps. Dix ans, peut-être.

— Et si je vous disais que j'ai un témoin qui affirme vous avoir vu avec Meyer tout récemment ?

Pike observa Deets et devina à son expression qu'il mentait. Il se tourna vers Terrio.

— Si c'est un jeu, je préfère continuer à courir.

— Ce n'en est pas un. Meyer et sa famille ont été abattus à leur domicile avant-hier soir. Ses fils et son épouse ont été exécutés. Il y a une survivante, une femme qu'on a identifiée comme étant la nounou des enfants, mais elle est dans le coma.

Rien chez Joe Pike ne bougea, hormis sa poitrine qui se soulevait et retombait régulièrement, jusqu'au moment où il tourna la tête vers la joggeuse tatouée. Une femme d'un certain âge, en robe de chambre élimée, venait de sortir de sa maison, et toutes deux suivaient la scène depuis le seuil.

— Votre chérie ? demanda Deets.

— Je ne la connais pas.

Pike fit de nouveau face à Terrio avant d'ajouter :

— Ce n'est pas moi qui les ai tués.

— C'est aussi ce que je pense. Pour nous, c'est une équipe de pros spécialisés dans les attaques de résidences qui a fait le coup. Et on croit que la même bande a attaqué six autres maisons ces trois derniers mois, avec un total de onze meurtres.

Pike comprit où ils voulaient en venir.

— Et vous n'avez aucun suspect.

— Rien. Ni empreintes, ni images, ni témoins. Et comme on ne sait strictement rien des auteurs, on s'est mis à fureter du côté des victimes.

— Et vous savez quoi, Pike ? enchaîna Deets. On a fini par découvrir ce que les six premiers avaient en commun. Il y avait trois trafiquants de drogue, un pornographe chargé de blanchir de l'argent sale pour la mafia israélienne, et deux joailliers receleurs. Tous aussi sales que mes chaussettes d'hier. Alors on essaie de trouver ce que fricotait Meyer.

— Frank n'était pas un criminel.

— Vous ne pouvez pas le savoir.

— Frank avait fondé une boîte d'import. Il vendait des vêtements.

Terrio sortit une photographie de sa veste. L'image montrait Frank, Pike et un certain Delroy Spence, cadre dirigeant d'une entreprise chimique, en pleine jungle salvadorienne. L'air sentait le poisson pourri et l'essence brûlée lorsque le cliché avait été pris. La température frôlait les quarante-cinq degrés. Spence était sale, couvert de poux, et vêtu d'un costume bleu en haillons. Meyer et Pike portaient quant à eux un tee-shirt, un pantalon en toile et un fusil d'assaut M 4. Meyer et Spence souriaient, mais pour des raisons différentes. Spence parce que Pike, Meyer et un dénommé Lonny Tang l'avaient délivré des mains d'une bande de narcoterroristes après deux mois de captivité. Meyer parce qu'il venait de dire en blaguant qu'il allait prendre sa retraite pour se marier ; il avait l'air d'un gamin de quatorze ans.

— Quel rapport avec ce qui s'est passé ?

— Meyer et vous avez été mercenaires.

— Et ?

Terrio étudia la photo. L'agita.

— Il a traîné dans des trous à rats de ce genre aux quatre coins du monde, avec toutes sortes de sales types. Peut-être qu'il importait autre chose que des fringues.

— Sûrement pas.

— Non ? Aucun de ses amis, de ses voisins, n'était au courant de son passé. Pas une seule personne, parmi toutes celles que nous avons interrogées. Cette petite photo est le seul souvenir de ce temps-là que nous ayons retrouvé chez lui. Comment ça se fait, à votre avis ?

— Cindy était contre.

— Contre ou pas, cet homme avait des secrets. Peut-être n'était-il pas tout à fait celui que vous croyez.

— Je ne peux rien pour vous.

Terrio rempocha le cliché.

— Cette bande ne choisit pas ses cibles au hasard. Ils ne se baladent pas en bagnole en se disant : « Hé, cette baraque-là, elle a l'air pas mal. » Tôt ou tard, on va découvrir que Meyer avait quelque chose qui leur faisait envie – de la dope, du cash, ou peut-être les bijoux cachés de l'ayatollah.

— Frank vendait des vêtements.

Terrio regarda brièvement Deets et repartit vers la voiture beige sans un mot. Deets n'en avait pas fini avec Pike.

— Alors comme ça, vous n'aviez pas revu ce mec depuis dix ans ?

— Puisque je vous le dis.

— Pourquoi ? Vous étiez brouillés ?

40

Pike réfléchit à la meilleure réponse possible ; dans une large mesure, cela ne les regardait pas.

— Je vous l'ai déjà expliqué. Sa femme.

— Il a pourtant gardé votre photo. Et ces tatouages… ça représente quoi, Pike ? Un symbole militaire ?

Pike ne comprit pas.

— Les flèches ?

— Ouais, là et là, comme les vôtres.

Le jour de l'expiration de son ultime contrat, lorsqu'il avait définitivement raccroché, Frank n'avait aucun tatouage.

— Je ne sais pas de quoi vous parlez.

Deets se fendit d'un sourire crispé puis, baissant le ton :

— Je n'ai jamais vu un type ayant tué autant de gens que vous se balader en liberté.

Pike le regarda s'éloigner. Terrio était déjà dans l'auto. Deets s'installa de l'autre côté, au volant. La femme de la banquette arrière parlait à Terrio. Ils démarrèrent. Les officiers en civil suivirent. Le quartier redevint normal.

Tout était normal, sauf que Frank Meyer était mort.

La femme tatouée le rejoignit en courant, excitée et inquiète.

— La vache, quel truc de dingue ! Qu'est-ce qu'ils voulaient ?

— Un de mes amis vient d'être assassiné.

— Oh, merde, désolée. C'est affreux. Et ils croient que c'est vous qui avez fait ça ?

— Pas du tout.

Elle partit d'un rire saccadé, un peu nerveux sur les bords.

— Hé, mec, je vous jure que si. C'est moi qui vous le dis, ces mecs avaient peur de vous.

— Peut-être.

— Moi pas.

La femme lui décocha un petit coup de poing dans le bras. C'était la première fois qu'elle le touchait. Après l'avoir dévisagée un moment, Pike ramassa son sac à dos.

— Vous ne me connaissez pas.

Pike ajusta le sac sur ses épaules et se remit à courir.

3

Dès qu'il eut rejoint sa Jeep, Pike mit le cap sur la maison de Frank Meyer. Il avait menti à Terrio. Il avait revu Frank trois ans plus tôt, même s'ils ne s'étaient pas parlé. Un ami commun lui ayant appris que Frank s'était acheté une villa à Westwood, Pike était passé devant au ralenti. Frank Meyer avait fait partie de son équipe, et Pike tenait à s'assurer que tout allait bien pour lui, même s'ils n'étaient plus en contact.

Un périmètre de sécurité avait beau isoler la villa de Westwood, la cohue de badauds et de journalistes qui avaient dû s'y bousculer la veille n'était plus là. Une voiture radio du LAPD était parquée le long du trottoir, ainsi que deux fourgons de la police scientifique, une voiture banalisée, et une camionnette de la télévision. Les deux policières en tenue chargées de surveiller les lieux semblaient s'ennuyer à mourir : affalées dans leur véhicule, elles écoutaient un iPod.

Pike se gara à hauteur du pâté de maisons précédent et examina la villa des Meyer. Il avait besoin de savoir comment Frank était mort. Il était en train de réfléchir au meilleur moyen de s'y introduire de nuit quand un criminaliste de la SID nommé John Chen en émergea et descendit l'allée pour rejoindre son fourgon. Chen était un ami. Pike l'aurait appelé de toute façon, mais sa présence sur place était un coup de pouce du destin qui lui ferait gagner du temps.

Le fourgon de Chen était garé juste devant la voiture de patrouille. Si Chen partait, Pike le suivrait. S'il retournait à l'intérieur de la maison, Pike patienterait.

Il attendait toujours de voir ce qu'allait faire Chen quand son portable sonna. Le nom *John Chen* s'afficha sur l'écran.

— Salut, John, dit Pike.

Chen était paranoïaque. Il avait beau être seul dans son fourgon, il parlait d'une voix sourde, comme s'il craignait d'être entendu.

— Joe ? Salut, c'est John Chen. Je suis sur une scène de crime, à Westwood. Les flics sont en train de…

— Je suis derrière toi, John.

— Quoi ?!

— Regarde dans ton rétroviseur.

Chen redescendit sur le trottoir et fixa la voiture de patrouille comme s'il s'attendait à ce qu'une des policières en bondisse pour l'arrêter.

— Plus loin, dit Pike. Le bloc suivant.

Chen le repéra enfin ; il hissa à nouveau sa longue carcasse dans le fourgon.

— Les flics sont déjà venus te voir ?

— Un inspecteur du nom de Terrio.

— Je voulais te prévenir. Ils ont trouvé une photo de toi chez la victime. Désolé. Je ne l'ai appris que ce matin.

— Je veux voir la maison.

Chen hésita.

— Ça craint, mec.

C'était sa façon d'avertir Pike qu'il devait s'attendre à des horreurs, mais Pike en avait déjà vu beaucoup.

— Bon, soupira Chen, écoute… deux costards de West L.A. sont dans la place en ce moment. Je ne sais pas combien de temps ils vont rester.

— J'attendrai.

— Ils y passeront peut-être la journée.

— J'attendrai.

— D'accord. OK. Je te rappelle quand la voie est libre.

Pike sentit que Chen n'était pas très à l'aise de le savoir dans les parages mais cela lui était égal, tout comme il lui était égal de poireauter. Chen redescendit de son fourgon et regagna la maison à pas lents, en décochant à Pike des regards nerveux par-dessus son épaule.

Pike sortit de sa Jeep, enfila un jean et un coupe-vent vert uni afin d'être moins repérable, puis reprit sa place derrière le volant. Il observa la maison de Frank. La pelouse du jardin de devant s'élevait en pente douce jusqu'à une villa en brique avec un étage, à la toiture d'ardoises fortement inclinée, entourée d'ormes et de haies duveteuses. Une maison traditionnelle, robuste, correspondant tout à fait au Frank de ses souvenirs. Ce qu'il voyait plaisait à Pike. Frank s'en était bien sorti.

Au bout d'un certain temps, un homme et une femme qui devaient être les inspecteurs de West L.A. descendirent l'allée, montèrent dans la voiture banalisée, et partirent. Chen téléphona pendant que Pike les regardait s'éloigner.

— T'es toujours là ?

— Oui.

— Je viens te chercher. On n'aura pas des masses de temps.

Pike retrouva Chen sur le trottoir et le suivit jusqu'à la maison. Les deux policières semblaient somnoler, et il n'y avait personne en vue à l'intérieur ni autour de la camionnette de la télévision. Ni l'un ni l'autre ne parla avant de passer le seuil. Chen tendit à Pike une paire de surchaussons en papier bleu.

— Il faut mettre ça par-dessus tes godasses, d'accord ?

Ils enfilèrent les surchaussons puis s'avancèrent dans une spacieuse entrée circulaire, d'où un escalier en colimaçon s'élançait vers l'étage. L'horloge de parquet qui montait la garde au pied de l'escalier semblait toiser les empreintes de pas couleur de sang séché qui mouchetaient le sol.

Pénétrer ainsi chez Frank fit une impression bizarre à Pike, comme s'il s'introduisait en un lieu où il était entendu qu'il n'aurait jamais été le bienvenu. Il n'avait fait qu'entrevoir de loin la nouvelle vie de Frank. Il n'avait jamais rencontré Cindy, ni les garçons, et pourtant il se retrouvait là, chez eux. Pike perçut un mouvement à l'étage, et Chen leva les yeux vers le palier.

— C'est une collègue, Amy Slovak. Elle en a pour un moment.

Pike traversa l'entrée derrière Chen, jusqu'à un vaste séjour ouvert sur une salle à manger. Une mare de sang irrégulière séchait sur le sol à mi-chemin entre la table et l'entrée. Du fil vert avait été tendu depuis la flaque jusqu'à deux piquets métalliques – deux fils pour l'un, un seul pour l'autre. Ces piquets indiquaient la position probable des tireurs. Un méli-mélo de traces de pas traversait et retraversait la mare aux divers endroits où un ou plusieurs tireurs avaient pataugé dans le sang. Une deuxième tache, plus petite, était visible au fond du séjour.

Chen indiqua de la tête la flaque qui s'étalait à leurs pieds.

— M. Meyer était ici. Sa femme et un des garçons là-bas, près de la porte-fenêtre. La nounou était dans sa chambre. Je peux te donner un aperçu assez précis de la façon dont ça s'est passé.

Un classeur bleu à triple anneau était ouvert sur la table, où Chen avait dessiné des croquis. Il le feuilleta jusqu'à la page d'un plan de la maison localisant la position des corps, ainsi que des douilles récupérées sur place.

— La famille était probablement en train de dîner quand les tueurs ont débarqué. Tu as vu l'état de la porte d'entrée. Ils ont dû leur flanquer une sacrée trouille. Meyer s'est sans doute précipité vers eux, il y a eu une courte lutte, pif, paf – son visage était entaillé comme s'ils l'avaient frappé avec un objet rigide, sans doute le canon d'un flingue –, et c'est à ce moment-là qu'ils l'ont tué.

Pike suivit des yeux les trois fils verts.

— Ils l'ont touché trois fois ?

— Ouais, une fois à la hanche, une autre dans les côtes, et la dernière dans le dos. Ils s'y sont mis à deux, comme s'ils étaient pressés de le liquider. Ce qui confirme qu'il s'est effectivement défendu. Les autres ont été abattus à bout portant d'une balle dans le front, des exécutions pures et simples.

Les autres... Cindy et les garçons.

L'horrible mare de sang rappela à Pike la Salton Sea. Frank Meyer avait été un excellent combattant. À la fois instinctif et surentraîné, sans quoi Pike ne l'aurait jamais pris dans son équipe.

— Combien d'hommes au total ?

— Quatre, ce qui rend cette attaque-ci un peu particulière. Ils n'étaient que trois pour les précédentes. Ils en ont amené un quatrième en renfort.

— Quatre armes ?

— On dirait, mais on n'a pas fini d'analyser les douilles et les ogives. C'est surtout à cause des traces de pas qu'on le pense : on en a relevé quatre types distincts.

Pike jeta un coup d'œil aux traînées noires qui maculaient les chambranles, les poignées de porte.

— Des empreintes ?

— Ils portaient des gants. On n'a rien trouvé non plus sur les autres scènes de crime. Pas la queue d'une empreinte digitale identifiante, pas d'ADN, rien que des traces de pas. Viens, je vais te montrer où on a découvert la nounou.

Chen emmena Pike au fond de la salle à manger, traversa la cuisine, une buanderie puis arriva devant une chambre minuscule, dont la porte et l'encadrement étaient enfoncés.

— Tu vois comment ils ont explosé cette porte ? Elle était fermée à clé. Elle a dû essayer de se cacher.

Chen consulta brièvement ses notes.

— Ana Markovic, vingt ans. Deux balles à bout portant, une au visage, l'autre dans la poitrine, deux douilles ici, dans la chambre. Du 9 mm. Je te l'avais déjà dit ?

— Non.

— Ces mecs n'utilisent que du 9 mm. Tout ce qu'on a ramassé jusqu'ici, les balles comme les douilles – du 9.

Cette chambre était trop minuscule pour y mourir : le lit et le bureau prenaient presque toute la place, et seule une petite fenêtre l'éclairait. Une carte d'anniversaire punaisée au-dessus du bureau montrait deux photos en vis-à-vis d'une jeune fille souriante serrant dans ses bras les fils de Frank ; les petits l'avaient fabriquée avec du papier cartonné. *On t'aime, Ana.*

— C'est elle ? demanda Pike.

— Ouais. Une fille au pair.

Les traînées de sang au sol et sur la porte indiquaient qu'elle avait tenté de s'enfuir en rampant après s'être fait tirer dessus.

— Elle les a décrits ?

— Non. Elle était inanimée quand les uniformes l'ont découverte. Ils l'ont transportée à l'hôpital de l'UCLA, mais elle ne s'en tirera pas.

Pike avait toujours les yeux rivés sur le sang. Il n'eut aucune peine à imaginer la main tendue de la jeune fille.

— Terrio a des suspects ?

— Non, on n'a identifié personne. S'il a trouvé des pistes de l'autre côté, ça, je ne peux pas te le dire. En tout cas, aucun mandat n'a été délivré.

La SID était le côté scientifique. L'autre côté relevait de l'huile de coude : tout ce que les enquêteurs obtenaient de leurs informateurs et témoins.

— Ils ont tué combien de personnes ?

— Quatre. Si la nounou meurt, ça fera cinq.

— Pas seulement ici, John. Au total.

— Onze. Eh, c'est pour ça qu'ils ont créé une cellule spéciale. Avec des costards de tous les quartiers de la ville.

Chen consulta soudain sa montre, mal à l'aise.

— Il faut que je me remette au boulot. Ils vont revenir.

Pike le suivit dans la salle à manger, mais il n'était pas encore disposé à partir.

— Montre-moi les photos.

Les techniciens, les hommes du coroner et les inspecteurs de la Criminelle photographiaient tout. Chen avait sûrement mitraillé la scène avant de faire ses croquis.

— Ces gens étaient tes amis, mec. T'es sûr d'avoir envie de voir ça ?

— Montre-les-moi.

Chen alla chercher dans sa mallette un appareil numérique noir. Il fit défiler les images jusqu'à trouver ce qu'il cherchait et tendit l'appareil à Pike.

Même si la photo était minuscule, Pike reconnut Frank à terre. Il gisait sur le dos, la jambe gauche tendue et la droite repliée sur le côté, baignant dans une flaque pourpre, miroitante à cause du flash. Pike aurait voulu vérifier s'il avait des flèches rouges tatouées sur les épaules comme le lui avait précisé Deets, mais Frank portait une chemise à manches longues, retroussée sur les avant-bras.

— Je veux voir son visage. Tu peux zoomer dessus ?

Chen recadra l'image et lui rendit l'appareil. Frank portait deux estafilades sous l'œil droit, signe qu'il avait été frappé à plusieurs reprises. Pike se demanda si Frank était en train de désarmer l'homme le plus proche de lui quand ceux qui se trouvaient de l'autre côté de la pièce l'avaient abattu.

— Dans le temps, il les aurait tous eus.

— Quoi ?

Pike, gêné par ce qu'il venait de dire, s'abstint de répondre.

— Tu veux jeter un coup d'œil à sa femme et ses gosses ?

— Non.

Chen parut soulagé.

— Tu le connaissais bien ?

— Oui.

— Il magouillait dans quoi ?

— Frank n'était pas un criminel.

— Toutes les autres victimes de la bande avaient les mains sales. Ça fait partie du schéma.

— Pas Frank.

Chen perçut quelque chose dans la voix de Pike.

— Excuse-moi. Ils ont dû se gourer. Cons comme ils sont, ils se sont peut-être trompés de maison.

— Oui, acquiesça Pike. Sans aucun doute.

— Bon, il faut que je retourne bosser. Jc vais tc fairc sortir d'ici.

Pike regagna le vestibule mais ne partit pas sur-le-champ. À l'aller, ils étaient passés devant ce qui ressemblait à un bureau.

Des photographies de Frank et de sa famille tapissaient les murs. Des affiches de films comme *Les Sept*

Mercenaires, *L'Homme des vallées perdues* et l'épisode initial de *La Guerre des étoiles*, ses trois films préférés. Frank avait l'habitude de dire en plaisantant qu'il était un Jedi. Il appelait Pike Yoda.

Pike examina les photos en comparant le Frank de ses souvenirs à celui qui avait vécu dans cette maison. Quand il avait fait sa connaissance, Frank sortait tout juste de huit années de service pour le corps des marines, avec des missions en Amérique centrale et au Moyen-Orient. Jeune et sec à l'époque, il possédait l'ossature épaisse d'un gamin qui s'empâterait vite s'il cessait de s'entraîner. Le Frank des clichés avait effectivement pris du poids, mais il semblait heureux, solide.

Pike trouva une photo de Frank et de Cindy, et une de Frank et de Cindy avec leurs deux garçons. Cindy était trapue, costaude ; elle était jolie avec ses cheveux bruns et courts, ses yeux pétillants et son nez légèrement courbe. Il en regarda d'autres. Les deux garçons, puis les quatre ensemble, le père, la mère, les enfants – la famille.

Ses déplacements dans le bureau l'amenèrent devant une étagère sur laquelle reposait un cadre vide, dont la taille correspondait à celle de la photo du Salvador.

Pike inspira, expira, puis rejoignit Chen dans la salle à manger.

— Montre-moi sa famille.

— Tu veux voir ce qu'ils ont fait à sa femme et à ses gosses ?

Pike voulait regarder ce que leurs assassins avaient fait afin de l'avoir bien en tête le jour où il les retrouverait.

4

Pike vivait seul à Culver City, dans une maison de trois pièces construite au cœur d'une résidence fermée. Il rentra chez lui, se déshabilla et prit une douche pour se débarrasser de sa sueur. Après s'être aspergé d'eau brûlante, il passa à l'eau froide. Pike ne broncha pas quand le jet glacé lui mordit la peau. Il se frotta le visage et le cuir chevelu, resta longtemps sous l'eau, puis se sécha.

Avant de se rhabiller, il s'examina dans le miroir. Pike mesurait un mètre quatre-vingt-trois et pesait quatre-vingt-douze kilos. Il avait été blessé sept fois par balle, quatorze fois par des éclats d'obus, onze fois par des coups de couteau ou d'armes blanches diverses. Les cicatrices consécutives à ses blessures et aux interventions chirurgicales associées traçaient sur son corps une carte dont les routes ramenaient toutes au même point. Pike savait exactement lesquelles dataient de l'époque où il travaillait avec Frank Meyer.

Il se pencha vers la glace et scruta ses yeux l'un après l'autre. Le gauche, le droit. Le blanc était vif et luisant, les iris d'un bleu profond, liquide. La peau tout autour était ridée à force de les plisser sous le soleil. Les yeux de Pike étaient sensibles à la lumière, mais son acuité visuelle était sidérante. 20/11 pour l'œil gauche, 20/12 pour l'œil droit. À l'école des tireurs d'élite, ses instructeurs avaient adoré.

Pike s'habilla, puis remit ses lunettes noires.

— Yoda.

Il déjeuna d'un reste de plat thaï réchauffé au micro-ondes. Du tofu, du chou, des brocolis et du riz. Il but un litre d'eau puis lava son assiette et sa fourchette en pensant à ce qu'il avait appris de Chen et de Terrio, ainsi qu'à la façon de l'exploiter.

Lui tomber dessus en plein jour dans une rue tranquille pour lui poser quelques questions trahissait une forme de désarroi. Cela confirmait qu'au bout de trois mois, sept attaques et onze homicides, Terrio n'avait toujours pas recueilli assez d'indices pour envisager une arrestation. Cependant, une absence de preuves ne signifiait pas forcément une absence de suspects ou d'informations utiles – de celles qui, selon l'expression de Chen, étaient affaire d'huile de coude. Les bandes spécialisées dans la prise d'assaut de domiciles comprenaient presque toujours des professionnels violents. S'ils se faisaient prendre, ils cessaient de sévir le temps de leur incarcération, mais ils récidivaient presque toujours une fois relâchés. Un enquêteur aussi expérimenté que Terrio le savait ; il avait dû comparer la date de la première agression à celle de la remise en liberté d'un certain nombre de malfaiteurs ayant ce type d'antécédents, afin d'identifier d'éventuels suspects. Pike voulait découvrir ce qu'il avait trouvé.

Il monta à l'étage, ouvrit le coffre-fort dissimulé dans la penderie de sa chambre, et en retira une liste de numéros de téléphone. Ceux-ci n'apparaissaient pas en clair, ils étaient cryptés selon un code alphanumérique. Pike trouva celui dont il avait besoin, redescendit, s'assit par terre contre le mur et passa son coup de fil.

Jon Stone décrocha à la deuxième sonnerie, avec en fond sonore les pulsations d'un vieux rap de Niggaz With Attitude. Il devait avoir reconnu le numéro de Pike sur son écran.

— Tiens donc. Regardez qui m'appelle.

— J'ai deux ou trois questions.

— Vous êtes prêt à payer combien pour deux ou trois réponses ?

Jon Stone était devenu chasseur de têtes pour des sociétés militaires privées après avoir dirigé la sienne. Il fournissait désormais en hommes les poids lourds du secteur, de même que les compagnies de sécurité les plus appréciées de Washington et du monde des affaires. Plus sûr, et nettement plus lucratif.

Pike ne répondit pas ; au bout d'un certain temps, le volume des NWA diminua.

— Bon, fit Stone, laissons ça de côté pour le moment. Allez-y, posez vos questions, on verra bien ce qu'il en ressort.

— Vous vous souvenez de Frank Meyer ?

— Frank l'Intrépide, mon homme des tanks ? Et comment !

— Frank a travaillé dernièrement ?

— C'était un de vos gars. À vous de me le dire.

— Il était sur le marché ?

— Il a pris sa retraite il y a dix ans au moins.

— Vous n'avez entendu aucune rumeur ?

— Comme quoi ?

— Comme quoi Frank se serait rapproché de gens peu fréquentables.

— Frank l'Intrépide ? ricana Jon Stone. Reprenez-vous.

— Il n'aimait pas qu'on l'appelle Frank l'Intrépide. Ça le mettait mal à l'aise.

Stone garda le silence, peut-être était-il gêné.

— Il y a moins de deux heures, enchaîna Pike, un inspecteur de police nommé Terrio m'a annoncé que Frank avait les mains sales. Il croit que sa boîte d'import lui servait de couverture pour une activité illégale.

— Comment se fait-il qu'un flic vous ait parlé de Frank ?

— Frank et sa famille ont été assassinés.

Stone resta muet un moment ; quand il reprit la parole, ce fut d'une voix sourde.

— C'est vrai ?

— Un commando de braqueurs a attaqué sa maison avant-hier soir. Frank, sa femme, leurs gosses. Ils se concentrent sur des cibles habituées à manier du cash – dealers, blanchisseurs d'argent sale, ce genre-là. Frank n'était pas le premier.

— Je suppose que je vais devoir me renseigner. Je n'arrive pas à croire que Frank ait pu mal tourner, mais je vais voir ça.

— Autre chose. Vous avez des contacts à la section des fugitifs ou aux investigations spéciales ?

— Pourquoi ? fit Stone, un peu inquiet.

— Vous savez bien pourquoi, Jon. Si la cellule spéciale de Terrio a identifié des suspects, c'est à la section des fugitifs ou à la SIS qu'il reviendra de les retrouver. Je veux savoir ce qu'ils ont.

Les enquêteurs de la section des fugitifs étaient spécialisés dans la recherche et l'arrestation de criminels dans certaines situations à haut risque. La section des investigations spéciales regroupait des agents d'élite chargés d'exercer une surveillance sur des criminels soupçonnés de crimes violents en série. Avec leur formation, leur habileté et leur expérience, les officiers retraités de ces deux sections étaient des recrues en or pour les officines de sécurité, et Jon en avait recasé plus d'un dans le privé.

Stone marqua un nouveau temps d'hésitation ; Pike prêta l'oreille au morceau des NWA, enregistré avant qu'Ice Cube ne rentre dans le rang.

— Allez, Jon. Vous avez vos entrées chez eux.

Stone s'éclaircit la voix.

— J'ai peut-être un ami qui a un ami là-bas, répondit-il, un peu embarrassé. Mais je ne peux rien vous garantir.

— Il me faut cette info avant qu'ils arrêtent quelqu'un.

Au bout de quelques secondes, Stone lâcha pensivement :

— Je m'en doutais un peu.

— Frank était un de mes hommes.

— Bon, s'agissant des affaires de Frank, il me vient une idée. Demandez à Lonny. Lonny saura peut-être.

Lonny Tang. L'homme qui avait pris la photo au Salvador. Treize jours plus tard, au Koweït, Frank Meyer lui sauverait la vie au cours de ce qui se révélerait être l'ultime mission de Lonny.

— Pourquoi Lonny ?

— Frank était resté en contact. Vous l'ignoriez ? Il lui envoyait des cartes de vœux, ce genre de truc. Je suis prêt à vous parier dix dollars que sa femme n'en a jamais rien su.

Pike s'abstint de répondre, car lui non plus n'en avait jamais rien su. Il n'avait pas reparlé à Lonny depuis des années.

— Si Frank a confié à quelqu'un qu'il était impliqué dans un truc louche, ajouta Stone, ça ne peut être qu'à Lonny.

— C'est une bonne idée. Je lui demanderai.

— Vous allez devoir passer par son avocat. Vous voulez le numéro ?

— Je l'ai.

— Je vous rappellerai pour le reste après en avoir parlé à mes amis.

— Merci, Jon. Je vous dois combien ?

Stone augmenta à nouveau le volume des NWA. Le morceau parlait de tirer dans le tas à Compton. De faire payer un fils de pute.

— Laissez tomber. Frank a aussi été un de mes gars.

Pike raccrocha, annula les deux rendez-vous qu'il avait dans l'après-midi, puis appela l'avocat de Lonny Tang, un certain Carson Epp.

— J'ai besoin de lui parler. Vous pouvez m'arranger ça ?

— C'est pressé ?

— Très. Une urgence familiale.

— Je peux lui dire de quoi il s'agit ?

58

Pike décida que Lonny devait apprendre la mort de Frank de sa bouche, et non pas de celle d'Epp ni de qui que ce soit d'autre. Lonny aussi avait été un de ses gars.

— De Frank le Tank.

— Frank le Tank ?

— Il comprendra. Je vous laisse mon numéro de portable.

Pike le lui dicta puis raccrocha, en pensant qu'il ne pouvait pas attendre que Stone apprenne si oui ou non Terrio avait des pistes. Il se demanda si Ana Markovic était encore en vie et si elle avait pu parler. Impossible, d'après Chen, sauf que Chen ne faisait que répéter ce qu'il avait entendu dire par les flics, lesquels avaient dû plier bagage dès qu'un médecin leur avait dit qu'elle ne se réveillerait pas. Pike voulait parler aux infirmières. Même inconsciente, Ana Markovic avait peut-être murmuré quelque chose après le départ des flics. Un mot, un nom pouvait suffire à lui donner un avantage sur eux. Et il voulait l'avoir.

Il enfila une chemise bleu ciel pour se rendre présentable, acheta un bouquet de marguerites et partit pour l'hôpital.

5

Le service des soins intensifs occupait le cinquième étage de l'hôpital de l'UCLA. Pike sortit de l'ascenseur et suivit les panneaux indicateurs jusqu'à un poste de surveillance octogonal, tout au fond d'un long couloir bordé de chambres à baies vitrées. Si des rideaux ménageaient un peu d'intimité aux patients, ils étaient presque tous ouverts, afin de permettre au personnel de les voir.

Pike chercha en vain des policiers du regard en approchant du poste : ils étaient tous repartis. Il attendit qu'une infirmière à bout de patience se tourne vers lui. BARBARA FERNHAM, indiquait son badge.

— Je peux vous aider ?

Pike et sa chemise bleu ciel lui présentèrent les fleurs.

— Ana Markovic.

L'expression de l'infirmière s'adoucit à la vue des marguerites.

— Excusez-moi. Vous êtes de la famille ?

— Un ami de la famille.

— Les visites sont limitées dans le service, pas plus d'une personne à la fois et pas plus de quelques minutes. Sa sœur y est en ce moment, mais je suis sûre que ça ne la dérangera pas de vous laisser la place.

Pike acquiesça.

— Chambre 12, mais vous ne pourrez pas lui laisser ces fleurs. Certains patients font des réactions allergiques qui affaiblissent leur système immunitaire.

Pike, qui s'y attendait, les lui donna. L'infirmière les déposa sur le comptoir, admirative.

— Très joli. J'aime bien les marguerites. Soit vous viendrez les reprendre en partant, soit on les enverra dans un autre service. En général, elles atterrissent à la maternité.

— Avant de la voir, j'aimerais parler à l'infirmière qui la suit. C'est possible ?

— Tout le monde la suit, en fait. On travaille en équipe.

— Les policiers m'ont dit qu'elle n'avait pas été capable de parler quand ils l'ont découverte. Je me demandais si elle avait repris connaissance après l'opération.

— Non, je regrette.

— Sans aller jusqu'à tenir une conversation, elle a peut-être prononcé un nom. Ou dit quelque chose susceptible d'aider les enquêteurs.

— Vous comprendrez quand vous la verrez, répondit l'infirmière, compatissante. Elle est inconsciente et totalement incapable de communiquer.

— Vous voulez bien demander à vos collègues ?

— Oui, mais je suis certaine qu'elle n'a pas parlé.

Un voyant s'alluma à côté de la porte d'une chambre, attirant l'attention de l'infirmière.

— Chambre 12. Pas plus de quelques minutes, d'accord ?

L'infirmière s'éloigna en hâte, et Pike se dirigea vers la chambre 12. Comme ailleurs, la porte était ouverte et le rideau écarté. Pike s'attendait à y trouver la sœur mais la pièce était vide, à l'exception de la silhouette couverte de bandages étendue sur le lit.

Pike hésita sur le seuil, se demandant jusqu'où il devait aller, puis approcha du lit. Tout le côté gauche du visage et du crâne d'Ana disparaissait sous un épais bandage, en revanche son profil droit était visible. Elle semblait essayer d'ouvrir un œil. Sa paupière se soulevait, l'œil en dessous vaguait, chavirait, puis la paupière retombait.

Dès qu'il la vit, Pike comprit qu'elle n'avait pas parlé, et se dit qu'il y avait peu de chances qu'elle reprenne connaissance. La forme du pansement suggérait que la balle avait pénétré sous l'œil gauche en s'écartant de la ligne médiane du visage. Vu le degré d'intumescence et de décoloration de la partie visible, des fragments d'os maxillaire avaient dû lui exploser dans les sinus, la bouche et les yeux comme des éclats d'obus. Déclenchant une douleur insoutenable. Pike souleva le drap juste ce qu'il fallait pour apercevoir les pansements du thorax et de l'abdomen, encore teintés d'orange par la bétadine qui avait servi à désinfecter. Il rabaissa le drap et le borda avec soin. Cette blessure au thorax avait dû provoquer encore plus de ravages. La balle avait vraisemblablement été déviée par les côtes ou par la clavicule avant de perforer le diaphragme et de s'enfoncer dans l'abdomen. Entre le moment où Ana s'était fait tirer dessus et son arrivée au bloc opératoire, son poumon gauche s'était vidé, sa cavité thoracique s'était emplie de sang, qui avait ensuite inondé son bas-ventre par le diaphragme. Passé un certain stade d'hémorragie, la pression artérielle s'était effondrée jusqu'à devenir tellement basse que les organes avaient cessé de fonctionner les uns après les autres, un peu comme un moteur de voiture en manque d'huile. Dans ce cas, il continue de tourner, mais en s'endommageant de plus en plus. Si on le laisse en marche trop long-temps, et même si on lui remet toute l'huile qu'on veut, les dommages resteront irréparables et il tombera en panne irrémédiablement. Tout le sang d'Ana Markovic s'était vidé à l'intérieur de son corps et elle agonisait.

Pike avait déjà vu des hommes mourir ainsi et comprit que si cette jeune femme devait témoigner de ce qu'elle avait vu, il fallait qu'elle le fasse vite.

— Ana ?

Son œil visible frémit, roula, se referma.

Pike lui effleura la joue.

— Ana, nous avons besoin de votre aide.

L'œil se révulsa puis se ferma de nouveau, un mouvement autonome dénué d'intention consciente.

Pike lui prit la main. Il la caressa, pressa la chair tendre entre son pouce et son index.

— À quoi ressemblaient-ils ?

Elle ne réagit pas.

— Qui vous a tiré dessus ?

— Éloignez-vous d'elle, lâcha dans son dos une voix féminine.

Pike se retourna calmement. Une femme qui devait approcher la trentaine, sans doute la sœur d'Ana, se tenait devant la porte. Des yeux comme des éclats de silex, des cheveux noirs rabattus en arrière, et un accent prononcé d'Europe de l'Est.

— J'essayais de la réveiller, dit Pike.

— Lâchez-lui la main et éloignez-vous.

Elle portait un blouson en daim sur un jean de marque. Sa main droite, enfouie dans un sac en cuir surdimensionné, était d'une immobilité de mauvais aloi.

Pike reposa celle d'Ana sur le drap.

— Excusez-moi. Je suis venu voir si elle était réveillée. Les Meyer étaient mes amis.

La nouvelle venue plissa les yeux, méfiante.

— Les gens chez qui elle travaillait ?

— Frank et Cindy. Ana s'occupait de leurs enfants.

— Vous connaissez Ana ?

— Non, on ne s'est jamais rencontrés.

Sans montrer aucun signe d'adoucissement, ses yeux cartographièrent le visage de Pike, sa carrure, ses lunettes noires, sa brosse de soldat d'élite. Ce qu'elle voyait ne lui plaisait pas. La chemise non plus.

Elle fit un pas de côté pour lui laisser la voie libre.

— Vous feriez mieux de partir. Ils n'aiment pas trop les visites, ici.

Sa main était toujours dans le sac.

— Elle a dit quelque chose qui pourrait nous aider ?

— Nous. Vous êtes flic, maintenant ?

— Je me suis mal exprimé. Un nom. Un mot. Quelque chose qui permette d'identifier ceux qui ont fait ça.

— Partez. Si elle parle, je répéterai ce qu'elle aura dit aux flics.

Pike l'observa un moment puis se dirigea vers la porte.

— Je comprends. Je suis désolé pour votre sœur.

La femme s'écarta encore un peu plus lorsqu'il sortit. Jetant un coup d'œil en arrière, il se rendit compte qu'elle l'observait depuis le seuil, comme si elle cherchait à évaluer la taille de son cercueil. Il se retourna encore une fois à la hauteur du poste des infirmières : elle avait disparu.

Pike attendit au comptoir que Barbara Fernham revienne et lui demanda si elle s'était renseignée auprès de ses consœurs. C'était le cas, et toutes lui avaient donné la même réponse. Ana Markovic n'avait émis aucun son et son état n'avait donné aucun signe d'amélioration.

— Je regrette, mais vous l'avez vue. J'aurais aimé pouvoir être plus optimiste.

— Merci d'avoir posé la question.

Quand Pike rejoignit les ascenseurs, la sœur d'Ana patientait devant. Il la salua d'un signe de tête, elle se détourna. Une cabine arriva avec trois personnes à l'intérieur ; ils descendirent en silence, Pike d'un côté, la sœur d'Ana de l'autre.

La sœur, la première à quitter la cabine, s'arrêta devant un kiosque à journaux tandis que Pike poursuivait son chemin vers le parking. Elle le regarda passer et il capta son reflet dans une cloison vitrée lorsqu'elle lui emboîta le pas.

À l'entrée du parking, Pike s'arrêta devant l'ascenseur. Une entorse à son habitude d'emprunter l'escalier, quel que soit le nombre d'étages. Il ne fut pas surpris que la sœur d'Ana le rejoigne.

Elle lui adressa un sourire crispé.

— Comme on se retrouve.

— Oui, dit Pike.

L'ascenseur s'ouvrit, vide. Ils étaient seuls. Pike maintint la porte ouverte pour qu'elle entre la première. La sœur d'Ana alla se placer au fond dans la cabine. Pike la suivit, aussi sûr de ce qu'elle allait faire que si ses intentions étaient placardées sur un panneau d'affichage géant de Sunset Boulevard. Sa main était toujours dans le sac.

— Quel étage ? demanda Pike.

— Deuxième.

À la seconde où les portes commençaient à se refermer, sa main jaillit du sac, munie d'un petit pistolet noir que Pike lui arracha avant même qu'elle l'ait pointé dans sa direction. Elle se jeta sur lui et tenta de le frapper, mais Pike lui saisit le bras, en s'appliquant à ne pas le casser. Comme elle tentait de lui envoyer un coup de genou, il la repoussa suffisamment fort pour la plaquer contre la cloison. Il enfonça le bouton d'arrêt de l'ascenseur. Une sirène mugit, pas longtemps.

— Je ne suis pas venu lui faire du mal.

Elle était prise au piège. Avec son souffle sifflant et ses yeux réduits à des meurtrières, elle semblait crever d'envie de lui déchiqueter la gorge à coups de dents.

— Calmez-vous, l'admonesta Pike. Regardez.

Sans relâcher sa pression, il retira d'une main le chargeur de l'arme et actionna la glissière pour expulser la balle engagée dans la chambre. Un joli petit Ruger 380.

— Vous voyez ? reprit-il d'une voix calme, mesurée. Je n'ai rien à voir avec ces assassins.

Il recula d'un pas.

— Frank Meyer était mon ami, ajouta-t-il en lui tendant le pistolet déchargé. Vous comprenez ?

Elle se redressa, embarrassée, sans être totalement convaincue. Elle empoigna le pistolet à deux mains, le dos collé à la cloison.

— Vous l'avez retrouvée comment ?

— La police m'a renseigné.

— Ces fumiers aussi pourraient la retrouver. Ils pourraient revenir la tuer.

— Donc, vous montez la garde ?

— Ils la laissent ici sans aucune protection ! Je fais ce que j'ai à faire.

Le portable de Pike vibra, si bruyant dans l'espace confiné qu'elle baissa les yeux vers sa poche. Pike fut tenté de l'ignorer, mais il attendait des nouvelles de Carson Epp, et c'était lui. Il prit l'appel sans cesser de la fixer.

— Pike.

— J'aurai Lonny en ligne dans vingt minutes. Vous pourrez le prendre ?

— Oui.

— Vingt minutes.

Pike rempocha le téléphone, puis désigna le pistolet d'un mouvement de tête.

— Rangez-moi ça.

Elle remit le Ruger dans son sac. Pike y ajouta le chargeur et la balle puis lui tendit la main.

— Je m'appelle Pike.

Elle le dévisagea de ses yeux noirs, toujours aussi méfiante. Elle avait des pommettes hautes et saillantes, des joues creuses, et une petite cicatrice héritée de l'enfance qui barrait l'arête de son nez. La main de Pike était aussi tannée que la sienne était pâle.

Elle la lui serra brièvement.

Pâle et chaude, dure en dessous.

— Rina, dit-elle.

— Karina ?

— Oui.

— Russe ?

— Serbe.

— Laissez ce pistolet chez vous. Ils ne viendront pas ici. Il y a trop peu de chances qu'elle puisse les identifier. Ils savent dans quel état elle est, donc ils ne s'y risqueront pas. Les flics le savent aussi, c'est pour ça qu'ils n'ont laissé personne devant sa chambre.

Elle plissa les yeux.

— Vous n'êtes pas flic ?

— Frank était mon ami.

L'ascenseur lança un nouveau coup de sirène, impatient de se remettre en branle.

— Quel étage ? demanda Pike.

— Ici.

Pike tendit l'index vers le bouton d'ouverture de la porte.

— Qu'est-ce que vous comptiez faire quand vous êtes montée avec moi ? Me tuer ?

— Je me disais que vous faisiez peut-être partie de la bande. Et dans ce cas, oui, je vous aurais tué.

Pike ouvrit la porte. Un homme rond pénétra dans la cabine en même temps que Rina Markovic en sortait.

— Quelqu'un les retrouvera peut-être, ces salauds, hein ?

— Oui, j'en suis sûr.

Elle l'étudia un instant, comme pour le jauger, et Pike la trouva hagarde.

— Je suis désolée pour votre ami. Je crois qu'ils ont détruit beaucoup de familles.

La porte se referma tandis qu'elle s'éloignait. L'ascenseur monta jusqu'au parking où se trouvait la Jeep de Pike. Il se débarrassa de sa chemise bleu ciel, remit son sweat-shirt gris sans manches, et emprunta la rampe en colimaçon pour rejoindre la sortie.

Huit minutes plus tard, il attendait sur le parking d'un Best Buy quand Lonny Tang téléphona.

6

Pike regardait les étudiants de l'UCLA slalomer entre les voitures à la sortie du campus, non loin de chez Frank Meyer, lorsque son portable vibra avec trois minutes de retard.

— Je suis là, dit-il.

— Lonny ? fit Carson Epp. Vous l'entendez bien ?

La voix de Lonny s'éleva à son tour, douce et haut perchée :

— Oui, oui, très bien. Salut, Joe.

— Je vous laisse, dit Epp. Vous serez seuls en ligne. Quand ce sera fini, Lonny, raccrochez normalement. Je vous rappellerai pour vérifier que tout se sera bien passé.

— D'accord. Merci, Carson.

— À plus.

Pike entendit un clic quand Epp raccrocha. Lonny Tang murmura :

— Ça a dû barder pour que tu m'appelles comme ça.

Ne voyant pas comment présenter les choses autrement, Pike lui annonça la nouvelle de but en blanc :

— Frank est mort. Il a été assassiné avant-hier. Avec toute sa famille.

Lonny resta muet en bout de ligne, mais Pike entendit un sanglot étouffé et le laissa pleurer. Si l'un d'eux avait le droit de pleurer Frank, c'était bien Lonny.

— Excuse-moi, finit par dire Lonny. Je devrais pas donner dans le pathos.

— C'est normal.

Lonny s'éclaircit la gorge.

— Merci de m'avoir prévenu. J'apprécie, Pike. Ils ont eu le fumier qui a fait ça ?

— Pas encore. Les flics soupçonnent une bande de braqueurs spécialisée dans l'attaque de résidences. La maison de Frank était leur septième cible.

Lonny s'éclaircit de nouveau la gorge.

— Bon, euh, je sais pas trop quoi te dire. Tu me préviendras quand ils les auront serrés ?

— J'ai une question à te poser.

— Laquelle ?

— Ces mecs ont l'air bien renseignés. Leurs six premières attaques visaient des dealers ou des blanchisseurs d'argent sale. Tu vois où je veux en venir ?

— Frank avait une boîte d'import. Il importait des fringues.

— Si Frank importait aussi autre chose, il était forcément en contact avec quelqu'un qui a fini par le lâcher. Cette personne-là sait qui l'a tué.

— Tu crois que je te cacherais quelque chose, Joe ?

— Je n'en sais rien.

— On parle de Frank, mec. Tu es sérieux ?

— Est-ce qu'il t'a dit des choses que je devrais savoir ?

71

Lonny respira un certain temps en silence.

— Il est venu à mon procès, répondit-il enfin, d'une voix calme. Pas tous les jours, mais deux ou trois fois. C'est là que je lui ai demandé s'il regrettait de m'avoir sauvé – parce que, s'il ne l'avait pas fait, tu vois, les mecs que j'ai tués seraient toujours en vie. Bref, je lui ai demandé s'il regrettait. Il m'a répondu que les gars comme nous se couvraient les uns les autres et que c'est pour ça qu'il m'avait couvert. Il n'avait pas eu le choix.

— C'est comme ça que ça marchait, Lonny. Qu'est-ce que tu aurais voulu qu'il te dise d'autre ?

— Je comprends. Je crois que j'avais juste envie d'entendre que je comptais encore pour quelqu'un, que je n'étais pas qu'un sale petit meurtrier de merde.

Pike garda le silence.

— Merci de protester, chef, pouffa Lonny. Ton soutien me va droit au cœur.

Il éclata soudain de rire, mais son rire dégénéra rapidement en sanglots.

— Et merde, bredouilla-t-il. Excuse-moi.

— Allez, Lonny, c'est oui ou c'est non. Est-ce que Frank t'a parlé d'une combine ? Il lui est peut-être arrivé de te poser des questions sur certaines personnes ? De dire quelque chose qui t'aura mis la puce à l'oreille ?

— Tu crois peut-être que si je pouvais aider à choper les empaffés qui l'ont tué, je ne me donnerais pas à fond ? Je les crèverais moi-même, ces fils de pute.

— Tu en es sûr ?

— Oui ! C'était resté le Frank qu'on a connu. Il avait ce putain d'esprit scout dans les gènes.

Pike, soulagé, sentit se desserrer l'étau qui lui comprimait la poitrine.

— OK, Lon. C'est bien ce que je pensais, mais il fallait que je m'en assure. Tu étais le seul à avoir gardé le contact.

— Je sais. Elle lui avait imposé de sacrées conditions, cette fille.

Cindy.

Pike en avait terminé. Il aurait voulu raccrocher, mais il n'avait pas parlé à Lonny depuis longtemps et se sentait un peu coupable. Lonny Tang avait fait partie de son équipe pendant onze ans, par intermittence, jusqu'à sa blessure.

Pike posa la question qui s'imposait :

— Comment ça se passe, là-haut ?

— On s'y fait. Encore treize ans à tirer, et je pourrai m'allonger sur la plage les doigts de pied en éventail.

— Tu as besoin de quoi que ce soit ?

— Non. J'ai mes médocs, tous les soins qu'il me faut gratos. Je chie des pépites bleues et je n'ai pas droit à la bouffe épicée, mais à part ça tout va bien.

Le jour où Frank Meyer lui avait sauvé la vie, l'explosion d'une roquette avait projeté un éclat de rocher de la taille d'une balle de golf dans l'abdomen de Lonny. Lonny y avait laissé son rein gauche, trente centimètres de gros intestin, soixante centimètres d'intestin grêle, sa rate, une partie de son foie, la moitié de son estomac, et sa santé. Il avait ensuite sombré dans une addiction croissante aux antalgiques qu'il n'avait pas les moyens de financer. Le Percocet l'avait mené à des drogues plus dures et, pour finir, à ce bar de Long Beach qu'il avait braqué. Deux dockers ayant tenté de l'en empêcher, Lonny avait descendu le propriétaire du bar et un spectateur innocent. Il avait été arrêté moins de trois heures après, inanimé dans sa voiture après s'être injecté la dose de came dont il avait besoin pour museler sa douleur. Condamné pour double meurtre avec préméditation, il purgeait actuellement une peine incompressible de vingt-cinq ans à la prison d'État de Corcoran.

Ne sachant qu'ajouter, Pike décida d'abréger la conversation :

— Écoute, Lonny, les flics sont en train d'enquêter sur Frank, et…

— Ils ne trouveront rien.

— Quand ils éplucheront ses relevés téléphoniques, ils verront que vous vous êtes parlé.

— Je m'en fous. Je leur dirai exactement la même chose qu'à toi.

— Dis-leur ce que tu veux sur Frank. Mais ne leur parle pas de moi.

— Ce n'est pas toi qui m'as appelé. C'est mon avocat.

— Exact.

— Tu comptes t'attaquer à ces mecs ?

— Il faut que j'y aille.

— Je comprends, vieux frère.

Pike allait raccrocher lorsqu'un détail lui revint en mémoire.

— Lonny, tu es là ?

— Ouais, je suis là. Où veux-tu que j'aille ?

— Une dernière chose. Les flics m'ont dit que Frank portait les mêmes tatouages que moi.

— Tu ne le savais pas ?

— Non.

— Ça remonte à des années, mec. Il me les a montrés un jour au parloir. Il venait de se les faire faire.

— Des flèches.

— Deux bonnes grosses flèches rouges, comme les tiennes. Cindy était verte. Elle a failli le foutre dehors.

Lonny rit, mais Pike était mal à l'aise.

— Il t'a expliqué ?

— Pourquoi il s'était fait faire ça ?

— Oui.

— Tu te rappelles comment elle le faisait chier en le traitant de mercenaire ? En lui disant qu'elle ne l'épouserait pas s'il refusait de se ranger ?

— Bien sûr.

— On lui est tous tombés dessus pour qu'il la plaque : « Hé, tu vas quand même pas laisser cette gonzesse te tenir par les couilles ? » Mais Frank m'a dit que tu lui avais conseillé d'y aller. Que tu lui avais dit que s'il avait vraiment envie de ce genre de vie, il fallait qu'il se donne les moyens de la mener. Il a beaucoup apprécié ça, Joe. C'était comme si tu lui avais donné ton autorisation.

Pike médita un instant là-dessus.

— Il était heureux ?

— Ouais, mec. Et comment. Il avait l'impression de s'être réveillé dans la vie de quelqu'un d'autre. Comment on dit, déjà ? Il était comblé.

— Tant mieux.

— Il m'a parlé d'un truc bizarre, cela étant. Il m'a dit qu'il lui arrivait en se réveillant d'avoir peur que Dieu se rende compte de son erreur et décide de tout lui reprendre en disant : « Hé, ce n'est pas ta vie, Frankie,

75

tu dois retourner au casse-pipe. » Il m'a dit ça en rigolant, mais quand même.

Pike ne fit pas de commentaire, songeant que c'était bien le genre de Frank de dire des choses comme ça.

— Tu crois que c'est ce qui est arrivé ? demanda Lonny. Que Dieu s'est rendu compte qu'il avait commis une erreur ?

— L'erreur a eu lieu ici-bas, Lonny.

— Pigé. Joe ? Merci de m'avoir prévenu pour Frankie. Je reçois pas des masses d'appels.

— Il faut que j'y aille.

— Joe ?

— Il faut que j'y aille.

— Tu étais un bon chef. Tu prenais soin de nous, mec. Je regrette de t'avoir laissé tomber.

Pike referma son portable.

7

Le ciel du soir s'empourprait quand Pike mit le cap sur la maison de Frank Meyer pour la deuxième fois de la journée. Il roula lentement, laissant au crépuscule le temps de s'installer. Pike adorait la nuit. Il l'adorait depuis l'époque lointaine où, petit garçon, il avait dû se cacher dans les bois pour fuir les accès de rage de son père. Ses longues patrouilles en zone de combat chez les marines n'avaient fait qu'exacerber cette passion, qui s'était encore accrue pendant ses années de service dans la police. Pike se sentait chez lui dans l'obscurité. Caché, et libre.

La villa de Frank n'était pas éclairée lorsqu'il passa devant. Le ruban de police jaune vif tendu en travers de la porte avait viré à l'ocre dans la pénombre, et les fourgons et techniciens de la SID étaient repartis. Une voiture pie restait stationnée, mais Pike comprit en voyant ses vitres opaques qu'il s'agissait d'un véhicule-leurre, laissé là pour dissuader d'éventuels candidats à l'intrusion, et qu'il n'y avait personne à bord. Sa tâche en serait facilitée.

Il fit le tour du bloc puis se gara dans l'ombre touffue d'un érable à deux maisons de distance. Sans hésitation, il descendit de sa Jeep et disparut dans une haie. Il traversa le jardin des voisins puis escalada le mur mitoyen. Il longea le garage de Frank jusqu'au jardin arrière et s'immobilisa un moment pour tendre l'oreille. Le quartier bruissait de sons normaux – des automobilistes coupant par Beverly Glen pour regagner la vallée de San Fernando, un hibou attentif perché dans l'érable qui surplombait la piscine de Frank, une sirène lointaine.

Pike s'approcha du bord de la piscine, huma l'odeur de chlore et toucha l'eau. Froide. Il alla à la porte-fenêtre, brisa la vitre près de la poignée, et s'enfonça dans l'obscurité dense du séjour. Après avoir écouté le silence, Pike alluma une petite lampe de poche émettant un discret halo rouge. Il couvrit l'ampoule de ses doigts, laissant filtrer juste ce qu'il fallait de clarté pour révéler les contours de la pièce. Sa main rougeoyait comme de la braise.

La tache en forme de cœur marquant l'endroit où étaient morts Cindy Meyer et son fils cadet formait sur le sol une ombre rouge-brun à peine plus foncée que le reste. Pike passa un moment à l'étudier, mais il n'était pas en quête d'indices. Il était en quête de Frank.

Il fit le tour du séjour, de la salle à manger et de la cuisine, silencieux comme la fumée. Il regarda chaque meuble, chaque jouet, chaque magazine, comme si tous ces objets constituaient les pages du livre de la vie de la famille Meyer, des éléments de son histoire.

Un couloir permettait d'accéder à la spacieuse suite parentale. Des photos des enfants, de Frank et de Cindy en ponctuaient les murs comme autant de souvenirs saisis au fil du temps. Un bureau ancien faisait face à un lit imposant, à tête capitonnée ; *Impératrice du monde*, disait la plaque-nom posée sur le bureau. Celui de Cindy, où elle devait régler les factures et participer à la gestion de l'entreprise.

Quelque chose dans le lit troublait Pike ; il se rendit compte qu'il était fait. Le séjour et le bureau de Frank avaient été mis sens dessus dessous, mais personne n'avait touché au lit de Frank et Cindy. Il avait dû être fait le matin de l'attaque et attendait encore un coucher qui ne viendrait jamais. Ceci suggérait que les braqueurs avaient soit pris la fuite avant de fouiller la pièce, soit trouvé ce qu'ils cherchaient. Pike se dit qu'il n'avait aucun moyen de le savoir et que John Chen avait sans doute raison : les braqueurs avaient peut-être compris qu'ils s'étaient trompés d'adresse mais, puisqu'ils avaient tué Frank, ils avaient exécuté tous les autres occupants de la maison pour ne laisser aucun témoin.

Pike promena le halo rouge de sa lampe sur le bureau de Cindy et découvrit d'autres photos. Frank et les enfants. Un couple âgé, peut-être les parents de Cindy. Ce fut alors qu'il trouva l'image qu'il cherchait inconsciemment, car il éprouva une sensation d'accomplissement dès qu'il la vit. La photo montrait Frank à la piscine, avec un des garçons. Frank soulevait son fils à bout de bras dans un geyser d'éclaboussures, et tous deux riaient à gorge déployée. C'était le seul de tous ces clichés sur lequel apparaissaient les larges flèches rouges tatouées sur ses deltoïdes. Dardées vers l'avant, comme celles de Pike. Absolument identiques aux siennes.

Pike examina longuement la photo avant de la reposer sur le bureau. Il quitta la chambre et reprit le couloir en songeant à la différence abyssale entre son propre domicile et le foyer de Frank Meyer. Les meubles de Pike se réduisaient au strict minimum, tous ses murs étaient nus. Pike n'ayant pas de famille, aucune photo d'enfants ou d'épouse n'y était affichée, et il n'en possédait pas non plus de ses amis. La vie de Pike l'avait mené à ces murs vides, et il se demanda s'ils se couvriraient un jour.

Au moment où il atteignait l'entrée, l'extérieur de la maison s'illumina tel un soleil aveuglant. Une lumière vengeresse se déversa autour des rideaux et des volets, se faufila dans les fissures de la porte et zébra la moquette. Pike referma la main sur sa minuscule lampe rouge et attendit.

Une voiture de patrouille venait de braquer son projecteur sur la façade. Ils devaient avoir reçu l'ordre de repasser devant toutes les demi-heures ou quelque chose de ce genre. Pike garda son calme. Son souffle ne se raccourcit pas, son rythme cardiaque demeura stable. La lumière balaya la maison, passa trois à quatre minutes à fouiller les haies et le jardin. Elle s'éteignit aussi soudainement qu'elle s'était allumée.

Pike suivit sa lueur pourpre à l'étage.

La maison semblait encore plus silencieuse en haut, où une ombre sur la moquette marquait l'emplacement du meurtre de l'aîné. Petit Frank. Frank junior. Pike compta les années qui le séparaient de la soirée fatidique pendant laquelle, de l'autre côté du monde, Frank lui avait annoncé que Cindy était enceinte.

Ils assuraient à ce moment-là la protection d'un collectif de villages d'Afrique centrale. Une bande armée, l'« Armée de résistance du Seigneur », kidnappait des adolescentes pour les violer et les revendre comme esclaves. Pike avait amené Frank, Jon Stone, un Britannique du nom de Colin Chandler, Lonny Tang, et Jameson Wallace, un ancien soldat des forces spéciales originaire de l'Alabama. Ils s'apprêtaient à attaquer l'ARS pour libérer seize jeunes filles lorsque Frank lui avait confié que sa petite amie, Cindy, attendait un enfant. Frank souhaitait l'épouser, mais Cindy l'avait sidéré en lui posant un ultimatum – elle ne voulait plus entendre parler ni de sa vie dangereuse, ni des gens louches qu'il côtoyait, donc soit Frank renonçait à cette vie et à ses amis, soit c'était fini entre eux. Frank était anéanti, écartelé entre son amour pour Cindy et sa loyauté vis-à-vis de ses camarades. Il avait parlé à Pike pendant près de trois heures cette nuit-là, puis la suivante et encore la suivante.

Pike ferma les yeux et s'imprégna de la sensation de la moquette sous ses pieds, de l'air froid, du silence vide. Il rouvrit les yeux et fixa la tache immonde. Malgré le manque de lumière, il voyait les endroits où les techniciens avaient prélevé des fibres.

Ces nuits africaines étaient directement reliées par un sinueux tunnel temporel à la tache qu'il avait à ses pieds. Pike couvrit sa lampe, plongeant le monde dans le noir.

Il redescendit vers le bureau de Frank.

Le volet ayant été laissé ouvert par les techniciens de la SID, la pièce bénéficiait de la clarté d'un réverbère. Pike éteignit sa lampe rouge. Il s'assit à la table de Frank, dos à la fenêtre. Le bureau de Frank le Tank. Loin de l'Afrique.

La nuit où, en Afrique, Frank Meyer avait décidé de changer de vie, il lui restait trente et un jours de contrat à honorer et treize jours pour gagner son surnom. Le surlendemain, Joe, Lonny Tang et lui s'étaient envolés pour le Salvador. Frank n'ayant pas pu joindre Cindy avant leur atterrissage en Amérique centrale, c'est à ce moment-là qu'il l'avait prévenue. Elle lui demanda de la rejoindre par le premier avion, mais Frank expliqua qu'il avait un contrat et qu'il respecterait cet engagement. Cindy n'apprécia pas mais donna son accord. Après cinq jours au Salvador, Joe et ses hommes s'embarquèrent pour le Koweït.

Il s'agissait cette fois d'assurer la protection de journalistes français, italiens et britanniques. La mission du jour consistait à escorter deux journalistes et deux techniciens de la BBC jusqu'à Jublaban, un village situé sur l'autre versant de la montagne, épargné par les combats car très éloigné des forces ennemies.

Pike ayant en charge plusieurs groupes distincts de journalistes ce jour-là, il avait scindé son équipe en trois, attribuant la virée à Jublaban à Lonny, Frank, Colin Chandler, ainsi qu'à un ancien de la Légion étrangère nommé Durand Galatoise. Deux Land Rover, deux opérateurs par véhicule, les journalistes répartis entre eux. Une rapide excursion de cinquante kilomètres en montagne, départ le matin, retour après le déjeuner.

Durand Galatoise avait même glissé deux bouteilles de chablis dans son paquetage, charmé par le sourire ravageur d'une des journalistes.

Ils partirent à huit heures ce matin-là, Lonny et Frank dans le véhicule de tête, Chandler et Galatoise en queue. Ils atteignirent Jublaban sans incident. Dans le cadre d'un sujet sur les soins médicaux en zone rurale, les journalistes étaient en train d'interviewer l'unique généraliste de Jublaban quand une roquette frappa le second Land Rover, qui se coucha sur le flanc. Les opérateurs et l'équipe de la BBC se retrouvèrent aussitôt sous un feu nourri d'armes légères.

Galatoise fut tué dans les soixante premières secondes ; l'autre Land Rover explosa à son tour, et Lonny Tang reçut l'éclat de roche qui lui mit les tripes à l'air. Frank et Chandler estimèrent qu'ils étaient face à huit ou dix hommes, puis se rendirent compte que le cauchemar ne faisait que commencer : quatre blindés légers et deux chars lourds approchaient en grondant dans le désert. Avec leurs deux Land Rover hors d'usage, ils étaient pris au piège.

Après avoir renfoncé les intestins de Lonny Tang à l'intérieur de son ventre, Frank lui fit un bandage compressif maintenu par une ceinture serrée à bloc pour le garder entier. Couvert par le fusil-mitrailleur de Chandler, il courut ensuite jusqu'à son Land Rover en flammes pour y récupérer un émetteur radio, des munitions, et un Barrett de calibre 50 généralement utilisé pour le nettoyage des snipers. Le Barrett était un monstrueux fusil de précision de plus de quatorze kilos capable de détruire un bloc-moteur à plus d'un kilomètre et demi.

Chandler conduisit les journalistes vers une position moins exposée, mais Lonny Tang était intransportable. Frank le traîna jusqu'à une hutte de pierre toute proche puis revint affronter l'ennemi avec son Barrett. Il raconta plus tard qu'il avait pleuré pendant toute la durée de l'engagement ; chialant comme un bébé, selon ses propres termes, courant, tirant, puis courant à nouveau.

Pike avait suivi par radio le déroulement des événements, relatés en direct par Chandler, tout en coordonnant l'opération de sauvetage avec un contrôleur aérien britannique.

Frank Meyer s'était ainsi battu près d'une demi-heure, continuant à courir et à tirer au Barrett, y compris après que les tanks et les autres blindés eurent investi le village, crachant le feu comme un dingue pour les tenir à distance de Lonny Tang.

Tout le monde crut par la suite que les mastodontes ennemis étaient repartis dans le désert après avoir récupéré leurs troupes, mais Colin Chandler et les journalistes de la BBC, eux, signalèrent qu'un jeune Américain nommé Frank Meyer avait à lui seul repoussé six blindés, dont deux tanks lourds.

L'ultime contrat de Frank expirait cinq jours plus tard. Il pleurait lorsqu'il serra la main de Pike pour la toute dernière fois, avant de monter dans l'avion. C'était fini ; il venait de changer de vie.

Pike se retira officiellement du métier soixante-deux jours après lui, et peut-être sa décision fut-elle influencée par celle de Frank, même s'il ne le pensait pas. Il avait dit à Frank d'y aller. De fonder la famille

84

dont il rêvait. De laisser le passé en arrière. D'aller toujours de l'avant.

Pike était toujours assis derrière le bureau de Frank quand son portable vibra dans la pénombre bleutée.

— Bon, voilà, dit Stone. Ils s'intéressent à un certain Rahmi Johnson. Ils le surveillent depuis près d'un mois. J'ai une adresse pour vous.

— S'ils se contentent de le surveiller, c'est que ce n'est pas lui qui a tué Frank.

— Effectivement, Rahmi n'est pas le suspect. Mais les flics soupçonnent son cousin d'être impliqué. Il s'appelle Jamal Johnson.

— Ils le soupçonnent, ou ils en sont sûrs ?

— Ils n'ont pas de preuves, mais le profil colle pile-poil. Écoutez ça : Jamal a été libéré de Soledad deux semaines avant la première attaque. Il crèche trois jours chez Rahmi, puis s'en va. Quatre jours après la deuxième attaque, Jamal se ramène chez le cousin avec un écran plasma de soixante pouces pour le remercier de l'avoir hébergé. Une semaine après la troisième, Jamal revient à nouveau dans une Malibu noire customisée flambant neuve. Et la bagnole aussi est pour Rahmi. Vous imaginez ça ? Quand mon contact me l'a raconté, je me suis dit : « Merde, moi aussi, j'aurais bien aimé être son cousin. »

Stone partit d'un éclat de rire trop bruyant et trop long. Il avait bu.

— Où est ce Jamal ? demanda Pike.

— Personne ne le sait, vieux. C'est pour ça qu'ils sont sur Rahmi.

— Rahmi le sait peut-être. Ils lui ont posé la question ?

— Oui, et c'est justement là que ça a merdé. Ils sont passés le voir il y a à peu près deux mois, quand ils ont commencé à s'intéresser à Jamal. Ils ont appris qu'il avait créché chez Rahmi et ils y sont allés. Rahmi a joué l'imbécile, mais vous vous doutez bien qu'il a alerté son cousin à la seconde où les flics sont ressortis de chez lui. À partir de là, Jamal a disparu de l'écran radar.

Pike réfléchit rapidement à la façon dont il allait pouvoir s'y prendre.

— Ils devraient lui reposer la question.

Stone s'esclaffa.

— Ce sont des flics, vous non. Ces coïncidences temporelles ne prouvent rien, même si elles sont assez convaincantes. Ils ne peuvent pas arrêter Rahmi, ils préfèrent le filer. Histoire de le prendre sur le fait ou de le blanchir une fois pour toutes.

— Bref, la SIS laisse courir Rahmi en espérant que Jamal reviendra.

— Ils n'ont rien d'autre. Jamal est leur seul suspect plausible.

Pike grogna. Les hommes de la SIS savaient y faire. Des chasseurs pleins de patience. Capables de suivre une cible comme son ombre sans se faire repérer pendant plusieurs semaines, mais Pike ne voulait pas attendre aussi longtemps. Stone avait raison. La police tentait de constituer un dossier solide, mais Pike n'était pas obligé de respecter ce genre de procédure. Ses besoins étaient plus primaires.

— Alors, cette adresse ?

Stone s'éclaircit la gorge, tout à coup mal à l'aise.

— Bon, écoutez, on ne peut pas se permettre de faire du grabuge sur ce coup-là. Si vous vous en mêlez, ça va me revenir dans la figure, et les gars de la SIS sauront d'où est partie la fuite. Si vous faites capoter leur plan, mon contact est foutu.

— Il n'y aura pas de grabuge. Ils ne me verront jamais.

Stone se remit à rire, encore une fois trop fort, trop longtemps, et avec une bonne dose de nervosité.

— Il n'y a que vous qui puissiez dire ça en parlant de la SIS, Pike. Vraiment que vous.

Stone était en train de lui dicter l'adresse quand une nouvelle explosion de lumière noya le bureau, tellement aveuglante que les murs et les meubles blanchirent. Pike, qui tournait toujours le dos à la fenêtre dans le fauteuil de Frank Meyer, ne bougea pas. La voiture de patrouille était de retour.

— Chut, souffla-t-il.

— Qu'est-ce qui se passe ?

Une gigantesque ombre bleue traversa le bureau, comme si quelqu'un venait de passer devant la source lumineuse. Pike entendit les crépitements étouffés d'une radio, puis un bruit de pas qui se rapprochaient.

— Vous avez l'air bizarre, insista Stone. Où êtes-vous ?

Aussi immobile qu'un poisson au fond d'une mare, Pike murmura :

— Chez Frank. La police est dehors.

— Vous vous êtes introduit chez lui ?

— Chut.

Le flot de lumière glissa vers une autre partie de la maison, tel un animal sur la piste d'une odeur.

— Qu'est-ce que vous foutez chez Frank ?

— Je voulais voir à quoi ressemblait sa vie.

— Vous êtes un drôle de numéro, Pike. Franchement.

La lumière s'éteignit. Le jardin replongea dans les ténèbres. Les crépitements de la radio s'éloignèrent. La voiture pie reprit sa ronde.

— C'est bon, dit Pike.

— Au fait, elle est comment ?

— Quoi ?

— La maison de Frank. Elle est bien ?

— Oui.

— Chic ?

— Pas au sens où vous l'entendez. C'est une vraie maison familiale.

Pike entendit Stone déglutir. Son verre tinta contre le combiné.

— Vous croyez que c'est vrai ? Qu'il a mal tourné ?

— Chen pense que les braqueurs se sont trompés d'adresse.

— Ils auraient confondu sa baraque avec une autre ?

— Ça arrive.

— Vous en pensez quoi ?

— Ça ne change rien.

— Non. Bien sûr que non.

Stone soupira profondément. Pike eut l'impression d'entendre un sanglot, mais Stone s'empressa de boire une gorgée de ce qu'il y avait dans son verre avant d'ajouter :

— Les salopards de ce genre, quand ils débarquent chez quelqu'un, que l'adresse soit bonne ou mauvaise, ils butent tout le monde comme si ces gens n'étaient rien, et je vous parie qu'ils dorment pareil que des bébés une fois rentrés chez eux. Ils ont fait ça combien de fois ?

— Frank était le septième.

— Vous voyez ? C'est ce que je veux dire. Les six premières fois, ils sont passés entre les gouttes. Ils ont tué de pauvres innocents sans en subir les conséquences. Ces gens-là n'ont pas peur des morts. Ils les ADORENT, Joe, parce que les morts – pardonnez-moi si ce que je dis vous semble brutal – sont rarement aptes à administrer un quelconque châtiment.

— Qu'est-ce que vous buvez ?

— Du scotch. Je bois du scotch à la mémoire de notre ami Frank. J'aimerais mieux tirer une salve de vingt et un coups dans le jardin, mais mes voisins préfèrent que je picole. Où en étais-je ?

— Le châtiment.

— Exactement…

Jon Stone était ému ; Pike attendait qu'il poursuive.

— Mais là… là, ils ont descendu Frank le Tank sans savoir que c'était Frank le Tank, en pensant que ce n'était qu'un mort ordinaire de plus et que ça n'aurait pas de conséquence. Alors que ce qu'il faut bien piger – et c'est la partie que je préfère –, c'est que ces connards sont quelque part en ce moment même en train de se shooter, de s'enculer à la chaîne ou allez savoir, mais ils sont quelque part, en ce moment même, et ils ne se doutent pas qu'une tempête de merde se profile à l'horizon et qu'elle va leur tomber dessus.

— Jon ? Vous avez des photos sur vos murs ?

— De filles à poil, ce genre-là ?

— Des photos de famille. D'amis.

— Je veux, oui. Je prends des photos de tout. Même de têtes humaines, putain. Pourquoi ?

— Pour rien.

— Eh, mec. Ces enculés… Ces enculés se sont sérieusement foutus dedans en butant Frank, hein ?

— Vous devriez dormir un peu.

— Je vais appeler Colin. Il sautera dans le premier avion.

— N'appelez pas Colin.

— Wallace aussi viendrait sûrement.

— Lui non plus.

— Merde… Joe ? Vous êtes là ?

— Quoi ?

Stone resta muet si longtemps que Pike crut qu'il s'était endormi.

— Jon ?

— Aucun de nous n'a de famille. Vous ne vous êtes jamais marié. Lonny et Colin non plus. Wallace a divorcé. J'ai été marié six fois, putain, qu'est-ce que vous dites de ça ? Aucun de nous n'a eu d'enfants.

Pike n'avait pas de réponse à fournir à Stone, mais ce que formula Stone de sa voix douce et rauque d'homme ivre en était peut-être une :

— Je voulais vraiment que Frank y arrive. Et pas seulement pour lui.

Pike referma son portable.

Il resta assis près d'une heure derrière le bureau de Frank, seul avec lui-même et le silence, puis longea à nouveau le couloir jusqu'à celui de Cindy. Il reprit la photo encadrée de Frank à la piscine, la glissa dans sa poche, ressortit de la villa par le jardin et rentra chez lui pour la nuit.

Ils appellent cette ville
La cité des anges
Je n'y vois que des dangers mortels.

TATTOOED BEACH SLUTS

DEUXIÈME PARTIE

La règle numéro un

8

De retour chez lui après son passage dans la maison de Frank Meyer, Pike trouva un message de son ami Elvis Cole, son associé dans une agence d'enquêtes privées. Pike l'écouta en buvant une bouteille d'eau.

« Salut, disait Cole. J'ai eu tout à l'heure la visite d'un inspecteur nommé Terrio, qui m'a posé des questions sur toi et sur un certain Frank Meyer. J'ai eu l'impression qu'il allait à la pêche, mais il m'a quand même dit que ce Meyer avait été assassiné. Rappelle-moi. »

Après avoir effacé le message, Pike rechercha l'adresse de Rahmi sur son ordinateur. Il avait faim ; il avait aussi envie de faire une séance de yoga et de rappeler Cole, mais il devait avant tout rester en mouvement. Le mouvement était synonyme de progrès, et il avait besoin de progrès pour retrouver les assassins de Frank.

L'application Google Maps offrait des fonctionnalités dignes d'un satellite espion. Pike tapa l'adresse de Rahmi et tout Compton lui apparut sur-le-champ, vu de plusieurs centaines de mètres d'altitude. Pike effectua un zoom avant pour resserrer le cadre et passa ensuite en mode Street View, ce qui lui permit de visualiser l'immeuble de Rahmi comme s'il se tenait dans la rue. Sa peinture défraîchie. La pelouse moribonde sur le devant. Une antenne parabolique renversée. L'image de Google avait été prise par une belle journée ensoleillée et pouvait remonter à plusieurs mois, mais elle lui fournirait une bonne base de travail.

Rahmi Johnson habitait dans un immeuble de couleur verte construit sur deux niveaux à deux kilomètres et demi à peu près de l'Artesia Freeway, à Compton. Un immeuble en forme de boîte à chaussures, avec trois appartements en bas, trois en haut, et un toit plat. Rahmi vivait dans l'appartement central du rez-de-chaussée. Tout ce côté-là de la rue était occupé par des maisonnettes et des immeubles du même style, bâtis sur des parcelles tellement étroites que certaines façades étaient orientées sur le côté. C'était le cas de l'immeuble de Rahmi. La quasi-totalité des terrains étaient protégés par des grillages bas, et presque toutes les maisons avaient des barreaux aux fenêtres. Un alignement de locaux commerciaux de plain-pied se dressait le long du trottoir opposé.

Du fait de son orientation latérale, le côté de l'immeuble de Rahmi donnait sur la rue et sa façade avant sur la parcelle voisine. Les habitants y accédaient par un portail grillagé, traversaient la pelouse, puis longeaient la façade jusqu'à leur appartement. Cette disposition empêchait Pike de voir la porte de Rahmi depuis la rue. Il réfléchit au problème et songea que les flics devaient avoir le même.

Pike observait les bâtiments voisins quand son portable sonna. C'était John Chen, il appuya sur la touche verte :

— Oui ?

— On vient de confirmer la présence d'un quatrième flingue, à rapprocher du quatrième type d'empreintes. Trois d'entre eux ont déjà servi pour les meurtres précédents, mais pas le quatrième. Les douilles correspondantes ont été retrouvées dans la chambre de la jeune fille au pair et dans le séjour.

— Combien ?

— Trois. Le quatrième tireur a fait feu une fois sur Frank Meyer, et c'est lui qui a mis les deux bastos à la fille, Ana Markovic. On n'a pas fini l'étude comparative des autres balles et des autres douilles, mais ça, c'est déjà établi. Je me suis dit que ça t'intéresserait.

— Merci.

Pike referma son portable et pensa au quatrième tireur. Qui n'avait pas participé aux expéditions précédentes, mais qui était allé chez Frank. Pike se demanda pourquoi ce quatrième homme s'était joint à la bande. Ses trois membres habituels étaient-ils au courant du passé de Frank ? S'attendaient-ils à plus de résistance ?

Pike chassa ces questions de son esprit et se concentra sur l'ordinateur. Il observa l'immeuble de Rahmi, puis les bâtiments avoisinants et les commerces de l'autre côté de la rue. Il remarqua que les deux trottoirs étaient bordés de véhicules en stationnement, repassa en position vue aérienne et comprit pourquoi. Ni l'immeuble de Rahmi, ni aucun autre n'offrait à ses résidents de places de parking réservées. D'où il s'ensuivait que la Malibu neuve de Rahmi devait être garée sur la voie publique.

Aucun bâtiment du quartier ne dépassait les deux étages, et la majorité n'en possédaient qu'un. Privés de toute possibilité d'observation depuis un endroit surélevé, les agents chargés de la surveillance de Rahmi avaient dû se poster assez près de leur cible. La haute densité de population, le stationnement le long des trottoirs et la nature même de la surveillance mise en place par la SIS impliquaient que les guetteurs étaient très certainement logés dans un des bâtiments voisins. On ne pouvait pas laisser une Crown Vic garée dans cette rue pendant trois semaines sans attirer l'attention. Idem pour les véhicules de dépannage et autres camionnettes de livraison bidon. Après avoir étudié les environs pendant trois quarts d'heure, Pike parvint à la conclusion que les options de surveillance de la SIS étaient restreintes. Il se faisait à présent une idée très claire non seulement de l'endroit où ils devaient avoir installé leurs guetteurs, mais aussi de la manière dont lui-même pourrait accéder à Rahmi sans être vu. Il lui faudrait encore jeter un coup d'œil au quartier de jour et de nuit pour vérifier son hypothèse, mais il savait déjà en gros comment il s'y prendrait.

Pike passa des vêtements de sport, fit quelques étirements pour s'échauffer puis glissa peu à peu vers l'état méditatif que le yoga lui permettait régulièrement d'atteindre. Avec des gestes lents et précis, il travailla en profondeur une série de postures de hatha-yoga. Concentré sur sa respiration, il sentit sa nervosité refluer. Son rythme cardiaque diminua. Quarante-deux battements par minute. Idem pour sa pression artérielle,

10-6. La paix venait avec la certitude, et Pike ne doutait pas.

Quand il eut fini, il émergea de sa transe comme une bulle remontant à la surface d'une mare lisse. Il dîna de riz et de haricots rouges au maïs grillé et à l'aubergine ; il avait préparé lui-même le riz et les haricots, le maïs et l'aubergine venaient d'un restaurant. Après le dîner, il se doucha, se lava, enfila un slip et un tee-shirt propres. Il rappela Cole, mais Cole ne décrocha pas ; il lui laissa un message.

Pike se servit un doigt de scotch dans un verre trapu et éteignit la lumière. Il resta assis sur son canapé, seul dans l'obscurité, à écouter gargouiller l'eau de sa fontaine zen en granit noir. Ce son lui permettait aisément de se transposer dans un monde naturel, peuplé de créatures sauvages. Il sirota son scotch et écouta.

Au bout d'un certain temps, Pike monta se coucher. Son matelas était ferme, mais il l'aimait ainsi. Il s'endormit presque sur-le-champ. Pike s'endormait facilement. Il avait nettement plus de mal à rester endormi.

Ses paupières se soulevèrent deux heures plus tard : Joe Pike était réveillé. Il cligna des yeux dans le noir et comprit qu'il en avait fini avec le sommeil pour cette nuit. Il ne se souvenait d'aucun rêve, mais son tee-shirt était moite de sueur.

Il roula hors du lit, rassembla ses affaires et partit vers Compton dans un paysage scintillant de lumières immobiles.

9

Pike sut que Rahmi était au nid la première fois qu'il passa devant chez lui au volant de sa Jeep grâce à la rutilante Malibu noire garée le long du trottoir. À trois heures du matin un jour de semaine, la circulation était inexistante et les rues désertes. Pike releva le col de son blouson, baissa sa casquette et se pencha sur son volant. Même si le reste du monde dormait à poings fermés, un des guetteurs de la SIS devait être à l'affût. Un passage, et il l'ignorerait. Deux passages, et il s'interrogerait. Trois passages, et il appellerait probablement une voiture de patrouille pour voir ce qui se tramait.

Pike continua sur sa lancée jusqu'à une station Mobil abondamment éclairée et ouverte vingt-quatre heures sur vingt-quatre à l'entrée de la bretelle de l'autoroute. Il s'y arrêta et téléphona pour commander un taxi. En attendant son arrivée, il entra dans la boutique. L'employé, un Latino d'âge moyen au menton fuyant, paniqua malgré les quatre centimètres de vitre pare-balles qui le protégeaient. À peine eut-il vu Pike franchir le seuil que sa main droite disparut sous le comptoir.

— J'ai un problème de moteur, dit Pike. Je vais laisser ma Jeep ici un certain temps. D'accord ?

Pike agita un billet de vingt dollars puis le glissa sous la vitre. L'employé n'y toucha pas.

— Y a rien qui pue dedans, au moins ?

— Qui pue ?

— Ouais. Qui pue.

De la came, ou un macab.

— J'ai un problème de moteur, répéta Pike. Je reviendrai.

L'employé prit le billet de vingt de la main gauche, sans jamais laisser voir la droite. Pike se demanda combien de fois il s'était fait braquer.

Il ressortit et, immobile dans la clarté vaporeuse de la station, respira la brume froide jusqu'à ce qu'un taxi vert citron qui semblait presque lavande apparaisse dans cette lumière électrique.

Le chauffeur était un jeune Afro-Américain aux yeux méfiants, qui fit un bond en voyant que son client était blanc.

— Votre voiture est en panne ?

— J'ai une copine dans le coin. Vous n'aurez qu'à me laisser devant chez elle.

— Ah.

« Elle ». La mention d'une femme rassura le chauffeur.

Pike ne lui donna pas l'adresse de Rahmi, se contentant d'indiquer le carrefour le plus proche. Il ne voulait pas que l'homme sache où il allait, au cas où il serait interrogé plus tard. Quand ils eurent atteint la rue de Rahmi, Pike lui demanda de ralentir.

— Allez-y doucement. Je reconnaîtrai l'immeuble quand on passera devant.

— Je croyais que vous la connaissiez, cette fille.

— Ça fait un bail.

Le guetteur de la SIS devait suivre le taxi des yeux. À cette heure de la nuit, ils n'avaient rien d'autre à se mettre sous la dent. Pike se rencogna dans l'ombre lorsqu'ils passèrent devant chez Rahmi. Le guetteur avait maintenant probablement la puce à l'oreille, mais Pike avait besoin de voir comment était éclairé l'immeuble. Cela lui fournirait des informations déterminantes pour localiser la planque des guetteurs et planifier son offensive.

— Moins vite, dit Pike.

Le chauffeur ralentit encore. Le guetteur devait être en train de tripoter les boutons de son émetteur ou de réveiller son coéquipier pour lui dire qu'il se passait peut-être un truc.

La façade latérale de l'immeuble de Rahmi était théoriquement éclairée par six lampes jaunes, une au-dessus de chaque porte d'entrée, mais quatre seulement fonctionnaient, les trois du rez-de-chaussée et une à l'étage. Les deux autres devaient être hors service. Mais c'était surtout l'arrière du bâtiment qui intéressait Pike. Les images de Google lui avaient montré que l'immeuble était très proche de la maison voisine, et Pike constata que la lumière du porche de celle-ci ne l'atteignait pas. Ce qui l'arrangeait. Cette zone d'ombre profonde, combinée à la distance par rapport à la rue et à l'étroitesse du passage qui séparait les deux constructions, créait un tunnel de ténèbres derrière l'appartement de Rahmi. Pike n'aurait aucun mal à y disparaître.

— Alors, c'est où ? s'impatienta le chauffeur.

— Je ne vois pas. Essayons le bloc suivant.

Pike le fit ralentir devant deux autres immeubles, histoire de déboussoler les guetteurs, puis lui demanda de le ramener à sa Jeep. Du temps où il servait dans les marines, les pilotes d'hélicoptère utilisaient la même technique pour introduire des troupes en territoire ennemi. Ils ne se contentaient pas d'arriver quelque part, de dropper leurs hommes et de rebrousser chemin. Non, les pilotes effectuaient trois ou quatre faux largages pour brouiller les pistes. Ce qui fonctionnait dans des jungles hostiles pouvait aussi fonctionner à South Central.

Pike repassa devant l'immeuble à bord d'un deuxième taxi peu avant l'aube pour étudier à nouveau l'éclairage, cette fois-ci en sens inverse, après quoi il effectua six autres passages jusqu'à midi, chaque fois dans un taxi différent, en demandant à deux reprises à son chauffeur de stopper à proximité pour lui permettre d'observer la rue. Un des chauffeurs lui demanda s'il cherchait une nana, un autre le fixa longuement de ses yeux de marbre dans le rétroviseur avant de lâcher : « Vous faites des repérages pour tuer quelqu'un, ou quoi ? »

Ils étaient garés devant un autre immeuble d'habitation, à un bloc de distance. Pike pensait à présent que le poste d'observation principal de la SIS se situait dans un des deux bâtiments commerciaux qui faisaient face à l'immeuble de Rahmi. La seule autre construction offrant une vue directe sur sa porte d'entrée était la maison vers laquelle était orienté l'immeuble, mais Pike avait vu une grande femme maigre en sortir avec trois enfants à l'heure du départ à l'école. Les deux commerces étaient donc les seules possibilités restantes. Les guetteurs de la SIS avaient besoin de voir la porte d'entrée de Rahmi. Ils avaient besoin de savoir qui entrait et sortait, et l'angle était trop serré pour qu'ils puissent s'installer ailleurs. Pike n'avait pas découvert leur localisation exacte, mais cela ne lui semblait plus nécessaire.

— Je veux pas que ça tire dans mon tacot, lâcha le chauffeur. Vous avez pas intérêt à m'impliquer dans un crime.

— Je suis zen.

— Vous avez pas l'air zen. Je vous sens chaud bouillant. Si quelqu'un était assis à côté de vous, il rôtirait sur place.

— Chut.

— Je vous préviens, c'est tout.

Pike posa un billet de vingt sur l'épaule de l'homme. Le chauffeur grogna, l'air de se considérer lui-même comme le dernier des imbéciles, mais le billet disparut.

La Malibu de Rahmi était devant l'immeuble, quasiment en face du portail grillagé. Noire avec une bande blanche, équipée de doubles jantes chromées qui devaient aller chercher dans les deux mille dollars pièce. Chaque fois que Rahmi montait dedans, il était très certainement pris en filature par la SIS. Ils avaient dû fixer un mouchard GPS sous le châssis et prévoir un minimum de trois véhicules pour maintenir le contact. Ces véhicules devaient pouvoir servir à tout moment.

La Malibu était la clé pour Pike. Alors que la SIS avait pour obligation de surveiller l'appartement de

Rahmi, il lui suffisait de surveiller la voiture sans se montrer.

Le chauffeur soupira bruyamment.

— Bon, vous en avez pas assez vu ?

— Démarrez.

Après avoir récupéré sa Jeep, Pike remonta vers le nord. Un de ses amis possédait à East L.A. un parking bondé de véhicules qu'il louait à des sociétés de production de films. Essentiellement des voitures anciennes, mais aussi un certain nombre de véhicules spécialisés du genre buggies, voitures de police en fin de carrière ou dragsters customisés. Pike opta pour un camion à tacos recouvert d'une épaisse couche de poussière, à la peinture écaillée et au pare-brise fendu. CHEZ ANTONIO – RESTAU MOBILE – LE ROI DU TACO-BARBECUE ! disait le logo décoloré qui en barrait le flanc.

Pike régla la location avec sa carte de crédit, laissa sa Jeep au parking, et repartit vers Compton au volant du camion à tacos. Il se gara à trois blocs de chez Rahmi, le long du trottoir opposé, entre ce qui ressemblait à une casse auto et une enfilade de boutiques désaffectées.

Pike éteignit le moteur, baissa les vitres pour faire courant d'air, et se faufila dans la partie cuisine du camion pour être invisible de la rue. À cette distance, les guetteurs de la SIS l'ignoreraient. Ils étaient trop occupés à surveiller le domicile de Rahmi.

Pike ne voyait pas l'appartement mais jouissait d'une vue imprenable sur la Malibu, et il n'avait besoin de rien d'autre.

Il s'installa. Respira. Attendit.

10

À 20 h 50 ce soir-là, la Malibu quitta le bord du trottoir, roula en direction de Pike jusqu'à la première intersection, puis bifurqua. Malgré la faible lumière, sa robe noire était parcourue de superbes reflets, et ses chromes étincelaient.

Pike continua d'observer.

Une Neon bleu marine apparut dans la rue transversale en même temps que s'allumait le clignotant de la Malibu. La Neon était crasseuse, et son enjoliveur avant gauche avait disparu. Après que la Malibu eut tourné, la Neon emprunta le carrefour à sa suite. Pike supposa que cette Neon appartenait à la SIS, et que deux autres véhicules au moins se mettaient en position dans les parages au même moment.

Pike attendit encore cinq minutes avant de descendre du camion à tacos. Aucune lampe intérieure ne s'alluma lorsqu'il ouvrit, puis referma la portière.

En voyant Rahmi sortir de chez lui, les guetteurs devaient avoir alerté leurs collègues stationnés à proximité pour qu'ils se déploient au plus vite. La balle était maintenant dans leur camp. Pour la première fois depuis de longues heures, les guetteurs allaient pouvoir se détendre. Ils en profiteraient pour se tourner un peu les pouces, lire leurs e-mails, appeler leur chérie, faire un brin d'exercice. Ils ne resteraient pas les yeux rivés sur la porte de Rahmi en son absence.

Pike traversa le carrefour au trot, tourna au coin de la rue suivante et sauta par-dessus une clôture, atterrissant dans le jardin parallèle à l'immeuble de Rahmi Johnson. Un chien aboya, geignit et se mit à gratter le bas de la porte de la maison, mais Pike passa devant sans bruit, escalada un autre grillage et se retrouva derrière l'appartement de Rahmi.

Il s'immobilisa dans l'ombre, attendant de voir si quelqu'un allumait une lampe. Le petit chien aboyait toujours ; une femme cria à l'intérieur de la maison et, au bout de quelques secondes, les aboiements cessèrent. Pike se mit au travail.

Chaque appartement disposait d'une seule fenêtre sur l'arrière – une de ces petites fenêtres en hauteur qu'on trouve dans les salles de bains –, et toutes étaient équipées de barreaux. La fenêtre de Rahmi et celle de l'appartement côté rue étaient éclairées, à la différence de celle de l'appartement du fond. Pike se demanda si ce dernier grouillait d'agents de la SIS.

La porte de la salle de bains de Rahmi était ouverte. La pièce elle-même était dans le noir, mais une lampe au moins brillait à côté, et la télévision murmurait. Le bruit de l'appareil suggéra à Pike que Rahmi n'allait pas tarder à revenir, même s'il ne pouvait être sûr de rien.

Pike examina les barreaux. Il s'agissait d'une cage d'un seul tenant formée de barres verticales soudées sur un cadre, du genre casque de base-ball. Les meilleurs systèmes de sécurité étaient maintenus par des gonds latéraux, mais ces barreaux-ci avaient été bricolés à moindre coût et ne répondaient vraisemblablement pas aux normes de sécurité de l'immeuble. Pike passa les doigts sous la base du cadre et dénombra quatre vis. Des vis à bois, que le propriétaire avait dû enfoncer au maximum dans des chevilles plantées dans le stuc. Difficile à faire sauter, mais pas impossible.

Pike avait pensé à se munir d'un pied-de-biche. Il en glissa l'extrémité sous le cadre, brisa la tête des vis avec son couteau Sog puis retira la cage de la fenêtre. Il la déposa sur le sol, poussa la vitre, et se hissa à l'intérieur.

Rahmi vivait dans un studio, et la salle de bains jouxtait la cuisine. Le mobilier bas de gamme était vétuste, avec un canapé usé jusqu'à la trame face à une table basse décolorée, deux poufs maculés de taches, et une couette grise suggérant que le canapé servait aussi de lit. L'écran plat de soixante pouces fixé au mur dans l'axe du canapé flamboyait comme un joyau, aussi incongru dans ce décor qu'une tête humaine coupée. Un flot de câbles dégoulinait du mur jusqu'à une pile de lecteurs et autres périphériques, avant de serpenter à même le sol vers une batterie de haut-parleurs. Rahmi s'était offert le son surround.

Pike aurait préféré éteindre la lumière et la télé, mais les flics se poseraient des questions si l'appartement était sur écoute. Ils étaient sûrement entrés, eux aussi, pour y installer des micros. Pike ne voulait pas qu'ils entendent ce qui se passerait au retour de Rahmi.

Ayant rangé son pied-de-biche et son couteau, il sortit de sa poche un petit scanner radio à peu près de la taille et de la forme d'un lecteur MP3. Pike l'utilisait souvent dans ses missions de sécurité. Si le scanner détectait un signal de fréquence radio – quasiment tous les micros d'écoute en émettaient –, un voyant rouge s'allumerait.

Pike inspecta la pièce principale, la cuisine et, pour finir, la salle de bains, puis s'intéressa au support du téléviseur plasma et au mobilier – sans rien trouver. Il inspecta ensuite le climatiseur encastré dans la fenêtre. Si les guetteurs avaient placé leur micro à l'intérieur de l'appareil, ils ne risquaient pas d'entendre quoi que ce soit quand celui-ci tournait, mais Pike vérifia quand même. Rien non plus. Il approcha des stores qui occultaient les fenêtres. Les enrouleurs étaient en mauvais état et couverts de toiles d'araignée. Pike les passa au scanner et découvrit le micro sur le deuxième enrouleur. De la taille d'une oreillette, collé à la barre de fixation par un bout de mastic. Pike le retira en douceur et alla le poser sur le sol derrière la porte d'entrée. Là où il comptait se poster pour attendre le retour de Rahmi.

Pike éteignit son scanner et poursuivit sa recherche. Il trouva un 9 mm Smith & Wesson coincé entre les coussins du canapé, une pipe à herbe en verre bleu longue comme une matraque sur le sol, et un sachet contenant deux joints et une faible quantité de marijuana émiettée. Une petite pipe à crack était cachée dans un panier en osier, en compagnie d'un sachet de cellophane contenant trois cailloux de crack et un assortiment de pilules. Pike déchargea le 9 mm, empocha les cartouches et glissa l'arme dans sa ceinture. N'ayant rien découvert d'autre, il prit position derrière la porte. Que Rahmi revienne d'ici cinq minutes ou cinq jours, Pike l'attendrait.

Un peu moins d'une demi-heure plus tard, il entendit grincer le portail et sortit le Smith de sa ceinture.

Trois serrures commandaient l'ouverture de la porte. Quelqu'un les déverrouilla une à une, puis le battant pivota vers l'intérieur. Pike écrasa le micro d'un coup de talon pendant qu'il ouvrait. Rahmi Johnson entra, un sachet en papier blanc à la main, referma et vit Pike à la seconde où celui-ci le frappait avec son arme. Les flics avaient certainement repris leur surveillance et devaient se demander pourquoi ils n'avaient plus de son, mais ils supposeraient sans doute que la fermeture de la porte avait fait tomber leur micro.

Rahmi leva les deux mains pour se protéger le visage, mais pas assez vite. Pike le frappa une deuxième fois et Rahmi fit un pas de côté, chancelant. Plusieurs tacos dégringolèrent du sac, dans une odeur de gras et de sauce pimentée.

Pike lui fit une clé de bras, le força à plier l'arrière des genoux et le plaqua au sol.

— Hé, mec ! C'est quoi, ce bordel ?

Pike lui montra le flingue.

— Tu vois ?

Rahmi devait le prendre pour un flic : un Blanc ici, en plein Compton.

— Qu'est-ce que tu me veux, mec ? J'ai rien fait !

Pike le gratifia d'un petit coup de canon.

— Tais-toi.

Pike coupa le son du téléviseur et fit les poches à Rahmi. Elles contenaient un téléphone portable, une liasse de billets, un paquet de Parliament et un briquet jetable jaune. Pas de portefeuille. Il remit Rahmi debout et le poussa vers le canapé.

— Assis.

Rahmi s'assit en lui jetant un regard provocateur d'ado menaçant. Il cherchait à lire en lui, à comprendre qui était Pike et ce qu'il avait dans sa manche. Pike était conscient de ressembler à un policier mais ne voulait pas que Rahmi se fasse des illusions.

Il empocha la liasse de billets ; l'autre sursauta.

— Hé ! C'est ma thune, enfoiré !

— Plus maintenant. Jamal me doit de l'argent.

— Vous êtes flic ?

— Où est Jamal ?

— J'en sais rien, moi, où il est. Merde.

— Jamal me doit du fric. Ou c'est lui qui me le rend, ou c'est toi.

— Je vous connais pas, mec. J'ai jamais entendu parler de ce putain de fric.

Pike lui lança son portable, tellement fort que Rahmi fut obligé de l'attraper au vol pour se protéger le visage.

— Appelle-le.

— Hé, mec, je l'ai pas revu depuis ma visite au parloir. Il est à la rate.

D'un brusque revers de main, Pike frappa l'écran plasma en plein centre avec le canon du Smith. La vitre de protection se fendit, et une myriade de cubes multicolores et brillants se mirent à danser à la place de l'image. Rahmi quitta le canapé d'un bond, les yeux tremblant comme des œufs baveux.

Pike pointa le Smith sur son front et arma le chien.

— Appelle.

— Je vais l'appeler. Je vais l'appeler autant de fois que vous voudrez, mais ça fera rien. Je lui ai déjà laissé des messages. Sa boîte est pleine.

Rahmi pianota fébrilement sur son téléphone puis le tendit à Pike.

— Tenez. Écoutez vous-même. Vous verrez. C'est en train de sonner.

Pike ouvrit sa main libre. Rahmi lui lança le portable. Pike l'attrapa et entendit une voix de synthèse annoncer que la boîte vocale de son correspondant était pleine.

Il coupa la communication et consulta le journal d'appels. Le dernier en date était intitulé « Jamal ». Il referma l'appareil et le glissa dans sa poche. Il étudierait les autres numéros plus tard.

— Où est-il ?

— Aucune idée. En train de se taper une pute quelque part, j'imagine. Peut-être à Vegas.

— C'est lui qui m'a dit que tu l'hébergeais. Comment est-ce que j'aurais eu ton adresse, sinon ?

Une ombre de perplexité passa sur les traits de Rahmi : tout cela était plausible, mais il devait avoir encore des doutes.

— Ça remonte à des semaines, mec. Je sais pas où il crèche, maintenant. Il me l'a pas dit, et je veux pas le savoir.

— Pourquoi ?

— Ah, vous savez bien. Les flics sont venus ici, il a intérêt à la jouer profil bas. Il m'a pas dit où il allait et je le lui ai pas demandé. Et si je le sais pas, je risque pas de vous le dire.

Pike décida que Rahmi disait la vérité, mais Jamal n'était qu'un de ceux qu'il voulait retrouver.

— Vous vous êtes parlé quand pour la dernière fois ?

— Y a quelques jours, je crois. Peut-être une semaine.

— De quoi avez-vous parlé ?

— De conneries. De cette série que je regarde en DVD, *The Shield*. Ça rend d'enfer sur le soixante pouces. Ouais, on a parlé de *The Shield*. Jamal m'a dit que là-haut, à Soledad, ils regardaient tous *The Shield*.

— Je crois que tu mens. Je crois qu'il a laissé mon fric chez toi et que tu l'as claqué.

Pike visa l'œil gauche de Rahmi, qui leva une main comme s'il pensait pouvoir repousser la balle avec.

— C'est quoi, ce truc de malade ? J'ai jamais entendu parler de ce fric, moi !

— Il t'a dit que j'allais venir ?

— Y m'a jamais parlé de ce fric, ni de vous, ni de rien d'autre. Il vous doit combien ?

— Trente-deux mille dollars. Et si ce n'est pas lui qui me les rend, ce sera toi.

— Trente-deux boules ? Je les ai pas, mec.

— Ta caisse. Elle est à moi, maintenant.

Rahmi regarda en clignant des yeux ce qu'il restait de son grand écran puis se recroquevilla sur le canapé, vaincu.

— Mec, pitié, je sais pas ce qui s'est passé entre Jamal et vous, mais j'ai rien à voir là-dedans. Jamal, il m'a filé ces trucs parce que ça marche hyperbien pour lui en ce moment. C'est la famille, merde !

— Comment se fait-il que ça marche aussi bien ?

— Il s'est dégoté une bonne équipe.

— Qui ça ? Je le retrouverai peut-être par eux.

— Il m'a jamais donné de noms.

— Il ne t'a jamais dit non plus que je viendrais chercher mon fric. Je crois qu'il me l'a piqué. Je crois que ses trucs sont à moi.

En voyant Pike lever à nouveau le flingue, Rahmi se fit implorant.

— Je vous jure, mec. Depuis qu'ils sont branchés avec ce Serbe, là, c'est gros coup sur gros coup. Ils font sauter la banque !

Pike baissa le Smith.

— Un Serbe ?

— C'est ce mec qui leur amène les bons plans. Il leur dit qui braquer, et ils se partagent le butin. Il dit qu'il s'est jamais fait de thune aussi facilement.

— Il a parlé d'un Serbe ? Pas d'un Russe, ni d'un Arménien ?

— Qu'est-ce que ça change ? Comment vous voulez qu'on fasse la différence ?

— Son nom ?

— Un putain de Serbe, c'est tout ce que je sais.

Ana Markovic venait de Serbie. Elle agonisait à l'hôpital pendant que sa sœur montait la garde.

Pike fixa Rahmi du regard sans vraiment le voir. Émergeant de ses pensées, il marcha sur le sachet de tacos et l'écrasa.

Rahmi prit une mine dépitée.

— Putain, mon dîner, merde. Pourquoi vous avez fait ça, mec ?

Pike sortit les clés de Rahmi et les lui lança.

— Va te chercher d'autres tacos.

— Quoi ?

Pike lui présenta la liasse de billets.

— Reprends ta caisse. Va t'acheter d'autres tacos.

Rahmi se lécha les lèvres comme s'il anticipait une entourloupe, mais il prit les billets et alla à la porte.

— Vous l'avez connu comment, Jamal ?

— Il m'a tué.

Rahmi se figea, une main sur la poignée.

— Si tu le vois avant moi, ajouta Pike, dis-lui que Frank Meyer arrive.

Rahmi s'éclipsa.

Pike resta immobile près de la porte, à l'écoute. Le portail s'ouvrit. Il entendit rugir la Malibu, puis un crissement de pneus. Comme tout à l'heure, les gars de la SIS allaient s'empresser de lui filer le train.

Pike ressortit par la fenêtre de la salle de bains et se fondit dans la nuit.

11

Pike retourna à l'hôpital de l'UCLA le lendemain matin. En sortant de l'ascenseur à l'étage des soins intensifs, il aperçut Rina devant la chambre de sa sœur en compagnie d'un médecin et de deux infirmières. Il fit demi-tour et redescendit jusqu'au hall d'accueil. Il voulait lui parler en tête à tête.

Après avoir repositionné sa Jeep de manière à pouvoir surveiller l'entrée de l'hôpital, il alluma le portable de Rahmi Johnson. Il s'était arrêté en cours de trajet pour acheter un chargeur. Il tenait à garder l'appareil en état de marche au cas où Jamal chercherait à joindre son cousin. Pike avait essayé de l'appeler à deux reprises la veille au soir ; il fit une nouvelle tentative, mais le résultat fut le même que les fois précédentes. Une voix féminine de synthèse l'informa que la boîte vocale de Jamal était pleine.

Pike rangea l'appareil et se concentra sur l'entrée. Il était prêt à attendre aussi longtemps que nécessaire, mais Rina émergea au bout de quelques minutes à peine. Même jean et même blouson que la veille. Même gros sac à bandoulière serré contre son cœur.

Elle ne vit Pike que lorsqu'il surgit entre deux voitures ; elle poussa un petit cri.

— Vous savez qui lui a fait ça ? demanda-t-il.

— Bien sûr que non. Comment je pourrais le savoir ?

— C'est pour ça que vous avez peur ? Parce que vous savez qui sont ces gens ?

Elle fit mine de s'éloigner, la main toujours sur son sac.

— Je ne vois pas de quoi vous parlez. Je ne sais rien. La police les recherche.

Pike se planta devant elle.

— Ceux qui l'ont blessée étaient envoyés par un Serbe.

— Et alors ? S'il vous plaît…

Elle voulut le contourner, mais Pike lui saisit le bras.

— La bande qui a tiré sur votre sœur a eu l'adresse de la maison où elle travaillait par un gangster serbe. C'est lui qui leur a vendu l'info. Et vous êtes là, la peur au ventre, avec un pistolet dans votre sac.

Elle jeta un coup d'œil mauvais à la main de Pike et se redressa de toute sa hauteur.

— Lâchez-moi.

Pike vit le regard de la jeune femme glisser derrière lui. Il pivota nonchalamment d'un quart de tour et aperçut un géant qui s'avançait vers eux sur le parking. Un type aux épaules tombantes, bedonnant et mal rasé. À la barbe assez drue pour meuler du marbre.

Deux rangées de voitures les séparaient quand Pike se retourna. L'homme dit quelque chose que Pike ne comprit pas. Rina répondit dans la même langue.

117

— Mon ami Yanni, expliqua-t-elle à Pike. Je lui ai dit que tout va bien.

Yanni mesurait un mètre quatre-vingt-quinze et pesait au moins cent quarante kilos. Il fronça les sourcils en toisant Pike comme un ours des Balkans, mais Pike ne se laissa pas impressionner. La taille n'avait pas grande importance.

Pike se tourna vers la jeune femme.

— Si vous savez qui a fait ça, dites-le-moi. Je vous protégerai mieux que lui.

Elle fit un pas en arrière.

— Un gangster serbe. Je ne vois pas de quoi vous parlez.

— Comment Frank et Cindy ont-ils connu votre sœur ? Comment a-t-elle trouvé ce travail chez eux ?

— Je ne sais pas.

— Elle leur a peut-être été recommandée par quelqu'un que vous connaissez ?

Elle recula encore.

— Si vous savez des choses, lâcha-t-elle, allez voir les flics.

— De qui avez-vous peur ?

Elle le dévisagea longuement, puis secoua la tête.

— Ana est morte. J'ai beaucoup à faire.

Elle lui tourna le dos et passa sans s'arrêter devant Yanni, échangeant avec lui des mots dans leur langue natale. Elle marchait vite, comme s'il lui restait un immense chemin à parcourir et qu'elle était en retard. Yanni fronçait toujours les sourcils, plus tristement qu'autre chose.

Pike revint à sa Jeep. Il les regarda traverser le parking jusqu'à une petite Toyota blanche. La jeune femme s'installa au volant.

Pike leur laissa une certaine avance avant de les prendre en filature, d'abord dans la circulation embouteillée de Westwood Village, puis sur l'autoroute. La Toyota l'entraîna au nord jusque dans la vallée de San Fernando avant de basculer à l'est vers Studio City. Pike s'en rapprocha lorsqu'ils eurent quitté l'autoroute. Ils pénétrèrent dans un quartier résidentiel situé entre Los Angeles River et Ventura Boulevard, puis dans le parking visiteurs d'une vaste résidence privée constituée d'immeubles en brique bâtis au milieu des arbres, et dont l'accès était défendu par un portail.

Pike se gara le long du trottoir et continua à pied, en longeant la façade du premier immeuble. Il fit halte en voyant s'allumer les feux stop de la Toyota. Yanni en descendit, parla un moment à Rina par-dessus la portière, et grimpa dans un 4 × 4 F-150 beige métallisé. La Toyota redémarra et disparut dans le parking souterrain de la résidence.

Pike mémorisa le numéro de plaque du F-150, attendit que Yanni soit reparti, puis escalada le portail et descendit dans le parking souterrain. Il passa les véhicules en revue jusqu'à localiser la Toyota de Rina sur l'emplacement 2205. Il y avait de bonnes chances pour que ce numéro corresponde à celui de son appartement.

Il rejoignit sa Jeep, nota les deux numéros de plaque et celui de l'appartement, puis téléphona à un ami.

Pike était très fort dans certains domaines, mais un peu moins dans d'autres. Il avait besoin d'informations sur Ana et Rina Markovic, ainsi que sur les numéros enregistrés dans la mémoire du portable de Rahmi Johnson. Pike était un guerrier. Il savait pister, traquer et vaincre un ennemi dans à peu près n'importe quel environnement, mais le travail d'investigation exigeait des relations qu'il ne possédait pas.

Un homme lui répondit à la deuxième sonnerie.

— Agence Elvis Cole. Payez moins pour trouver plus. Consultez nos tarifs.

— J'ai besoin de ton aide, lâcha Pike.

12

Elvis Cole

Elvis Cole reposa le téléphone encore plus soucieux qu'il ne l'était avant le coup de fil de Pike. Il aurait été bien en peine de dire combien de fois son associé lui avait sauvé la vie, ou combien d'interminables silences ils avaient partagés à des moments où le simple fait d'être avec quelqu'un qui avait été témoin des mêmes horreurs que vous apparaissait comme le meilleur, sinon le seul moyen de survivre. En revanche, il aurait pu compter sur les doigts d'une seule main les occasions où Joe Pike lui avait demandé de l'aide.

Il ne se sentait pas bien depuis que le sergent Jack Terrio l'avait accablé de questions auxquelles il ne pouvait pas répondre sur un homicide multiple dont il ignorait tout, et maintenant il était agacé d'être obligé d'attendre pour savoir de quoi il retournait. Comme d'habitude, Pike ne lui avait fourni aucune explication au téléphone. Il s'était contenté de dire qu'il arrivait avant de raccrocher. Toujours aussi attentif à observer le code des bonnes manières, ce cher Pike.

L'agence Elvis Cole occupait deux bureaux mitoyens au quatrième étage d'un immeuble de Santa Monica Boulevard. La présence d'un balcon avait été décisive pour déclencher l'acte d'achat. Par temps clair, tout Santa Monica se déployait devant lui, jusqu'à l'océan. Il arrivait que des mouettes en route vers l'intérieur des terres planent au-dessus de lui tels des cerfs-volants de porcelaine, en clignant leurs petits yeux chafouins. Il arrivait aussi que l'occupante du bureau voisin s'installe sur son propre balcon pour prendre un bain de soleil. Sa collection de bikinis était impressionnante.

Seul le nom de Cole figurait sur la porte, mais Joe Pike n'en était pas moins son associé, en plus d'être son ami. Ils avaient fait l'acquisition de cette agence l'année où Pike avait quitté le LAPD et où l'État de Californie avait délivré à Cole sa licence de détective privé.

Ce matin-là, le ciel était laiteux sans être sombre, l'air frais sans être froid, et Cole en profitait grâce à la porte-fenêtre ouverte. Il portait une hallucinante chemise hawaïenne Jams World (couleurs du jour : jaune soleil et vert citron), un pantalon de treillis kaki, et un holster d'épaule en nubuck italien au design impeccable, présentement vide. Cole l'avait enfilé dans l'espoir que la femme d'à côté émergerait dans son dernier bikini et se pâmerait en le voyant, mais il avait tout faux jusqu'ici : pas de voisine, et encore moins de pâmoison.

Vingt minutes plus tard, Pike arriva. Cole, en train de vérifier ses comptes sur son chéquier, n'entendit pas la porte s'ouvrir, ni se refermer. Une manie de Pike. À croire qu'il était tellement rompu à l'art de se mouvoir en silence qu'il ne touchait plus terre.

Cole lâcha son carnet de chèques sans dissimuler son irritation.

— Bon, je suis tranquillement assis ici, la porte s'ouvre, et ces flics entrent en brandissant leurs insignes. Ils sont trois, donc je comprends que c'est important. Ils me demandent ce que je sais de Frank Meyer. Qui ça ? Meyer, un ancien collègue mercenaire de votre copain Pike. Ah, je fais, et alors ? C'est là qu'ils m'annoncent que Meyer et toute sa famille ont été assassinés. Je ne vois pas quoi répondre à ça, mais le flic dominant, un certain Terrio, me demande ce que je sais de tes relations personnelles et/ou professionnelles avec ce Frank Meyer. Je lui réponds que je ne t'ai jamais entendu prononcer ce nom.

Cole regarda Pike s'adosser contre le mur. Pike s'asseyait rarement à l'agence.

— Normal. Frank était un de mes gars. Dans le temps.

— D'après Terrio, ils ont des raisons de penser que cette bande s'est attaquée à Meyer parce qu'il avait du cash ou de la came chez lui.

— Terrio se plante. Parce que les six autres victimes étaient véreuses, il essaie de mettre Frank dans le même sac.

Cole fronça les sourcils, de plus en plus largué.

— Les six autres ?

— La maison de Frank était leur septième cible. La même bande, toujours entre le Westside et Encino. Ils braquent des criminels.

— Terrio n'a pas parlé de ça. La presse non plus.

Après le départ de Terrio, Cole avait consulté les sites internet du *L.A. Times* et des chaînes de télévision

123

locales pour voir comment les meurtres avaient été couverts. Le *Times*, d'où il avait tiré l'essentiel de ses informations, présentait Frank Meyer comme un self-made-man à la tête d'une entreprise prospère. Aucune mention de son passé de soldat de fortune, mais peut-être la chose ne se savait-elle pas encore lorsque l'article avait été publié. Un inspecteur du nom de Stan Watts était cité, expliquant qu'une bande de braqueurs professionnels avait probablement investi la maison entre huit heures et dix heures du soir et que son mobile était probablement le vol. Watts ne donnait aucun élément sur ce qui avait pu être volé.

Cole avait imprimé l'article ; il poussa la feuille vers Pike, qui ne la regarda pas.

— Si Terrio se plante, reprit Cole, qu'est-ce que ces types voulaient voler là-bas ?

Pike sortit de sa poche une feuille de carnet et un portable qu'il déposa sur le bureau de Cole.

— J'ai découvert une piste que Terrio ne connaît pas.

Cole écouta Pike lui parler d'un voyou récemment remis en liberté, Jamal Johnson, et de son cousin Rahmi. Il fut notamment question d'une Malibu neuve et de confidences faites par Jamal à son cousin Rahmi selon lequel la bande choisissait ses cibles en achetant des infos à un truand serbe. Pike était en plein récit quand Cole leva une main pour l'interrompre.

— Minute, papillon. La SIS surveille ce mec, et tu t'es introduit chez lui ?

— Oui.

— C'est de la folie pure.

Pike poussa le téléphone vers Cole.

— Le portable de Rahmi. Le numéro de Jamal est en mémoire. Tu sauras peut-être identifier l'opérateur et avoir accès à l'historique de ses appels. Ça nous donnerait une chance de le retrouver.

Cole mit l'appareil de côté et parcourut les notes inscrites sur la feuille.

— Je vais voir ce que je peux faire. Et ceux-là, quel est leur rôle dans l'histoire ?

— Ana Markovic était la fille au pair des Meyer. Elle est morte ce matin. Rina est sa sœur. Elle a un ami qui s'appelle Yanni. Je ne te garantis pas l'orthographe. J'ai rencontré Rina à l'hôpital avant la mort d'Ana. Elle montait la garde devant sa chambre. Elle avait peur que ceux qui avaient tiré sur sa sœur reviennent finir le boulot.

— Tu penses qu'elle sait quelque chose ?

— Ce sont des Serbes. Rahmi m'a dit que son cousin était en cheville avec un gangster serbe. Il y a des chances, non ?

Cole réfléchit. Depuis toujours, Los Angeles comptait parmi ses habitants une petite colonie serbe, mais de même que les populations russe et arménienne s'étaient accrues après l'effondrement de l'Union soviétique, le nombre de Serbes et de ressortissants de l'ex-Yougoslavie avait explosé suite aux conflits des années quatre-vingt-dix. Des délinquants organisés ou non étaient arrivés avec la vague, et L.A. abritait à présent une quantité importante d'organisations criminelles issues de l'Europe de l'Est. Malgré cette explosion, la population d'Européens de l'Est restait statistiquement réduite. Une connexion latino, afro-américaine ou anglo-saxonne n'aurait rien signifié. Une connexion balkanique à Westwood méritait d'être explorée.

Cole reposa la feuille de carnet à côté du portable.

— Ta copine Rina, tu crois qu'elle me parlerait ?

— Non.

Cole parcourut les informations griffonnées par Pike sur la feuille. Ce n'était pas grand-chose.

— Où habitait Ana ?

— Chez Frank.

— Peut-être qu'elle passait ses week-ends ailleurs.

— Aucune idée.

— Il me semble que toi et moi, on n'en sait pas assez sur le mode de vie de la nounou.

— Non.

La forme classique du dialogue avec Pike.

— Ce que je veux dire, insista Cole, c'est que parler à des gens qui connaissaient cette fille pourrait nous donner un bon point de départ. Il me faudrait les noms de ses amis et peut-être aussi quelques numéros de téléphone, ce genre de chose. Par ailleurs, vu que la sœur refuse de nous parler, est-ce qu'on ne pourrait pas avoir accès à la scène de crime ?

— Je m'en occupe. Et John Chen est dans l'équipe de la SID. Il traite les pièces à conviction.

Cole hocha la tête. Non seulement Chen était un criminaliste talentueux, mais ils avaient déjà travaillé ensemble. Cole l'appellerait après le départ de Pike.

Deux mouettes apparurent dans le néant bleu derrière la vitre. Cole les regarda flotter sur une mer invisible : elles ne bougeaient que leurs petites têtes. L'une d'elles piqua soudain et disparut de son champ de vision. Sa copine la suivit un instant des yeux, replia ses ailes et l'imita.

— Et tu dis que Terrio n'a pas entendu parler du contact serbe de Jamal ?

— Non.

— Tu comptes le mettre au courant ?

— Non. Je veux les retrouver avant la police.

Pike l'observait, plus inexpressif que jamais avec ses verres opaques semblables à deux trous noirs. Le calme de cet homme était sidérant.

Cole chercha les mouettes du regard, mais elles n'avaient pas reparu. Le ciel hivernal d'un bleu laiteux venait tout juste de crever la brume. Cole se leva, contourna son bureau, ouvrit le mini-réfrigérateur installé sous sa pendule Pinocchio et s'empara d'une bouteille d'eau. Il l'offrit à Pike, qui secoua imperceptiblement la tête. Cole revint à son bureau avec la bouteille.

Il regarda à nouveau l'article du *Times*, celui que Pike avait ignoré. Les victimes étaient identifiées au deuxième paragraphe. Frank, Cindy, Frank junior, Joe. Le plus jeune s'appelait Joey. Exécutés. Le mot choisi par la journaliste pour décrire ce qui s'était passé. *Exécutés*. Ce mot hantait Cole depuis qu'il avait découvert l'article. Il n'était pas né de la dernière pluie, mais cette fille savait écrire. En quelques mots brûlants jetés sur une page blanche, elle avait forcé Cole et ses autres lecteurs à se représenter la scène, et le résultat était là. Un canon d'acier noir en train d'approcher d'une tête. Des yeux qui se ferment, des larmes qui se faufilent entre les paupières closes, peut-être des sanglots et des cris, et pour finir le BLAM ! sec qui interrompt tout. Les sanglots cessent, le visage redevient serein à mesure que la mort relâche les traits, et il ne reste plus que les hurlements de la mère. Cindy avait dû être la dernière. Cole plia le feuillet en deux, et la question qui lui trottait dans la tête depuis la veille revint le titiller : est-ce que oui ou non le plus jeune des garçons, Joey, avait été prénommé ainsi en référence à Joe Pike ?

Qui était Frank Meyer ?

Un de mes gars.

Cole en avait assez appris au fil des ans pour savoir ce que cela signifiait. Pike avait toujours trié ses hommes sur le volet, ne choisissant que ceux qu'il respectait. Ensuite, parce qu'ils étaient ses hommes, il se chargeait de les équiper, de les nourrir, et de les armer, faisait en sorte qu'ils soient payés en temps et en heure, que leurs contrats soient honorés, et qu'ils disposent toujours d'un matériel adapté à leur mission du moment. Il s'occupait d'eux comme ils s'occupaient de lui, et jamais il ne les aurait laissés vendre leur peau à vil prix.

Qui était Frank Meyer ?

Un de mes gars.

— Je n'ai pas besoin de faire comme si j'ignorais ce que tu vas faire, dit Cole. Tu ne l'as pas encore fait. La situation peut encore évoluer. Les flics les retrouveront peut-être avant toi.

— Mmm, fit Pike.

Cole le fixa et eut l'impression que Pike soutenait son regard, mais rien n'était moins sûr. Il n'arrivait jamais à savoir ce que pensait son ami. Peut-être attendait-il simplement de lui qu'il reprenne la parole. Pike était d'une infinie patience.

— Je vais te dire un truc, Joe, et j'aimerais que tu y réfléchisses : je ne pense pas que Terrio ait forcément tort. Moi aussi, à sa place, je me poserais des questions sur Meyer. Peut-être que Frank n'était plus l'homme que tu as connu ? Suppose que Terrio ait raison ?

Les verres noirs sondèrent Cole comme deux hublots ouverts sur une autre dimension.

— Ça resterait quand même un de mes gars.

Les deux mouettes réapparurent, attirant l'attention de Cole. Elles restèrent en suspens dans le ciel, remuant la tête au gré des coups d'œil qu'elles se lançaient. Et tout à coup, à l'unisson, leurs regards convergèrent sur Cole. Après avoir dardé sur lui leurs yeux implacables, elles virèrent sur l'aile et disparurent.

— Tu as vu ça ?

Quand Cole tourna la tête, Pike aussi avait disparu.

13

Deux hommes et une femme en costume de ville bleu marine remontaient l'allée de Frank quand Pike passa devant la maison. Une femme en uniforme que les étoiles de son col identifiaient comme un des chefs adjoints du LAPD les précédait avec de grands gestes. Elle faisait la visite guidée à quelques pontes.

Une voiture pie de l'état-major stationnait au bord du trottoir. Aucun autre véhicule officiel n'était garé dans les environs, signe que l'adjointe avait amené elle-même les civils. Trois jours après le quadruple meurtre, les rats du labo avaient prélevé tout ce qu'il y avait à prélever. Pike savait que la maison resterait sous scellés jusqu'à ce que les scientifiques soient sûrs et certains de n'avoir plus besoin de retourner sur les lieux. Dès qu'ils auraient donné leur feu vert, les inspecteurs en remettraient les clés à l'exécuteur testamentaire de Frank et de Cindy, et quelqu'un informerait la famille d'Ana Markovic que ses affaires pouvaient être récupérées. Pike se demanda si les parents d'Ana vivaient en Serbie et s'ils avaient été prévenus. Et s'ils comptaient prendre l'avion pour venir chercher la dépouille de leur fille. En avaient-ils les moyens ?

Pike fit le tour d'un parc voisin avant de revenir lentement dans la rue de Frank. Il arriva cette fois par le haut et se gara à quelques dizaines de mètres de sa maison pour jouir d'une vue dégagée sur la voiture d'état-major.

L'adjointe et ses invités restèrent quarante-deux minutes à l'intérieur – nettement plus que Pike ne l'aurait cru, mais ils finirent par redescendre l'allée, prendre place dans la voiture et repartir.

Pike attendit cinq minutes, redémarra et vint se garer en face de chez Frank. Une vieille dame à cheveux blancs promenait un petit chien blanc. Le chien était vieux et court sur pattes, doté d'un corps lourd et d'yeux fatigués qui avaient dû être espiègles. Pike les laissa passer, remonta à pied l'allée de Frank et longea le côté de la maison comme l'avant-veille au soir.

Quelqu'un avait scotché un bout de carton à la place du carreau brisé de la porte-fenêtre. Pike souleva le carton, passa la main à l'intérieur et entra. Au bout de quatre jours, les flaques de sang se dégradaient et commençaient à pourrir. Ignorant l'odeur, Pike se dirigea vers la chambre d'Ana Markovic.

La carte d'anniversaire fabriquée par les fils de Frank, les posters de joueurs de foot européens, le minuscule bureau encombré de magazines et d'un ordinateur portable, tout était conforme à ses souvenirs. L'écran de veille était resté activé : un jeune surfeur hawaïen chevauchant une vague qui finissait par l'engloutir puis ressuscitant pour être de nouveau englouti, en boucle. Pike rabattit l'écran, débrancha le câble de secteur, et posa l'ordinateur par terre près de la porte. Il ouvrit les tiroirs et regarda entre les magazines dans l'espoir de tomber sur un carnet d'adresses ou un téléphone portable, mais ne trouva ni l'un ni l'autre. Il découvrit en revanche un album scolaire et quelques cartes postales. Il glissa les cartes à l'intérieur de l'album, qu'il plaça sur l'ordinateur.

L'absence de téléphone perturbait Pike. Il regarda sous le bureau et autour, écarta l'amas de draps et l'édredon du lit. Il trouva dessous quelques vêtements chiffonnés, deux boîtes ouvertes de gâteaux secs, un paquet de couches ouvert, encore des magazines, trois bouteilles d'eau à moitié bues, une histoire de vampires en livre de poche, un sachet neuf de M&M's, et un tampon hygiénique dans son emballage d'origine. Bref, le fouillis d'une jeune femme habituée à tout balancer dans un coin, mais toujours pas de téléphone. Pike souleva le matelas. Rien.

Il se rendit compte qu'il n'avait pas trouvé non plus de sac à main, ni de portefeuille. L'idée lui vint que le portable d'Ana pouvait avoir été dans son sac et que les secouristes avaient peut-être pensé à le prendre au moment du transfert à l'hôpital. Pike se promit d'en toucher un mot à Cole. Son ami se chargerait de vérifier si c'était le cas et si l'hôpital était encore en possession du sac d'Ana.

L'unique placard de la chambrette était plus exigu qu'une cabine téléphonique. La salle de bains se trouvait de l'autre côté du couloir. Pike décida de fouiller le placard avant de passer à celle-ci. Un sac à dos vide était posé sur le sol du débarras, en compagnie d'un monceau de chaussures et de vêtements. Le panneau de liège fixé à l'intérieur de la porte était tapissé de photos, de cartes postales, d'images découpées dans des magazines, de billets d'entrée et de dessins. Ana était présente sur la plupart des photos, mais pas sur toutes, posant avec des gens de son âge qui souriaient ou faisaient des grimaces à l'objectif. La plupart de ces photos devaient avoir été prises au cours des deux dernières années, et certaines étaient agrémentées d'un commentaire au stylo. *Je t'M, Krissy. Waouh, quelle bombe ! Ton amie pour la vie !* Ce genre de chose.

Pike ne prit pas tout. Il sélectionna les photos qui lui semblaient les plus récentes et celles qui s'accompagnaient d'un mot, d'un nom, puis les glissa dans l'album. Il venait d'atteindre la salle de bains quand il entendit claquer une portière. Il ramassa l'ordinateur et l'album, regagna à grands pas l'avant de la maison, et aperçut deux Crown Vic banalisées par la fenêtre. Terrio et Deets avaient déjà mis pied à terre, et deux autres inspecteurs étaient en train de s'extraire du second véhicule. Terrio et Deets s'approchèrent de la Jeep de Pike puis se retournèrent vers la maison, la mine sombre.

Pike ressortit par où il était entré et, arrivé sur le côté de la maison, s'enfonça dans la haie qui bordait le mur latéral du jardin. Il ne passa pas par-dessus. Après avoir retiré un petit Beretta de calibre 25 de son holster de cheville et un Colt Python 357 de sa ceinture, il se hissa d'une traction pour voir ce qu'il y avait de l'autre côté. Aussi doucement que possible, il fit glisser le long du mur l'ordinateur, l'album puis les armes sur un épais matelas d'arums puis ressortit de la haie, marcha jusqu'à l'avant de la maison et rejoignit l'allée.

Terrio et les autres étaient à mi-chemin de celle-ci quand Pike émergea, bien en vue.

— Vous avez oublié à quoi servent les rubans de scène de crime ? lança Terrio.

— Je voulais me faire une idée plus précise de ce qui s'est passé.

— Ce n'est pas votre affaire. Vous êtes entré ?

— Oui.

— Pourquoi ?

— Pour voir.

Deets sourit largement aux autres inspecteurs.

— Ça me plaît. Violation des scellés, entrée avec effraction, entrave au bon déroulement d'une enquête criminelle. Si on y ajoutait un cambriolage, Pike ? Vous avez pris quelque chose ?

Pike écarta les bras, l'invitant à le fouiller.

— Vérifiez vous-même.

Deets passa derrière lui.

— Bonne idée. Je connais la réputation de ce mec, Jack. On ne peut jamais savoir ce qu'il a sur lui.

Le jeune inspecteur palpa les jambes, les poches et la ceinture de Pike, mais son sourire se désagrégea lorsqu'il finit par comprendre qu'il ne trouverait rien.

Terrio ne semblait pas ravi non plus. Il indiqua la villa d'un coup de menton et, s'adressant à ses autres collègues :

— Je vous rejoins à l'intérieur. Je vais raccompagner M. Pike à sa voiture.

Terrio ne dit plus rien jusqu'à ce qu'ils aient traversé la rue. Il s'adossa contre la Jeep. Cela dérangeait Pike, mais il n'émit pas d'objection.

Terrio passa un moment à étudier la maison de Frank.

— Pourquoi êtes-vous venu ?

— Pour voir. Comme je vous l'ai dit.

— C'est aussi pour ça que vous êtes allé à l'hôpital ?

Pike se demanda comment Terrio l'avait appris.

— Exactement.

— La fille est morte ce matin. Ça fait douze homicides. Si vous croyez que j'utilise toutes mes ressources pour essayer de salir votre ami, vous vous trompez.

Pike garda le silence, sentant que Terrio n'allait pas tarder à en venir au fait.

— J'ai le maire, le grand patron et toute ma hiérarchie sur le dos. J'ai un nombre de morts en augmentation constante, mais aucun suspect sérieux. Si vous savez quelque chose qui pourrait nous aider, vous devriez me le dire.

— Je ne peux pas vous aider.

Terrio fixa longuement Pike, puis éclata de rire.

— Bien sûr. Bien sûr que non. Vous êtes juste venu pour voir.

Le portable de Pike vibra. Si bruyamment que Terrio s'écarta de la Jeep.

— Pourquoi est-ce que vous ne répondez pas ? Ça pourrait être important.

Pike ne bougea pas. Le bourdonnement cessa lorsque sa boîte vocale prit l'appel en charge.

— Du balai, lâcha Terrio.

Pike le regarda s'éloigner vers la maison. Sachant que l'inspecteur se retournerait en atteignant la porte de Frank, il monta dans sa Jeep et démarra. Il se gara à nouveau dès qu'il fut hors de vue de la maison, traversa au trot le jardin des voisins en direction de la touffe d'arums, récupéra ses armes et le reste, puis repartit en marchant.

14

Garé de l'autre côté du parc, Pike écouta sa boîte vocale. Cole lui demandait de le rappeler, ce qu'il fit.

— C'est moi, dit-il.

— Tu voulais savoir quel rapport il pouvait y avoir entre la nounou et le gangster ? demanda Cole, soignant ses effets. Voilà déjà un indice. Ta copine Rina travaille pour la mafia serbe.

— La sœur d'Ana ?

— Exact. Le point de contact, c'est elle.

Pike regarda les enfants dans le parc. Il regarda les bébés avancer à pas incertains et des tout-petits s'efforcer vainement d'empiler des cubes.

— Tu es là-dessus depuis moins de deux heures.

— Je suis le meilleur détective du monde, oui ou non ?

Pike jeta un coup d'œil à sa montre.

— Quatre-vingt-douze minutes.

— Karina Markovic, alias Karen Mark, vingt-six ans, arrêtée deux fois pour prostitution, une fois pour voies de fait, et une pour vol – un client l'accusait de lui avoir piqué son portefeuille. Un total cumulé de neuf jours de prison. Elle s'est fait serrer dans une maison de passe serbe de la vallée. Ça fait huit ans qu'elle est dans le pays.

La vallée de San Fernando était la capitale mondiale de la pornographie, et les gangs russes l'avaient découvert dès leur arrivée. Le commerce du sexe constituait une source intarissable d'argent facile, mais les Américaines étaient difficiles à contrôler, et les Russes avaient fait venir des filles de leur pays, un modèle qui avait été reproduit par tous les gangs originaires d'Europe de l'Est – des Ukrainiens aux Serbes en passant par les Arméniens.

— Elle est recherchée ? s'enquit Pike.

— Pas pour le moment, mais ça ne va peut-être pas durer. Son numéro de plaque est inactif, ce qui veut dire qu'il ne correspond à aucun véhicule en circulation enregistré au DMV [1].

— Elle roule dans une voiture volée.

— Volée ou reconstruite à partir de pièces volées. Les gangs de l'ex-bloc de l'Est sont spécialisés là-dedans – ils fabriquent des voitures à base de pièces volées et les expédient au pays. Elle pourrait ne pas savoir que la sienne est volée. Elle pourrait même ne pas savoir que sa plaque est bidon. Mais ce qui est sûr, c'est que l'adresse que tu m'as donnée n'est pas la sienne. Le locataire officiel de l'appart est un certain Janic – avec un J – Pevic.

Cole avait prononcé *Ianic*. Yanni.

— Il a un casier ?

1. *Department of Motor Vehicles*.

137

— Je n'ai rien trouvé, mais la journée commence à peine.

Pike referma son téléphone mais ne bougea pas. En regardant les enfants jouer, il eut l'impression de comprendre pourquoi Rina Markovic était armée et de quoi elle avait peur. Elle travaillait pour le milieu serbe, et quelqu'un qui appartenait à ce milieu avait assassiné sa sœur. Ce quelqu'un pouvait-il être le quatrième homme ?

En tout cas, Rina savait qui avait appuyé sur la détente.

Pike décida de faire un saut chez Yanni. Il se demanda si Rina y était encore, mais cela ne l'inquiétait pas. Si elle avait déjà filé, il ferait en sorte que Yanni lui dise où elle était allée.

Il traversa au ralenti le parking visiteurs où Yanni avait récupéré son 4 × 4 tout à l'heure, mais celui-ci n'était nulle part. Il choisit une place tout au fond du parking et glissa le Python sous sa ceinture. Il ne se donna pas la peine de dissimuler son pied-de-biche.

Pike laissa passer un couple de joggeurs, sauta par-dessus le portail et descendit dans le parking réservé aux résidents. La Toyota de Rina Markovic occupait toujours la place attribuée à l'appartement 2205.

Pike ressortit du parking comme un habitant ordinaire et s'engagea sur l'allée qui desservait les immeubles. La résidence se composait de huit bâtiments sur trois niveaux construits à l'ombre de grands eucalyptus gris et de lauriers-roses touffus dont la disposition évoquait un alignement de quatre signes « égal » en léger arc de cercle – l'immense terrain dessinait une courbe entre le canal de la Los Angeles River et une rue résidentielle. Pike mit près de dix minutes à comprendre que l'appartement qu'il cherchait n'était pas le 2205, mais le 205 du bâtiment 2. Il le localisa dans l'avant-dernier immeuble.

Tout était calme dans les profondeurs de la résidence : l'essentiel de l'activité diurne se concentrait autour de la piscine et sur le devant, dans le secteur des boîtes aux lettres et du parking.

Pike gravit une volée de marches, s'arrêta devant le 205 et plaqua l'oreille contre la porte. Le silence régnait dans l'appartement ; il mit un doigt sur le judas et frappa. Pas de réponse. Il frappa à nouveau, un peu plus fort : toujours rien.

Pike s'assura qu'il n'y avait personne en vue et inséra la tête de son pied-de-biche entre le chambranle et le battant, près de la serrure. La porte avait plus de jeu qu'il ne l'aurait cru ; il appuya plus fort, ce qui lui permit de constater que le pêne n'était pas engagé. Il exerça une brusque poussée et le cadre céda à la hauteur du bouton. Pike se coula à l'intérieur et referma la porte, obligé de forcer un peu pour que le battant s'ajuste au cadre fendu.

Il se retrouva dans le séjour d'un petit appartement meublé sans recherche, baigné de pénombre à cause des rideaux tirés. Il faisait face à une cuisine ouverte sur sa droite et à une chambre sur sa gauche. Cuisine et chambre étaient séparées par une porte qui devait être celle de la salle de bains. La porte de la chambre était ouverte, contrairement à celle de la salle de bains. La douche coulait.

Pike dégaina son Python en approchant de la chambre. Il vérifia qu'elle était vide et se dirigeait vers la cuisine quand l'eau s'arrêta. Après un rapide coup d'œil à la cuisine, il se tourna vers la salle de bains et attendit, son arme le long de la cuisse.

La porte s'entrebâilla de quelques centimètres avant de s'ouvrir en grand, dans un nuage de vapeur. Rina sortit la tête baissée, toute nue, en s'essuyant vigoureusement les cheveux. Elle était très blanche de peau, assez ronde. Dans l'instant qui s'écoula avant qu'elle détecte sa présence, Pike remarqua les cicatrices rose clair en relief qui s'entrecroisaient sur son abdomen comme des griffures, tellement profondes qu'elles lui plissaient la peau, et il devina à leur faible coloration qu'elles ne dataient pas d'hier.

Soudain, elle le vit. Elle fit un bond de côté en hurlant, se couvrit le corps de sa serviette.

Pike leva son arme pour que Rina la voie, mais sans la mettre en joue.

— Qui les a tués ?

Elle resta aussi immobile qu'une statue de glace. Son visage pâle vira au translucide, ses joues hâves et ses orbites profondes s'emplirent d'ombres bleutées. Malgré la serviette, des rigoles d'eau couraient sur ses épaules et le long de ses jambes.

— Qui ? insista Pike.

— Dehors, ou j'appelle la police.

— Qui ?

— Vous êtes malade ! Je vais crier.

Elle jeta un coup d'œil à la porte en même temps que Pike entendait tourner le bouton, et Yanni entra, portant ce qui ressemblait à un gros sac de sport. Il était tellement massif qu'il dut se mettre de trois quarts pour franchir le seuil de l'appartement.

Il fronça les sourcils, lâcha son sac et chargea Pike. Rina lui cria quelque chose dans leur langue, mais Pike se contenta de le laisser venir.

Yanni déboula en force comme la plupart des hommes de son gabarit, confiant à sa masse le soin de faire le travail, ce qui convainquit Pike qu'il n'avait reçu aucun entraînement spécifique. Il arriva les deux bras en avant pour clouer son adversaire contre le mur. Mais Pike avait tellement d'avance sur le déroulement de l'action qu'il voyait les étapes à venir comme si elles étaient écrites.

Il laissa Yanni arriver, lui rabattit le poignet et lui attrapa le bras. Pike se plia en deux tout en tirant sur son bras ; le géant bascula par-dessus sa hanche et se retrouva sur le dos. Pike lui assena un grand coup de son Python au front. Puis un second, plus fort, et le front de Yanni s'ouvrit profondément ; ses yeux devinrent vitreux.

Le tout avait pris moins de deux secondes. Pourtant, quand Pike releva la tête, Rina était déjà dans la chambre.

Il la rattrapa tandis qu'elle faisait volte-face au pied du lit, bloqua sa main et lui arracha le pistolet. Elle ne capitula pas pour autant. Elle envoya des coups de poing et tenta de lui crever les yeux pendant que Pike la traînait dans le séjour pour qu'elle puisse voir Yanni. Elle distribua des coups de coude, écrasa les pieds de Pike et, avec un grognement, essaya à nouveau d'atteindre ses yeux.

— Arrêtez, fit Pike.

Yanni, toujours à terre, clignait avec stupeur ses yeux noyés de sang.

— Je sais que vous savez, dit Pike. Vous appartenez à la mafia serbe. Vous savez qui les a tués.

Rina se débattit de plus belle, en agitant follement la tête. Elle avait de la force. Ses muscles roulaient comme des cordes sous sa peau pâle.

Pike serra si fort que quelque chose craqua en elle. Il arma le chien du Python.

— Je vous le demande pour la dernière fois.

— Oui.

— Oui quoi ?

— Je le sais. Je sais qui les a tués. Je sais qui c'est.

— Qui ?

— Mon mari.

Pike la maintint prisonnière de son bras ; l'eau de ses cheveux trempés lui inondait la peau, sa poitrine se soulevait.

15

Pike demanda à la jeune femme de se recouvrir le corps avec sa serviette et la fit asseoir sur le canapé. Elle glissa un regard vers Yanni, toujours étendu sur le dos.

— Et lui ?

— Il saigne.

— Il faut faire quelque chose.

— Quand vous m'aurez parlé.

Elle n'eut pas l'air d'apprécier et parla à Yanni en serbe.

— En anglais, dit Pike.

Yanni, sonné, voulut s'essuyer le visage d'un revers de poignet, ce qui ne fit que barbouiller de sang son avant-bras. Pike empocha le pistolet de Rina et se positionna de manière à les avoir tous les deux dans son champ de vision. Si Yanni tentait de se relever, il tenait à ne pas être surpris.

— Qui est votre mari ?

— Michael Darko. Ce nom vous dit quelque chose ?

— Rien. C'est un voleur ?

Elle esquissa un petit sourire narquois, comme si elle avait affaire à un imbécile. Le fait d'être nue sur ce canapé, avec Yanni qui pissait le sang sur la moquette, ne l'empêchait nullement de rester calme et distante.

— Allons. C'est un chef de voleurs.

— D'accord, un chef. C'était déjà votre chef quand vous avez été arrêtée pour racolage ?

Une touche de rose colora les joues de Rina.

— Oui. C'est lui qui m'a fait venir en Amérique. Je travaillais pour lui.

— OK. Le chef des voleurs est un maquereau. C'est lui qui a envoyé cette bande chez Frank ?

— Oui.

— Il y est allé avec eux ?

— Peut-être que oui, peut-être que non. Je n'y étais pas.

— Qu'est-ce qu'il voulait voler ?

— Mon bébé.

Sa réponse resta en suspens dans l'air, aussi surprenante pour Pike que si elle venait de lui parler du vol d'une arme nucléaire. Il réfléchit un moment sans cesser de l'observer – son visage émacié et lisse comme de la porcelaine, ses yeux aussi durs que du marbre.

— Vous aviez confié votre bébé à Frank et à Cindy ?

— À ma sœur. Je l'ai confié à ma sœur quand j'ai compris que Michael allait me le prendre. Je voulais qu'elle le cache en attendant notre départ.

Pike s'efforçait toujours de comprendre. Il se souvint d'avoir vu un paquet de couches dans la chambre d'Ana. Il n'avait pas réagi sur le coup parce que ce n'était qu'un objet parmi d'autres. Il n'avait vu ni berceau, ni lit de bébé, ni petits pots – juste ce paquet de couches.

— Un bébé.

— Oui.

— De quel âge ?

— Dix mois.

Elle se redressa sur le canapé, la poitrine en avant et les épaules en arrière.

— Je suis bien conservée, hein ? Je fais beaucoup de gym.

— Michael et sa bande ont attaqué six autres maisons. Ils ont commis d'autres meurtres. Il avait aussi des enfants chez ces gens-là ?

Les yeux de Rina flamboyèrent de colère.

— Je ne sais rien de ça. Ce que je sais, c'est que Michael m'a repris son fils. Pour le ramener en Serbie.

Terrio n'avait pas mentionné d'enlèvement. Ni Chen ni personne d'autre, et Pike comprit soudain pourquoi.

— Vous n'avez rien dit à la police ?

— Bien sûr que non. Ils ne peuvent pas m'aider.

Bien sûr que non.

Yanni revenait à lui. Il se toucha le visage, considéra le sang sur sa paume comme s'il n'était pas sûr de ce qu'il voyait. Pike pointa son revolver sur lui.

— Votre petit ami ?

— Non. Il aimerait bien, mais non. Je me suis cachée chez lui quand j'ai su que Michael voulait le bébé, mais ensuite j'ai eu peur et j'ai confié le petit à Ana en attendant que tout soit organisé.

Yanni bougea. Il plia un genou et roula sur le flanc, cherchant à se relever.

— Dites-lui de rester par terre, ordonna Pike.

— Dans votre langue ?

— Peu importe, du moment qu'il comprend. Dites-lui que s'il se lève, je le descends.

— Vous le feriez ?

— Oui.

Elle parla en serbe à Yanni, qui se tourna vers Pike. Pike lui montra le Python. Yanni soupira et laissa retomber sa tête contre le sol. Son visage était sérieusement amoché.

— Mettons les choses au clair, reprit Pike. Votre mari, ce Michael Darko, a attaqué la maison de Frank pour reprendre son fils à votre sœur ?

— Oui.

Michael Darko était le quatrième homme.

— Donc, ce qui s'est passé ce soir-là n'avait rien à voir avec Frank. Tout tournait autour de votre bébé.

— Michael retourne en Serbie. Il veut que son fils grandisse là-bas. Moi, il veut me tuer.

— Pourquoi ?

— Je ne suis rien. Vous voyez ? Rien d'autre qu'une pute qu'il a mise en cloque. Il ne veut pas que son fils soit l'enfant d'une pute.

— C'est pour ça qu'il a assassiné votre sœur et une famille entière ?

— Ma sœur n'était rien pour lui. Vos amis non plus. Moi non plus, je ne suis rien. Il me tuera s'il le peut. Il vous tuera aussi.

— Qu'il essaie, dit Pike.

Il ferma les paupières, et les corps lui apparurent : Frank, Cindy, Frank junior, Joe. Il vit les flaques de sang épaisses, irrégulières. Les fils vert fluo reproduisant la trajectoire des balles.

Victimes collatérales.

Spectateurs d'une querelle de couple.

Pike inspira lentement et eut l'impression que son monde se modifiait en douceur. Il se passa une main sur la tête, sentit ses cheveux courts et drus. Tout se réorganisait en fonction d'une perspective plus confortable, plus familière, mais Frank et les siens étaient toujours aussi morts. Quelqu'un avait violé l'intimité de leur foyer. Quelqu'un leur avait fait du mal. Quelqu'un paierait.

En observant la jeune femme assise sur le canapé, Pike comprit que son ami n'avait rien vu venir.

— Vous ne les avez pas prévenus. Frank ne savait pas que ce fou furieux voulait reprendre votre fils.

Elle détourna les yeux pour la première fois, plus tout à fait aussi calme et distante.

— Non. On leur a menti.

Aussi simplement que ça. « Non, on leur a menti. »

— On leur a dit que c'était une urgence, ajouta-t-elle. Que ça ne durerait que quelques jours, et la dame de là-bas a été très gentille. Il fallait bien que je m'organise pour qu'on parte à Seattle. Quelques jours, pas plus, et ensuite on aurait quitté la ville. Personne ne savait qu'Ana travaillait chez ces gens. Je ne comprends pas comment il l'a appris.

Victimes collatérales.

Frank, Cindy, les garçons. Au moins, dans le désert, Frank avait vu venir les tanks.

— Restez sur le canapé.

Pike passa dans la cuisine. Il trouva une barquette de glaçons au congélateur et des sacs-poubelle en plastique sous l'évier. Il vida les glaçons dans un sac, qu'il lança à Yanni.

— Dites-lui de se mettre ça sur la figure.

— Je comprends ce que vous dites, marmonna Yanni.

Pike le contourna et revint vers la femme. Il envisagea une seconde de ranger son revolver mais décida de le garder à la main.

— Darko est toujours à Los Angeles ?

— Je crois, oui. C'est dur de savoir.

Son incertitude n'avait pas de quoi enthousiasmer Pike, mais du moins semblait-elle prête à coopérer.

— Supposons qu'il y soit. Où est-ce que je peux le trouver ?

— Je n'en sais rien. Si je savais ça, j'irais le tuer moi-même et je lui reprendrais mon fils.

— Où vit-il ?

— Aucune idée. Il bouge tout le temps.

— Comment pouvez-vous ne pas savoir où vit votre mari ?

Rina ferma les yeux. Son visage dur s'adoucit légèrement, à l'exception de sa bouche.

— Ce n'est plus mon mari. Depuis des mois.

Après un instant de réflexion, Pike pointa le Python sur son ventre.

— C'est lui qui vous a fait ça ?

Elle baissa les yeux et ouvrit les pans de sa serviette, sans penser qu'elle était nue dessous. Ou peut-être que si. Son corps pâle semblait un peu plus relâché que tout à l'heure ; en position assise, son ventre se plissait bizarrement dans la zone de ses cicatrices. Ses seins étaient petits mais fermes. C'était une jolie femme. Un peu trop dure et froide, mais peut-être était-ce dû à son ventre. Ces cicatrices n'avaient rien de chirurgical. Quelqu'un avait cherché à lui faire mal, et même probablement à la tuer. Pike se demanda qui, pourquoi, et quand. On lui avait infligé des blessures profondes, des blessures douloureuses. Le fait qu'elle n'ait pas honte de ses cicatrices plut à Pike.

Elle regarda son ventre avant de refermer la serviette.

— Non, pas lui. Il m'a mise enceinte après. Ça l'excitait.

— Vous avez une photo de lui ?

— Non. Il ne se laisse pas prendre en photo. Il n'y en a aucune.

— Un numéro de téléphone ?

— Non.

Pike fronça les sourcils. C'était non à tout.

— Et quand le petit tombait malade ? Quand vous aviez besoin de quelque chose ?

— C'était payé. Je m'adressais à d'autres gens.

Elle haussa les épaules, comme si Pike ignorait comment le monde fonctionnait.

Il se concentra, en quête d'un nouvel angle d'approche. Soit elle mentait, soit elle ne savait presque rien de son mari.

— Où pensez-vous qu'il ait emmené l'enfant ?

— En Serbie.

— Non, où est-il en ce moment ? Un bébé de dix mois, il faut bien qu'il soit gardé quelque part.

— Chez une autre fille, j'imagine, mais il en connaît plein. Ce n'est pas Michael qui va changer ses couches. Ni se relever la nuit pour le nourrir.

— Une autre pute ?

Les yeux de Rina lancèrent des éclairs, et Pike regretta de s'être exprimé aussi crûment. Il reformula sa question :

— Il a une petite amie ? Il vit avec une autre femme ?

— Je vais bientôt le savoir.

Pike la dévisagea. Elle allait le savoir. Elle allait lui reprendre son enfant. Elle.

— C'était une erreur de ne rien dire à la police. Vous pouvez encore le faire. Vous devriez.

Yanni grogna quelque chose en serbe, mais Rina lui cloua le bec d'une phrase cinglante.

— En anglais, dit Pike.

— Pour qu'ils fassent quoi, m'expulser ? J'ai été arrêtée un tas de fois. Je n'ai pas de papiers.

— Ils ne chercheront pas à savoir si vous êtes en règle. Et ils ne s'intéresseront pas non plus à vos antécédents. Votre enfant a été enlevé. Ses ravisseurs ont tué cinq personnes. Au total, la bande de Michael a commis douze meurtres. Voilà ce qui intéresse la police.

— Vous n'y connaissez rien.

— Je connais les flics. Je suis un ancien policier.

Son sourire en coin devint mauvais.

— Alors laissez-moi vous poser une question, monsieur l'ancien policier. Quand j'aurai retrouvé cet homme, vous croyez que vos collègues me laisseront lui mettre une balle dans la tête ? Parce que c'est ce que je vais faire.

150

Elle y croit, songea Pike.

Rina parut lire dans ses pensées : son sourire acéré s'étira.

— C'est comme ça qu'on fait dans mon pays, à l'ancienne. Vous comprenez ?

— Toutes les femmes serbes sont comme vous ?

— Oui.

Pike se tourna brièvement vers Yanni, qui avait toujours son sac de glace sur la figure. Yanni hocha la tête.

— Vous devriez me suivre, dit Pike à Rina. Je peux vous trouver une planque sûre.

— Je ne sais rien de vous. J'ai encore beaucoup de choses à faire. Je reste chez mon ami.

Pike rengaina son Python et sortit de sa poche le Ruger de Rina. Un flingue sans élégance, mais fonctionnel et meurtrier. Il retira le chargeur puis actionna la culasse pour retirer la balle engagée dans la chambre, comme il l'avait fait à l'hôpital. Il inséra la munition dans le chargeur et jeta l'arme, puis le chargeur sur le canapé. Tous deux rebondirent contre la cuisse de Rina.

— Vous n'allez pas prévenir la police ? demanda-t-elle.

— Non. Je vais vous aider.

À peine eut-il sorti son portable que Rina se leva d'un bond.

— On a dit pas la police !

— Je n'appelle pas la police.

Pike appela Elvis Cole.

16

Michael Darko. Pike disposait désormais d'un nom, mais il ne savait rien de cet homme et devait absolument combler ce manque. Il était crucial de comprendre l'ennemi avant de l'attaquer – tout comme il était inutile de le localiser sans connaître son fonctionnement et ses besoins.

Lorsque Cole arriva, Yanni était assis sur une chaise du coin-salle à manger, une serviette sanguinolente pressée sur le front. Rina avait eu le temps de s'habiller et s'était rassise à côté du Ruger sur le canapé. Pike se chargea des présentations.

Cole considéra Yanni, puis le pistolet, et enfin Rina. Elle soutint son regard sans ciller, froide et méfiante.

— C'est qui, celui-là ? Encore un ancien policier ?

— Un détective privé. Il est très fort pour retrouver les gens.

— Allons-y, alors. On a perdu assez de temps comme ça.

Cole prit un siège près du canapé pendant que Pike lui résumait ce que lui avait dit Rina sur Darko, le bébé confié à Ana, l'enlèvement, et sa détermination à récupérer son fils. Pendant que Pike évoquait ce dernier aspect de l'affaire, Cole étudia Rina de pied en cap. Elle surprit son regard et tapota le pistolet niché contre sa cuisse.

— Comment s'appelle votre fils ? demanda Cole.

— *Petar*. Peter.

— Vous avez une photo ?

Pike crut voir une ombre passer sur les traits de Rina, qui se contenta de fixer Cole d'un œil mauvais jusqu'à ce que Yanni lâche quelques mots en serbe.

— En anglais, intervint Pike. Je ne le répéterai plus.

Elle quitta le canapé.

— Oui, j'ai une photo.

Rina se rendit dans la chambre, fouilla dans son sac à main et revint avec la photo d'un bébé souriant, aux cheveux roux clairsemés. À plat ventre sur un tapis vert, il tendait la main vers l'appareil. Pike ne connaissait pas grand-chose aux bébés, mais celui-là ne lui paraissait pas avoir dix mois.

— Je suis partie de chez moi vite, très vite. C'est la seule photo que j'ai de lui. Et je ne vous la donnerai pas.

— On ne dirait pas qu'il a près d'un an, fit Pike.

Elle le foudroya du regard.

— Vous êtes débile, ou quoi ? Maintenant, oui, il a dix mois et trois jours. Sur cette photo, il a six mois, une semaine et un jour. C'est tout ce que j'ai.

Cole se tourna vers Pike en haussant les sourcils.

— Tu n'es pas capable de reconnaître l'âge d'un bébé ?

Pike ne savait pas trop s'il plaisantait ou non. Cole regarda à nouveau la femme avant d'ajouter :

— Je pourrais la scanner sur mon ordinateur et vous la rendre juste après. Ça vous irait ?

Après un instant de réflexion, elle acquiesça.

— Ça m'irait.

Cole empocha la photo et reprit le fil de ses questions.

— Pourquoi avez-vous dû partir très vite de chez vous ?

— Michael allait venir.

— Chercher Peter ?

— Michael m'a dit qu'il le voulait pour lui, j'ai dit non, il a dit : « Ah. » J'ai deviné ce qu'il avait derrière la tête. Me tuer, prendre le bébé, et faire comme si la maman pute n'avait jamais existé.

— Et vous avez caché Peter chez les patrons de votre sœur le temps de vous trouver un point de chute à Seattle.

— Oui.

— Comment Michael a-t-il su où il était ?

— Aucune idée.

— Ana aurait-elle pu l'appeler, par exemple pour essayer d'arrondir les angles entre vous ?

Rina partit d'un rire amer.

— Ana ? Jamais de la vie. Elle avait très peur de ces gens-là. Je la tenais à l'écart.

Cole jeta un coup d'œil perplexe à Pike.

— « Ces gens-là » ?

Yanni reprit la parole et un rapide échange s'ensuivit, incompréhensible. En voyant Pike se mettre debout, Yanni leva les mains.

— Elle veut dire les voleurs, expliqua Yanni. Quand elles sont arrivées en Amérique, Ana était encore petite. Rina l'a toujours tenue à l'écart de ces bandits.

Rina hochait la tête, les yeux plissés. Elle prit le relais dès que Yanni se tut.

— Je ne voulais pas qu'elle devienne pute. Je ne voulais pas qu'elle travaille pour Michael. Je l'ai inscrite à l'école pour qu'elle reste une fille bien, avec des amies normales.

— Vous l'avez protégée, dit Pike.

Le regard de Rina s'échappa vers la fenêtre.

— Pas assez.

Cole s'éclaircit la gorge pour capter son attention.

— Qui savait que le bébé avait été confié à Ana ?

— Personne.

— Yanni le savait, non ?

Yanni releva les mains en secouant la tête.

— Je n'ai rien dit à personne, protesta-t-il. Je passais tout mon temps avec Rina.

Rina eut un geste d'agacement.

— Yanni est réglo. Je ne sais pas comment Michael a fait pour trouver Petar. Je n'arrive pas à comprendre.

— Revenons à Michael, fit Cole. Ce type est votre mari, et vous ne savez pas où il habite ?

— Personne ne le sait. C'est comme ça qu'il vit.

— Pas d'adresse, pas de photos, pas même un numéro de téléphone ?

— Il change de téléphone toutes les semaines. De numéro aussi. Vous voulez que je vous dise quoi ?

Elle se tourna vers Pike, exaspérée, et ajouta :

— Quand est-ce qu'il va se mettre à chercher, lui qui est si fort pour ça ?

— Michael se cache, dit Pike. Ça, on l'a compris. Mais vous en savez plus long sur lui que n'importe qui d'autre ici. On a besoin de renseignements pour pouvoir travailler.

Elle écarta les mains.

— Je ne demande qu'à vous répondre.

— Qui sont ses amis ? interrogea Cole.

— Il n'a pas d'amis.

— Où habite sa famille ?

— En Serbie.

— Les membres de sa famille qui sont ici, je veux dire.

— Il les a tous laissés en Serbie.

— D'accord. Et du côté de vos amies ? Peut-être que l'une d'elles pourra nous aider à localiser Michael.

— Je n'ai pas d'amies. Elles ont toutes peur de lui.

Cole se tourna à nouveau vers Pike.

— Désolé, mec, je n'ai pas le temps de tout noter.

Rina plissa les yeux.

— Le grand détective se paie ma tête ?

Ce fut au tour de Pike de s'éclaircir la gorge.

— Il nous faudrait au moins des noms. Pour qui travaille Michael ? Qui travaille pour lui ? Même si vous ne savez pas qui sont ces gens, vous l'avez forcément entendu citer des noms de temps en temps.

Rina interrogea Yanni des yeux, comme si elle avait besoin d'être guidée. Celui-ci posa un regard inquiet sur Pike : il n'osait plus parler. Pike l'y autorisa d'un hochement de tête. Les deux Serbes eurent alors un bref échange à la limite de la prise de bec, ensuite de quoi l'un et l'autre se mirent à balancer des noms. Des noms

156

difficiles à comprendre et encore plus à orthographier, mais que Cole griffonna tout de même dans son carnet.

Quand ce fut fini, il releva la tête, plein d'espoir.

— Darko a-t-il déjà été arrêté ? Ici, à L.A. ?

— Je ne sais pas. À mon avis, non, mais je ne sais pas. Il est ici depuis bien plus longtemps que moi.

Cole jeta un coup d'œil à Pike.

— Croise les doigts, mec. Je vais me renseigner sur Darko et sur ces autres types, histoire de voir s'ils ont laissé des traces dans le système. Si Darko a déjà eu affaire à la justice, ça pourrait être notre chance. Les seules personnes à qui on ne puisse pas mentir sur son adresse et son patrimoine, ce sont les garants de caution.

Pike avait découvert cette vérité du temps de son passage dans la police. Les criminels mentaient sur tout et à tout le monde. Ils étaient capables de donner un faux nom, une fausse date de naissance et une fausse adresse à la police, à la justice, à leurs complices et même à leurs avocats, mais ils ne pouvaient pas mentir à un garant de caution. Un garant de caution n'avançait jamais d'argent sans disposer de gages concrets, et si le garant n'était pas en mesure d'établir que le demandeur était bien le propriétaire légal de ce qu'il prétendait posséder, celui-ci restait en prison.

Cole posa d'autres questions, mais Rina ne savait pas grand-chose de plus. Darko réglait presque tout en espèces et n'utilisait que des cartes de crédit volées. Il demandait à Rina de payer elle-même ses factures par chèque, à charge pour lui de réapprovisionner ensuite son compte en liquide. Les numéros de téléphone changeaient, les adresses, les quartiers, les véhicules aussi. Cet homme vivait caché, ne laissant aucune trace.

— Comment comptiez-vous le retrouver ? interrogea Pike.

Elle haussa les épaules comme s'il n'existait qu'une seule voie possible et qu'ils auraient dû l'avoir déjà trouvée depuis belle lurette.

— En suivant l'argent.

Cole et Pike échangèrent un regard, puis Cole se tourna vers elle.

— D'où est-ce qu'il tire ses revenus ?

— Du sexe. Des filles. Il a aussi des hommes qui volent les camions...

— Sur la route ? Des camions pleins de télés, de vêtements, ce genre de chose ?

— Oui. Et il en a d'autres qui piratent les cartes de crédit. Et il vend de la mauvaise essence. Et il a des bars, des boîtes à strip-tease.

— Vous savez où ils sont ?

— Certains. Je connais surtout les filles.

Cole leva les yeux de ses notes.

— Vous savez où il loge les filles ?

— Je n'ai pas l'adresse. Je peux vous montrer où c'est.

Cette fois, Cole ne se contenta pas de chercher le regard de Pike : il se leva. Pike le suivit à l'autre bout de la pièce, et Cole lui parla à mi-voix. Rina et Yanni les observaient de loin.

— Tu as trouvé quelque chose chez sa sœur ?

Pike lui dit ce qu'il avait pris : l'ordinateur, l'album scolaire, entre autres. Tout était dans le coffre de la Jeep.

— Tant mieux, dit Cole. Je tiens à vérifier son histoire. Ce n'est pas parce qu'elle nous raconte ça que c'est vrai.

— Je déposerai le tout dans ta voiture en repartant.

— Il faut aussi que je voie ce qu'il y a à trouver sur ce Darko. Si elle ne nous a pas raconté de bobards à son sujet, je connais quelqu'un au LAPD qui devrait pouvoir nous aider.

Pike aussi connaissait quelqu'un, mais pas au LAPD. Il fallait qu'il voie cette personne.

— Je n'aime pas ces messes basses, lança Rina depuis le canapé.

Pike se retourna vers elle.

— Il va vous emmener faire un tour en voiture. Tâchez de lui montrer toutes les adresses liées au business de Darko que vous connaissez, et répondez à ses questions.

— Et vous ? Vous allez où ? Faire quoi ?

— Moi aussi, je vais chercher des réponses à ses questions.

Pike jeta un coup d'œil à Cole avant d'ajouter :

— Ça te va ?

— C'est le rêve.

Pike s'éclipsa.

17

Après avoir déposé l'ordinateur et les autres affaires récupérées chez Ana dans la voiture de Cole, Pike revint à pied vers sa Jeep. Pendant qu'il traversait le parking visiteurs, une Nissan Sentra marron ralentit à la hauteur de l'entrée. Les deux Latinos assis à l'avant avaient la tête tournée vers le parking, et Pike eut l'impression qu'ils cherchaient sa Jeep. Le conducteur vit Pike. Au terme d'une courte hésitation, il eut un geste rageur à l'intention de son voisin, comme s'ils se disputaient et que le fait d'apercevoir Pike n'avait rien à voir là-dedans. La Sentra reprit de la vitesse et disparut.

Peut-être s'agissait-il de quelque chose, mais peut-être pas.

Les combattants du désert parlaient du « sens de l'araignée » en référence au super-héros Spiderman, capable de pressentir les événements avant qu'ils ne surviennent.

Son « sens de l'araignée » titilla Pike au moment où la Sentra s'éloignait. Il tenta de se rappeler s'il avait déjà vu quelque part une Sentra marron avec deux Latinos à bord, mais rien ne lui vint.

Il n'était pas pressé de partir. Si les occupants de la Sentra l'attendaient au coin de la rue pour le filer, il y avait des chances qu'ils s'impatientent et reviennent voir ce qu'il fabriquait. Dans ce cas, Pike les tiendrait.

Il consacra les quelques minutes suivantes à penser à Michael Darko. Apprendre que Darko était lié au crime organisé de l'Europe de l'Est représentait une avancée majeure, essentiellement parce que cela lui donnait une piste solide. Los Angeles hébergeait la deuxième colonie de criminels d'Europe de l'Est aux États-Unis, dont une majorité de Russes. Les quinze républiques de l'ex-Union soviétique avaient chacune apporté leur pierre à l'édifice de ce que la plupart des flics appelaient le crime organisé russe, que ses membres viennent ou non de Russie. La mafia ukrainienne était la mieux implantée à L.A., suivie par l'arménienne, mais des bandes moins nombreuses originaires de Roumanie, d'Ouzbékistan, d'Azerbaïdjan, de Tchétchénie et du reste de l'Europe de l'Est étaient arrivées au fil des ans. La plupart de ces individus pratiquaient déjà des activités criminelles dans leur pays natal, mais certains avaient connu une trajectoire bien différente.

Pike rappela Jon Stone.

— Pas trop mal au crâne ?

— Allez vous faire foutre. Mon crâne va très bien. Il a l'habitude.

— Gregor est toujours à L.A. ?

— George. Il s'appelle maintenant George Smith. Tâchez de faire attention à son nom.

— Je m'en souviendrai. Il est ici ?

— Il vient de s'installer sur La Brea. Qu'est-ce que vous lui voulez ?

— Il saurait peut-être m'aider.

— À propos de Frank ?

— Un gang d'Europe de l'Est est impliqué.

— Sans déconner ?

— Oui.

Après un bref silence, Stone donna une adresse à Pike.

— Prenez votre temps pour y aller, d'accord ? Je vais le prévenir. Si vous débarquez à froid, il risque de mal le prendre.

— Compris.

La Brea Avenue commençait au pied des collines de Hollywood et filait ensuite vers le sud jusqu'au champ de courses de Hollywood Park. Sur une dizaine de blocs, entre Melrose et Wilshire, on l'appelait aussi la « ligne des décorateurs » à cause de toutes les enseignes spécialisées qui la bordaient, des boutiques ultrachic de mobilier sur mesure aux marchands de tapis orientaux, en passant par les créateurs de lampes design et les antiquaires. Les propriétaires de ces établissements venaient des quatre coins du monde et vendaient leurs marchandises à des clients venus des quatre coins du monde, mais tous n'étaient pas ce qu'ils paraissaient être.

Pike trouva une place de parking pour sa Jeep devant un magasin de fleurs à un bloc au sud de Beverly Boulevard. Il avait cherché la Sentra des yeux sur la petite route en lacet qu'il avait prise pour remonter de la vallée, et il la chercha de nouveau en descendant de sa Jeep. Peut-être ces deux types avaient-ils juste cru voir quelque chose qu'ils n'avaient pas vraiment vu, mais Pike éprouvait toujours une vague sensation de chair de poule dans le dos.

Il n'entra pas chez le fleuriste. Il parcourut à pied le bloc et demi qui le séparait d'une boutique de lampes anciennes. La façade était étroite, avec une telle quantité de plafonniers et d'appliques en vitrine qu'on aurait dit une brocante bas de gamme. Un carillon tinta à son entrée.

L'intérieur était aussi encombré que la vitrine ; les murs disparaissaient sous les appliques, le plafond dégoulinait de lustres et de suspensions. Des luminaires de tailles diverses s'épanouissaient sur les moindres surfaces planes comme des plantes tropicales dans une jungle.

— Salut, Joseph, fit une voix d'homme.

Pike mit un moment à le localiser, tapi derrière ses lampes tel un chasseur dans un fourré.

— Gregor.

— C'est George, maintenant. Tu te rappelles ?

— Bien sûr. Excuse-moi.

George Smith émergea d'entre les lampes. Pike ne l'avait pas revu depuis des années mais il lui semblait n'avoir pas du tout changé – moins grand que lui, et moins musclé, mais doté d'un corps à la fois svelte et puissant, avec un bronzage de surfeur et des yeux bleu azur. George était un des meilleurs tueurs que Pike ait jamais connus. Un sniper-né. Un assassin parfait.

George s'appelait en ce temps-là Gregor Suronov, mais il avait changé d'identité quand il s'était installé à Los Angeles. Il s'exprimait comme un homme né à Modesto, avec un accent aussi impersonnel que celui des animateurs de radio, et pourtant Gregor Suronov avait grandi à Odessa, en Ukraine, où il s'était engagé dans l'armée de la fédération de Russie ; il avait passé douze années au sein d'un régiment de forces spéciales placées sous l'égide du KGB et plus connues sous le nom de spetsnaz du GRU, l'équivalent russe des forces spéciales de l'armée des États-Unis. Le KGB prodiguait en ce temps-là un enseignement particulier aux plus brillants de ses soldats, et Gregor était un soldat d'exception. D'où son aisance en anglais.

Après divers séjours de combat en Tchétchénie et en Afghanistan, il s'était lancé sur le marché juteux des contrats militaires privés et, ayant découvert les avantages de l'argent et d'une liberté toute neuve, il avait décidé d'aller encore plus loin en ce sens. Aussi s'était-il installé à Los Angeles, où il profitait aujourd'hui du soleil, vendait des lampes de collection et travaillait accessoirement pour la mafia d'Odessa.

Pike prit la main qu'il lui tendait. Du fer chaud. George souriait, ravi de l'accueillir dans sa boutique.

— Ça fait une éternité. Ça va, vieux frère ?

— Ça va.

— J'ai été surpris que Jon m'appelle. Mais content. Gare à ta tête. C'est une Tiffany Art déco, autour de 1923. Ça va chercher dans les huit mille.

Pike se pencha sur le côté pour éviter le lustre. Malgré la profusion de lampes, l'échoppe regorgeait d'ombres tapies dans les coins. George l'aimait sans doute ainsi.

— Les affaires sont bonnes ? s'enquit Pike.

— Excellentes, merci. J'aurais dû venir plus tôt en Amérique. J'aurais dû naître ici. Je te jure !

— Je ne te parle pas des lampes.

— J'avais compris. Ça marche bien aussi de ce côté-là, ici comme ailleurs.

George continuait d'accepter des missions en dehors de celles que lui confiaient les gens d'Odessa lorsque le prix en valait la chandelle, mais ses clients étaient désormais presque toujours des gouvernements ou des mouvements politiques. Personne d'autre n'avait les moyens de s'offrir ses services.

Pike le suivit jusqu'à un bureau installé dans le fond de la boutique, autour duquel ils s'assirent.

— Jon t'a dit pourquoi je voulais te voir ?

— Ouais. Écoute, je suis désolé pour Frank. Sincèrement. Je ne l'ai pas connu personnellement, mais on m'en a dit beaucoup de bien.

— Tu es toujours maqué avec la mafia d'Odessa ?

Un sourire éclaira le visage de George.

— Ça te dérange si je te scanne vite fait ?

Pike écarta les mains, histoire de dire : « Scanne-moi autant que tu voudras. »

George sortit d'un tiroir du bureau un scanner radio semblable au sien et le promena devant Pike, de ses lunettes noires à la pointe de ses chaussures. Pike ne broncha pas. Il aurait été surpris que George ne prenne aucune précaution. Satisfait, celui-ci rangea l'appareil.

— Les vieilles habitudes.

— Pas de souci.

— Une tasse de thé te dirait ? J'ai du thé noir. De Géorgie. Pas votre Géorgie – la nôtre.

Pike ne voulait pas de thé. Il n'était pas là pour bavarder.

— Ça va aller. Tu roules encore pour le milieu russe, George ?

George pinça les lèvres, contrarié. Le plus grand tueur que Pike ait jamais connu était susceptible.

— Ukrainien. Et je ne leur appartiens pas. Je ne suis pas membre, mon vieux. Je fais office de conseiller indépendant. Je suis mon propre maître.

George avait l'air d'y tenir, et Pike hocha la tête.

— Je comprends.

— Ceci dit, si tu es venu me parler de ça, je ne vais pas pouvoir t'aider.

— Odessa ne m'intéresse pas. J'ai besoin d'infos sur les Serbes.

— C'est ce que m'a dit Jon. Un peuple dur. Très dur. Je les ai combattus en Tchétchénie.

— Pas là-bas. Ici. Tu peux me parler des gangs serbes installés ici, à Los Angeles ?

George acquiesça mais son regard se perdit soudain dans le vague, comme s'il venait d'apercevoir quelque chose à un kilomètre de distance.

— Ça ne devrait pas être un problème. Ils font leurs trucs, pas les mêmes que ceux d'Odessa. C'est comme les Arméniens. Pareil et différent à la fois.

— Michael Darko, tu connais ?

George se renversa sur son siège. Son langage corporel indiquait à Pike que parler de Darko le mettait mal à l'aise.

— C'est lui qui a tué ton ami Frank Meyer ?

— On dirait.

George grogna.

— Je sais qui c'est. Un dur.

— Dur ? Ça veut dire quoi ?

— Tu connais le mot *pakhan* ?

— Non.

— Un patron. Pas encore tout en haut de l'échelle, mais bien parti pour. Ces gens-là n'attendent pas qu'on leur offre une promotion, ils vont la chercher avec les dents. On dirait des cannibales qui s'entre-dévorent.

Pike lut du mépris dans ses yeux clairs et comprit que George se sentait supérieur aux truands qui l'employaient. Peut-être était-ce la raison pour laquelle il tenait tellement à lui faire comprendre qu'il opérait en indépendant et ne faisait pas partie de la mafia d'Odessa. Les autres avaient beau être eux aussi des tueurs, George venait des spetsnaz et les considérait comme des animaux.

— Quelle est sa spécialité ?

— Il touche un peu à tout, comme la plupart de ces mecs. Les filles et le sexe, le braquage de camions, l'extorsion. Il est agressif et il cherche à s'étendre. Il a la gâchette facile.

George mima un pistolet de sa main droite et actionna la détente.

— Tu sais où je peux le trouver ?

— Non.

— Une adresse commerciale ? Il doit bien avoir une vitrine légale. Au moins pour le fisc.

— Sûrement, mais pour moi, cet homme se limite à un nom. Comme je te le disais, on n'est pas du même cercle. Je ne suis qu'un vendeur de lampes.

Un vendeur de lampes capable de vous coller une balle dans le cervelet à plus de mille mètres.

— Il a aussi un surnom, précisa George. Le Requin. Tu savais ça ?

— Non.

— Tu parles d'un truc. Le Requin… Il a dû se le trouver lui-même.

George avait dessiné des guillemets avec ses doigts en disant « le Requin ». Levant les yeux au ciel, il ajouta :

— C'est lié au fait qu'il se déplace constamment, pour que personne ne puisse le retrouver. Ce n'est pas quelqu'un de très apprécié, même dans le milieu serbe.

Pike grogna. Il comprenait maintenant pourquoi Rina ne parvenait pas à le localiser. Jusqu'ici, sa description de Darko correspondait à celle de George.

— Il fait appel à une bande de braqueurs pour liquider la concurrence, dit Pike. C'est cette bande qui a attaqué la maison de Frank. Je veux les retrouver, et lui aussi.

George s'esclaffa bruyamment, un rire monté du fond de ses entrailles.

— Tu as tout faux sur ce coup-là, mon vieux. Darko ne liquide pas la concurrence. Il dépouille ses associés. Pourquoi crois-tu que ce connard soit obligé de rester en mouvement ?

— Tu es au courant ?

— Disons que je le tiens à l'œil. Si ça l'amuse de plumer ses complices, bon débarras. En revanche, s'il lâche ses fauves sur les gars d'Odessa, ils auront affaire à moi.

Pike se demanda si Darko attaquait ses associés parce qu'il avait prévu de retourner en Europe : amasser du fric rapidement, récupérer son fils et disparaître.

— Et ses braqueurs ? Tu les tiens à l'œil, eux aussi ?

George haussa les épaules comme si cela n'avait aucune importance.

— Des voyous de Compton.

— Jamal Johnson ?

— Jamais entendu parler.

— Un délinquant de Compton dont le train de vie vient de grimper en flèche.

— Il fait partie des Crips ?

— Aucune idée.

— La bande de braqueurs de Darko est dirigée par un D-Block Crip, un certain Earvin « Moon » Williams. Encore un surnom à la con. Darko leur fournit les cibles. Williams lui reverse une part du butin.

Pike ressentit une pointe d'excitation : il était sûr d'avoir fait un pas en avant.

— Moon Williams. Tu es sûr ?

George se mit une main en cornet derrière l'oreille.

— Le KGB entend tout. Et M. Moon aussi s'est fait pas mal de fric ces temps-ci. Il le claque dans un club appartenant à la mafia d'Odessa. Champagne Cristal, crack de première qualité et beautés russes. Il adore les filles russes. Il adore leur raconter ses exploits de grand méchant tueur black.

George éclata à nouveau de rire, une joie visible au fond des yeux. Pour lui, les gens comme Moon Williams existaient pour qu'il y ait toujours des cibles.

— Le KGB sait peut-être où je peux le trouver ? demanda Pike.

Après l'avoir dévisagé quelques secondes, George souleva le combiné de son téléphone fixe et composa un numéro. George parla en russe à la personne qui lui répondit ; leur conversation dura quelques minutes.

George resta un moment silencieux vers la fin de cette conversation, comme si on l'avait mis en attente. Durant ce silence, ses yeux clairs et vides restèrent fixés sur Pike, sans ciller une seule fois. George revint soudain à la vie, murmura un mot en russe, et raccrocha. Quand il regarda à nouveau Pike, sa mine était sombre.

— Jon m'a dit que Frank et toi étiez proches.

— Oui.

— Donc, tu aurais deux mots à dire à M. Darko.

— S'il est impliqué dans la mort de Frank, oui. Ça pose un problème ?

— Du moment que tu te limites aux Serbes, tu peux y aller, vieux frère.

— Plusieurs armes ont tiré ce soir-là.

— Je comprends. Mais les Ukrainiens n'apprécieront pas de perdre M. Williams. Ces filles le travaillent au corps : ce mec est une source d'informations incroyable.

— Je ne te demande pas la permission, George.

George baissa les yeux sur le téléphone en souriant.

— Ça vaut sûrement mieux.

George lui dit où trouver Moon Williams puis se leva pour signifier que l'entretien était terminé.

Après une nouvelle poignée de main, Pike embrassa la boutique du regard. Les lampes étaient anciennes et ouvragées ; toutes avaient été restaurées avec amour.

— Pourquoi des lampes ?

George esquissa un sourire doux, cette fois teinté d'une pointe de chaleur et de tristesse, où Pike crut déceler l'ombre d'un gouffre.

— Oh, Joseph. Il y a tellement de ténèbres en ce bas monde… Pourquoi ne pas lui apporter un peu de lumière ?

Pike acquiesça.

— *Udachi*, mon ami. Bonne chance.

Pike se retourna sur le seuil, mais George était dissimulé par ses lampes, cerné de si nombreuses ombres que la lumière n'avait aucune chance de l'atteindre.

18

Malgré ses lunettes noires, Pike fut obligé de plisser les yeux dans la clarté aveuglante de La Brea pour observer les véhicules stationnés des deux côtés de la chaussée. Il resta planté sur le seuil, tournant le dos à la boutique de George, jusqu'à être rassuré. Ensuite seulement, il repartit vers sa Jeep. Pas de Sentra en vue.

Pike repéra l'adresse de Moon Williams sur son guide Thomas avant de rejoindre le flot de la circulation.

D'après George, Earvin « Moon » Williams était un membre du gang des D-Block Crips réputé dangereux, deux fois condamné et portant sur l'avant-bras droit une colonne de cinq « 187[1] » tatoués. Moon s'était vanté auprès des strip-teaseuses russes que chaque 187 correspondait à un macab qu'il était certain d'avoir personnellement expédié à la morgue – en dehors de tous les mecs qu'il avait tailladés, poignardés, frappés à coups de brique, roués de coups ou blessés d'une autre

_____

1. Numéro de code utilisé par la police californienne pour désigner les homicides.

façon – uniquement les fils de pute qu'il avait vus crever sous ses yeux. Laisser un connard sautiller dans une mare de sang ou hurler comme une chienne ne comptait pas, avait-il expliqué aux filles. Tirer dans le tas sur un groupe réuni au pied d'un escalier d'immeuble ne comptait pas non plus. Il fallait qu'il ait vu l'enfoiré crever sous ses yeux pour l'inscrire à son tableau de chasse. Moon Williams se décrivait comme un tueur froid, implacable et sans cœur.

Des types d'Odessa l'avaient suivi jusqu'à son domicile au moins trois fois, deux fois à son insu et la troisième pour lui vendre de la came, ce qui leur avait permis de déterminer que le tueur froid vivait chez sa grand-mère, une certaine Mildred Gertie Williams, qu'il appelait Maw-Maw.

Pike localisa son adresse dans un quartier en déshérence de Willowbrook, à la lisière nord de Compton, à côté d'une bretelle d'autoroute. Le terrain avait sans doute jadis accueilli une petite maison en stuc semblable à toutes les autres qui bordaient la rue, mais elle avait dû brûler à un moment donné, car un double mobile home posé sur des parpaings occupait désormais sa place, devant trois vieilles caravanes Airstream blotties les unes contre les autres. Pike supposa que ce camping certainement illégal permettait à Mildred Williams de régler ses factures.

Les caravanes devaient avoir eu fière allure, mais elles avaient perdu tout leur éclat et noirci sous la pollution de l'autoroute. Le double mobile home bénéficiait d'un petit perron agrémenté d'un auvent et de pots de fleurs d'où n'émergeaient plus que quelques tiges ratatinées et brunâtres, et le jardinet était envahi de sable, de poussière, et de déchets autoroutiers chassés par le vent, qui s'accumulaient au pied de l'inévitable grillage comme s'ils cherchaient à fuir.

Pike fit demi-tour au carrefour suivant et se rangea le long du trottoir. Trois gamines à vélo passèrent devant lui à vive allure, freinèrent brusquement au milieu de la chaussée et repassèrent en sens inverse. Prenant tout leur temps pour mater le Blanc. Sans doute croyaient-elles avoir affaire à un flic.

Pike surveilla le mobile home pendant plusieurs minutes sans déceler le moindre signe d'activité. Une Buick Riviera antédiluvienne était garée illégalement devant le grillage, si large qu'elle bloquait tout le trottoir. Pike n'escomptait pas nécessairement trouver quelqu'un sur place, mais il avait besoin de s'assurer que Moon vivait encore là. Si tel était le cas, il l'attendrait jusqu'à son retour et se servirait de lui pour accéder à Darko.

Il sortit son portable et rappela Jamal. Il eut droit une fois de plus à la voix de synthèse. La boîte vocale de Jamal était toujours pleine.

Les gamines repassèrent une troisième fois, plus lentement, et Pike baissa sa vitre. La première portait une chemise bleue à manches courtes, la deuxième un tee-shirt blanc ample, et la dernière un sweat-shirt rouge. Bleu, blanc, et rouge. Pike se demanda si elles l'avaient fait exprès.

— J'ai besoin d'aide, mesdemoiselles. Vous habitez ici, ou vous êtes de passage ?

La fille en bleu, intriguée, effectua un demi-cercle sur son vélo. La fille en blanc ralentit, mais la rouge continua sur sa lancée jusqu'au coin de la rue.

— Vous êtes de la police ? demanda la fille en bleu.

— Non. Je suis commercial.

Elle rit.

— Vous êtes un policier en civil. Mon oncle Davis aussi, donc je m'y connais. Sans compter que vous êtes blanc. On n'en voit pas beaucoup dans le quartier, en dehors des policiers.

— Vous connaissez Mme Mildred Gertie Williams, qui vit dans ce mobile home, là-bas ?

— C'est à cause de Moon ?

Comme ça.

— Oui, dit Pike.

— J'habite à l'autre bout, la maison jaune, vous voyez ? Oncle Davis nous a dit de nous méfier de ce Moon Williams. Il nous a dit de ne jamais traîner là-bas et d'éviter ces garçons. Il nous a dit qu'en cas de problème avec Moon, on devrait l'appeler tout de suite.

Pike indiqua les deux autres filles d'un coup de menton.

— Ce sont tes sœurs ?

— Non, monsieur. Mes copines. Lureen et Jonelle.

— Dans quelle caravane habite Mme Williams ?

— Celle de devant. La grosse.

— Moon aussi ?

— Lui, c'est la noire, celle où il y a les chiens.

Pike n'avait vu aucun chien en passant devant.

— Il a des chiens ?

— Des pit-bulls. Ils sont méchants. Oncle Davis a dit à maman que si jamais elle les voyait traîner sans laisse, il faudrait le prévenir de suite.

— Tu sais qui vit dans les autres caravanes ?

La gamine fit une grimace et secoua la tête.

175

— Il y avait une dame, avant, et aussi le cousin de Jonelle qui y a vécu pendant un temps, mais ils sont tous partis quand Moon est revenu.

Moon, la plaie du quartier.

— Comment t'appelles-tu, jeune fille en bleu ?

— Je ne suis pas censée le dire aux inconnus.

Encore l'oncle Davis.

— À mon avis, tu n'es pas non plus censée leur parler.

— Je ne suis pas débile. Si vous posez un pied hors de cette voiture, je m'enfuirai en pédalant à toute vitesse. Lureen et Jonelle appelleront mon oncle Davis, et vous verrez.

— Encore une chose. Tu les as vus aujourd'hui ? Mme Williams ou Moon ?

Elle fit deux ou trois tours sur son vélo, pensive, avant de secouer la tête.

— Non, je suis sûre que non. Je ne suis pas allée par là aujourd'hui. Je suis allée à l'école, et ensuite chez Jonelle. Lureen vient de passer pour nous dire de venir chez elle.

— OK, dit Pike. Amuse-toi bien chez Lureen.

— Et vous, faites attention aux chiens.

En regardant les trois filles s'éloigner, Pike décida qu'il n'avait pas beaucoup de temps devant lui. Elles allaient vraisemblablement parler de lui à la mère de Lureen, qui appellerait la mère de la fille en bleu, qui appellerait l'oncle Davis. Lequel enverrait sans doute une voiture de patrouille voir ce qui se passait.

Il attendit que les trois filles aient disparu, redémarra et s'arrêta derrière la Riviera. La propriété de Mildred jouxtait un terrain municipal au-dessus duquel descendait la bretelle d'autoroute et était bordée sur l'arrière par ce qui ressemblait à un grand hangar. Pike ne vit pas de chien, mais la caravane du fond était entourée d'une clôture particulière, plus haute que le premier grillage. Pike glissa un Kimber 45 sous sa ceinture, enjamba le grillage et se retrouva dans le jardin de Mildred Williams.

Il approcha du double mobile home, colla une oreille contre la porte puis alla à la fenêtre la plus proche. Le vacarme de l'autoroute ne lui facilitait pas la tâche. Il se hissa sur la pointe des pieds pour regarder à l'intérieur et découvrit un salon basique où trônait un meuble de télévision à l'ancienne. La pièce était propre et bien rangée, la télé éteinte. Pike étirait le cou pour tenter de voir au-delà de la porte intérieure du séjour, quand un chat gris et blanc bondit soudain sur l'appui de la fenêtre. Le chat miaula en le fixant à travers la vitre comme s'il se sentait seul et rêvait de s'échapper.

Pike revint à la porte. Il frappa à trois reprises, en conclut que Mme Williams devait être sortie.

Il se dirigea vers la première caravane en sortant son Kimber, qu'il maintint pointé vers le sol. Les première et deuxième caravanes étaient inoccupées : leurs habitants étaient partis depuis belle lurette pour fuir Moon et sa bande.

La troisième caravane se trouvait un peu à l'écart, contre une haie de lauriers-roses rachitiques entourée d'une haute cage grillagée d'un mètre quatre-vingts. La porte centrale du grillage était fermée, mais dépourvue de cadenas. On pouvait difficilement parler d'un terrain privatif. Il y avait juste une bande de terre d'un mètre et quelques de part et d'autre de l'Airstream, et aussi sur l'arrière. Pike remarqua deux grosses gamelles métalliques sous le châssis, dont une emplie d'eau. Une chaîne fixée à l'attelage de la caravane disparaissait à l'arrière. Le genre de chaîne qu'on utilisait pour attacher un gros chien agressif, mais Pike n'en voyait pas le bout.

Il stoppa devant la porte grillagée et écouta. Le silence régnait dans la caravane. Vitres fermées. Pas de voix, ni de musique.

Il émit une série de petits *psst, psst, psst*.

Un chien aboya à l'intérieur. Pas derrière ; dedans.

Pike se mit à plat ventre comme s'il s'apprêtait à faire des pompes pour voir ce qu'il y avait derrière par en dessous, mais les déchets accumulés et les mauvaises herbes l'en empêchèrent. Il lâcha un nouveau *psst*, et les aboiements redoublèrent. Un seul chien, à l'intérieur.

La fille en bleu lui avait parlé *des* chiens de Moon – il aurait dû y en avoir au moins un de plus.

Pike franchit la porte, prêt à se replier si un animal chargeait, mais rien ne bougea. L'animal aboyait si fort dans la caravane qu'il était très peu probable que Moon ou quelqu'un d'autre s'y trouve. Pike referma la porte et contourna le véhicule pour jeter un œil derrière, et ce fut alors qu'il vit le chien. Un pit-bull mâle hirsute, étendu sur le flanc, les pattes en l'air. La croûte de sang qui lui recouvrait la tête avait attiré une nuée de mouches noires, mais ce n'était pas le seul cadavre présent à cet endroit. Un Afro-Américain adulte gisait quelques pas plus loin, le visage grouillant tellement de fourmis qu'elles lui faisaient comme une seconde peau. L'odeur atteignit Pike une fraction de seconde plus tard, si violente qu'elle lui fit venir les larmes aux yeux.

Il se pencha sur le corps sans rien remarquer qui lui permette de l'identifier. Il avait reçu deux balles dans le dos. Un Ruger 9 mm noir reposait sur le sol près de sa main.

Délaissant l'homme et l'arme, Pike se dirigea vers la fenêtre de la caravane. Les aboiements à l'intérieur s'intensifièrent au fur et à mesure de son approche, puis cessèrent d'un seul coup.

La vieille Airstream était nettement plus petite que le double mobile home. Elle ne contenait que trois pièces minuscules – une kitchenette, un salon, et une chambre simple avec cabinet de toilette. Pike regarda d'abord dans la kitchenette ; il ne vit rien et regarda dans le séjour.

Le pit-bull avait cessé d'aboyer pour manger. Il arracha un long lambeau de chair à la gorge d'un autre cadavre humain, l'engloutit et se mit ensuite à lécher la plaie. Son museau et son poitrail étaient barbouillés de sang, ses pattes semblaient chaussées de bottes rouges. Le deuxième corps était à demi vautré sur la banquette, à demi étendu sur le sol. L'avant-bras gauche avait été partiellement dévoré, mais le droit semblait intact. Pike n'eut aucune peine à lire les chiffres tatoués dessus.

187

187

187

187

187

Un pour chacun des hommes qu'il avait refroidis.

— Bonne nuit, Moon, dit Pike.

19

Pike resta un moment face à la fenêtre de la caravane, à se demander ce qu'il devait faire. Il ne pouvait pas laisser le chien enfermé là-dedans, ni ces cadavres que les filles en bleu, blanc et rouge risquaient à tout moment de découvrir. Il décida d'appeler la police, mais seulement après avoir fouillé les lieux. Pendant qu'il réfléchissait, le chien cessa de lécher le sang et le regarda. Il pencha la tête, plissa les yeux comme un myope et remua de la queue. Soudain, une flamme surgit au fond de ses prunelles, et il bondit vers la vitre.

— J'espère que je n'aurai pas à te tuer, dit Pike.

Ce chien ne l'effrayait pas, mais tout le problème était de le maîtriser sans lui faire de mal.

Pike trouva une planche à côté du mobile home. Il décrocha la chaîne fixée à l'attelage de la caravane et en fit un nœud coulant autour de la planche. Le chien l'entendait faire et le suivait dans ses déplacements à l'intérieur, aboyant et grondant.

Quand Pike approcha de la porte, il se jeta sur celle-ci comme un troisième ligne.

— Du calme.

Le battant s'ouvrait vers l'extérieur, ce qui l'arrangeait. Pike le bloqua avec son épaule et désengagea la clenche. Le molosse se remit immédiatement à pousser.

Pike entrebâilla la porte juste de ce qu'il fallait pour introduire l'extrémité de sa planche à l'intérieur. Le chien planta ses crocs dans le bois et se mit à secouer rageusement la tête comme il aurait pu le faire pour briser l'échine d'un animal plus petit que lui. Pike réussit à faire glisser son nœud coulant de la planche vers le cou du chien, serra d'un coup sec et traîna le molosse hors de la caravane. L'animal lâcha sa prise et se ramassa pour bondir ; Pike lui souleva les deux pattes avant. Le pit-bull se débattit et ses dents claquèrent dans le vide, en projetant des serpentins de bave. Il ne cherchait pas à fuir, il cherchait à mordre.

Pike traîna le chien jusqu'à l'attelage et enroula la chaîne autour de celui-ci jusqu'à ce que sa tête effleure l'acier. Il avait le front et les épaules lardés de cicatrices, de petites oreilles en charpie et l'œil gauche laiteux. Son arrière-train était criblé de croûtes. Un animal de combat jeté dans la fosse avec des congénères pour que Moon et ses potes rient de les voir s'étriper. Le chien lécha le sang séché de son mufle.

— On dirait que c'est toi qui as ri le dernier, dit Pike.

Il entra dans la caravane en prenant soin d'éviter les rigoles de sang humain. L'odeur chimique des gaz de décomposition, de merde de chien et de chair avariée était épouvantable. Il enfila une paire de gants en latex et remarqua que Williams était blessé au bras droit. Le pli de son coude, au-dessus des 187, était spectaculairement décoloré, avec une grosse bosse visible sous la peau – comme si Williams avait deux coudes au lieu d'un. Pike tâta la bosse et constata que c'était de l'os. Quelqu'un lui avait fracturé le coude.

Pike se dit que ça pouvait être l'œuvre de Frank Meyer. Le coin de sa bouche frémit imperceptiblement, l'équivalent chez lui d'un sourire.

Il fouilla d'abord Williams et découvrit un Glock 9 mm dans une de ses poches arrière. Il examina la chambre puis le chargeur, qui contenait treize balles sur dix-sept possibles. En y ajoutant celle de la chambre, on pouvait en déduire que trois coups de feu étaient partis de cette arme. Pike se demanda si les douilles retrouvées chez Frank provenaient de là. La SID allait soumettre le Glock à une série de tests balistiques et effectuer des analyses comparatives qui apporteraient la réponse. Pike remit le chargeur en place et le flingue dans la poche de Moon.

Ses autres poches contenaient un portefeuille, un jeu de clés, un bandana bleu, un paquet de Kool, deux joints, un briquet Bic rose et une barre aux céréales Pay Day, son portefeuille trois cent quarante-deux dollars et sept cartes Visa à sept noms différents (aucun à celui d'Earvin Williams) mais pas de permis de conduire. Pike passa les clés en revue et en trouva une aux dents ébréchées portant le sigle Buick. Il garda le tout.

Le deuxième cadavre était lui aussi armé d'un Glock 9 mm, auquel manquaient deux balles. Pike trouva sur lui quatre-vingt-six dollars, un paquet de Salem légères, une barre de Juicy Fruit et un second jeu de clés, mais pas de portefeuille ni de portable. Il n'avait pas non plus découvert de portable sur Moon ni sur l'homme à l'extérieur : zéro sur trois, donc.

Pike sortit sur le seuil pour respirer un peu, puis se retourna vers le décor. Des bouteilles de bière vides, deux pipes à crack sur un large plateau en céramique, à côté d'un caillou dans un sachet plastique – ces mecs se la coulaient douce quand ils avaient été descendus, Moon essayant probablement en outre de soulager sa douleur au coude. Il s'était pris deux balles en pleine figure. Son voisin, une dans la poitrine et une dans la tête. Tous deux étaient armés, mais ni l'un ni l'autre n'avait sorti son arme, ce qui suggérait qu'ils avaient été pris de court par quelqu'un qu'ils connaissaient. Le troisième homme s'était sans doute carapaté quand la fusillade avait éclaté, mais il avait été poursuivi à l'extérieur et abattu.

Pike étudia le sol en se demandant si le triple meurtre avait été commis par plus d'une personne. Le chien était resté prisonnier ici plusieurs jours, allant sans relâche de la porte aux fenêtres, entrant et sortant de chaque pièce, montant sur les meubles et redescendant. Le sang, la merde et la pisse qui s'étalaient partout avaient effacé d'éventuelles traces de pas.

Pike découvrit trois douilles. Il les examina l'une après l'autre, sans y toucher : du 9 mm à chaque fois. Il se demanda si les balles qui avaient tué Moon et ses amis correspondraient à celles qu'on avait retrouvées dans le corps de Frank, et si c'était Michael Darko qui avait appuyé sur la détente.

Puis il fouilla rapidement le reste de la caravane sans déceler aucun signe de la présence récente d'un bébé. Il décida d'aller jeter un coup d'œil à la Buick mais, en ressortant, il vit le pit-bull et s'arrêta. L'animal lâcha un aboiement sourd, presque un râle, et se mit à labourer la terre de ses griffes. Sa langue violacée pendait comme une tranche de foie.

Pike récupéra la gamelle d'eau sous la caravane, trouva un tuyau d'arrosage, et déposa la gamelle aux pieds du chien. Celui-ci tenta de boire mais sa chaîne était trop courte. Pike la desserra d'un tour pour lui permettre d'atteindre la gamelle. L'animal se mit à laper bruyamment, en renversant les trois quarts de l'eau.

Pike posa une main sur le dos rugueux du chien, qui pivota à la vitesse d'un serpent, dans une gerbe d'éclaboussures, pour le mordre à la gorge. Il était rapide, mais Pike le fut encore plus : il avait déjà reculé d'un pas pour se mettre hors d'atteinte. Le pit-bull claqua des mâchoires, fou furieux.

Pike ne ressentait ni peur ni colère. Il prit le tuyau et remplit à nouveau la gamelle, en restant à distance de sécurité. Sans doute cet animal avait-il été battu régulièrement jusqu'à devenir méchant. Ce n'était pas sa faute. Encore maintenant, le pit-bull essayait si fort de l'atteindre que sa chaîne lui rentrait dans le cou et que ses yeux chaviraient de rage.

— Ne t'en fais pas, vieux, dit Pike. Je comprends.

Le chien tira encore plus fort sur sa chaîne.

Pike s'éloigna vers la Riviera.

La portière s'ouvrit au premier tour de clé, mais Pike ne monta pas dedans. Il enfila une paire de gants en latex neufs et commença par regarder dans la boîte à gants, puis sous les sièges avant, en quête d'un téléphone portable ou de tout autre lien concret avec Michael Darko.

Il trouva ce lien sur la banquette arrière, aussi incongru dans cet habitacle pouilleux qu'une rose immaculée : un bavoir de bébé. Blanc et pelucheux, avec un motif de lapins bleus. Constellé sur le devant de taches vertes et orangées. Pike palpa le tissu et en déduisit que le bavoir n'avait pas passé plus de quelques jours dans cette voiture. Il le porta à son nez et constata que les taches étaient récentes. Les orangées sentaient l'abricot, les vertes les petits pois.

Pike plia le bavoir en quatre et le glissa dans sa poche en se demandant ce que Moon Williams avait fait du petit. Ce fut alors qu'il se souvint de sa grand-mère. L'autoroute faisait du bruit, soit, mais plusieurs coups de feu avaient été tirés. Elle ne pouvait pas ne pas les avoir entendus. Son petit-fils et les deux autres cadavres gisaient là depuis au moins trois jours. Elle ne pouvait pas ne pas les avoir découverts.

Pike ferma la Riviera et revint vers le double mobile home. Cette fois, il s'abstint de frapper.

Le chat gris et blanc détala dès qu'il ouvrit la porte, et la même odeur atroce lui envahit la gorge. Le séjour était aussi propre et bien rangé que vu de la fenêtre, mais à peine fut-il entré qu'il aperçut la porte enfoncée au bout du couloir et entendit le jingle joyeux et plein d'entrain d'un jeu télévisé. Pike découvrit Mme Mildred Gertie Williams morte sur le sol de sa chambre. Le petit téléviseur posé sur une commode diffusait une resucée du « Juste prix ». Mme Williams était vêtue d'un pyjama, d'une robe de chambre légère, et de chaussons roses en fausse fourrure ; elle avait reçu deux balles dans le corps et une au front. On lui avait aussi tiré dans la main gauche, mais la balle était entrée par la paume et ressortie côté dos, une blessure de défense typique. Elle avait tenté de dévier l'arme de son agresseur et devait être en train de le supplier quand il avait appuyé sur la détente.

Pike éteignit le poste. Le lit était défait, froissé, avec une télécommande entre les oreillers. Elle regardait la télé lorsqu'elle avait entendu les coups de feu et elle s'était levée pour voir ce qui se passait. Pike se la représenta debout, juste avant d'être assassinée. Il se positionna là où le meurtrier avait dû surgir, mima un pistolet avec sa main droite et visa. Les douilles avaient dû s'éjecter côté droit, donc il regarda à droite et les découvrit entre la cloison et un fauteuil ultrarembourré. Deux douilles de 9 mm, identiques à celles de la caravane.

Pike resta un moment à regarder Mildred Williams défigurée et barbouillée de sang. Plusieurs photos encadrées d'enfants s'alignaient sur la commode, des petites filles et des petits garçons au sourire ébréché dont l'un devait être Moon.

Pike observa les photos. « Voilà comment tu as été récompensée de ton amour », pensa-t-il.

Il la laissa telle qu'il l'avait découverte, ressortit et alla s'asseoir dans un fauteuil de jardin, sous l'auvent. L'air d'ici était frais et agréable, il ne puait pas la mort. Pike expira longuement, avec le diaphragme, pour se libérer de l'odeur. La mort était entrée en lui et il voulait la chasser.

Pike appela John Chen au labo de la SID ; celui-ci répondit en murmurant, toujours aussi parano :

— Je ne peux pas parler. Ils sont partout.

— Contente-toi de m'écouter. Dans quelques heures, des gens de chez vous seront envoyés sur une scène de crime à Willowbrook. Ils y trouveront quatre adultes décédés, trois hommes et une femme, ainsi que trois pistolets de 9 mm et des douilles vides provenant d'une quatrième arme.

— Putain de merde, souffla Chen d'une voix presque inaudible. C'est toi qui les as refroidis ?

— Compare leurs armes aux douilles et aux balles recueillies chez les Meyer. Tu verras que ça colle.

— Putain de bordel de merde ! Tu as retrouvé la bande qui a tué les Meyer ?

— Les douilles des balles utilisées à Willowbrook correspondront certainement à celles que vous avez retrouvées dans la chambre d'Ana Markovic. Le meurtrier d'Ana est probablement aussi l'auteur des homicides de Willowbrook.

— Le quatrième homme ?

— Oui.

— Attends un peu. Tu es en train de me dire que ces mecs ont été tués par un des leurs ?

— Oui.

Pike coupa et appela Elvis Cole.

— C'est moi. Tu es seul ?

— Ouaip. Je suis à l'agence. Je viens de la déposer.

— Du nouveau ?

— Elle m'a montré trois immeubles et m'a fait un topo sur la façon dont Darko gère son réseau de call-girls, mais je ne sais ni si c'est la vérité, ni si ça va nous aider. J'ai fait une demande de recherche de propriété au cadastre, mais je n'aurai pas le résultat tout de suite. J'allais commencer à plancher sur sa sœur.

— Pas la peine de chercher l'historique des appels de Rahmi.

— Tu as retrouvé Jamal ?

Sans citer George Smith, Pike expliqua qu'une personne bien informée lui avait permis de faire le lien entre Michael Darko et un D-Block Crip du nom de Moon Williams, domicilié à Willowbrook. Pike décrivit ce qu'il avait découvert à son adresse.

— Tu crois qu'ils ont été liquidés le même soir que Meyer ?

— Dans les heures qui ont suivi. On en aura la preuve si les tests comparatifs de Chen confirment qu'il s'agit des mêmes armes, et ce sera le cas.

Pike parla ensuite du bavoir.

— Mais pourquoi Darko les aurait-il tués s'ils lui ont rendu le bébé ?

— Qui dit qu'ils le lui ont rendu ? Peut-être qu'ils ont cherché à le garder pour lui soutirer davantage de fric… à moins qu'il ait juste voulu éliminer des témoins gênants.

— Qu'est-ce que tu comptes faire ?

— Appeler la police. Je ne peux pas les laisser comme ça. Il y a des gamins dans le quartier. Ils pourraient tomber sur les corps.

Au moment même où Pike prononçait ces mots, le pit-bull gronda, et Pike vit deux voitures du bureau du shérif approcher dans la rue. Un véhicule banalisé les suivait de près.

— On dirait que je ne vais pas avoir besoin de les appeler. Les shérifs arrivent.

— D'où ils sortent, ceux-là ?

— De leur voiture.

— Tu vois très bien ce que je veux dire.

— Je ne sais pas. Je suis aussi surpris que toi.

Une troisième voiture pie arriva en sens inverse, fermant le cercle autour de la Jeep. Des adjoints en uniforme mirent pied à terre sans hâte particulière. Presque comme s'ils savaient déjà ce qu'ils allaient découvrir. Pike trouva cela curieux.

Il allait mettre fin à la communication quand il repensa au bavoir.

— Ne parle pas à Rina de ce que j'ai trouvé ici, d'accord ? Je le lui dirai moi-même.

— Comme tu voudras.

— Il faut que j'y aille.

Pike rangea son portable et, sans quitter le fauteuil, leva les mains en l'air. Les adjoints le virent. L'un d'eux, un type d'âge mûr aux cheveux gris et au visage dur, approcha du portail.

— Vous êtes Joe Pike ?

— Oui. J'allais justement vous appeler.

— Ben tiens. Ils disent tous ça.

L'adjoint aux cheveux gris dégaina son arme, et ses collègues mirent à leur tour Pike en joue en se déployant le long du grillage.

— Vous êtes en état d'arrestation, lança-t-il. Si vos mains bougent de là où elles sont, je vous descends dans ce fauteuil.

Le pit-bull entra en furie, tirant de toutes ses forces sur sa chaîne. Pike, impassible, observa les deux flics en civil qui venaient de sortir de la voiture banalisée. Deux Latinos d'une quarantaine d'années, au visage familier. La mémoire lui revint tout à coup. La dernière fois qu'il les avait vus, c'était dans une Sentra.

20

Elvis Cole

Ana Markovic avait fait sa terminale au lycée des arts et des sciences d'East Valley, à Glendale, deux ans plus tôt. Cole le savait grâce à l'album scolaire récupéré par Pike dans sa chambre. Pour commencer, Cole repéra sa photo parmi toutes celles de l'album – une fille maigre, au nez épaté et au regard intelligent, affligée de deux monstrueux boutons sur le menton. Elle avait tenté de les camoufler sous une épaisse couche de maquillage, mais leur volume était tel qu'ils affleuraient tout de même. Ana en avait certainement eu honte.

Cole lui trouva une vague ressemblance avec Rina ; mais beaucoup de gens ressemblaient vaguement à d'autres.

L'album précisait que l'école d'Ana se composait de mille deux cent quatre-vingt-quatre élèves, dont la plupart, semblait-il, avaient inscrit quelque chose sur son exemplaire. L'intérieur des deux parties de la couverture était envahi de signatures et de commentaires, surtout rédigés par des filles, qui enjoignaient Ana de ne jamais oublier les bons moments passés ensemble, la taquinant à propos des garçons sur lesquels elle avait flashé, et lui promettant de rester à vie ses meilleures amies.

Pike avait glissé trois photos dans l'album. L'une d'elles montrait Ana avec les deux petits garçons de Frank Meyer, et Cole la mit de côté. Sur la suivante, la jeune fille posait bras dessus bras dessous avec deux amies sur un terrain de football ; toutes trois souriaient jusqu'aux oreilles. Les cheveux de l'une d'elles étaient courts et noirs, avec des mèches violettes, tandis que l'autre, une grande fille auburn à la peau laiteuse parsemée de taches de rousseur, les portait longs. La troisième photo montrait Ana avec la fille auburn pendant ce qui ressemblait à une soirée de Halloween. Toutes deux étaient vêtues de la même robe des années folles et prenaient une pose rigolote, les paumes en éventail de part et d'autre du visage, à la façon des danseuses de la grande époque du jazz naissant.

L'arrière-plan de la photo à trois lui évoquant un terrain de sport scolaire, Cole revint à l'album. Il décida de passer en revue les mille deux cent quatre-vingt-quatre portraits d'élèves, en comptant sur la chance. Il en eut. La fille auburn s'appelait Sarah Manning.

Cole appela les renseignements et demanda s'il existait un numéro associé à ce nom à Glendale. S'il espérait un nouveau coup de chance, tel ne fut pas le cas.

— Je regrette, monsieur. Nous n'avons aucun abonné à ce nom.

— Peut-être à Burbank ou à Hollywood Nord ?

Ces deux quartiers étaient proches de Glendale.

— Je regrette, monsieur. J'ai déjà vérifié.

Cole se désintéressa de l'album pour examiner l'ordinateur d'Ana. C'était un PC bas de gamme qui mettait un temps fou à démarrer, mais le bureau finit tout de même par apparaître, affichant plusieurs colonnes d'icônes soigneusement alignées. Cole les parcourut en quête d'un carnet d'adresses et en trouva une intitulée « Appel rapide ». Il cliqua dessus, tapa « Sarah Manning », cliqua sur « Recherche » et fit mouche.

— Le meilleur détective du monde a encore frappé, murmura-t-il.

La fiche de Sarah mentionnait une adresse à Glendale, un numéro de téléphone à préfixe 818, et une adresse e-mail. Cole ne prévenait presque jamais les gens avant de passer les voir. Ils avaient une fâcheuse tendance à lui raccrocher au nez ou à ne jamais rappeler, mais la perspective de se taper un aller-retour à Glendale dans le seul but d'apprendre que Sarah Manning avait déménagé ne l'enchantait pas. Et si elle s'était engagée dans l'armée et combattait en Afghanistan ?

Il composa le numéro et eut la surprise d'entendre répondre.

— Allô ?

— Sarah Manning ?

— Oui. Qui est à l'appareil, s'il vous plaît ?

D'une voix essoufflée, comme si elle était pressée. L'idée effleura Cole qu'elle n'avait peut-être pas été prévenue du meurtre d'Ana Markovic, mais elle l'avait été et ne semblait pas particulièrement bouleversée.

— J'aimerais discuter un moment avec vous, Sarah. J'ai des questions à vous poser sur Ana.

— Je ne sais pas trop. J'ai cours, là.

— Au lycée d'East Valley ?

192

— À la fac de Northridge. Le lycée, c'était il y a deux ans.

— Excusez-moi. Je ne vous retiendrai pas long-temps, mais c'est important. J'ai cru comprendre que vous étiez proches.

— Ils les ont attrapés ? Ceux qui ont fait ça ?

— Pas encore. C'est pour ça que j'ai besoin de votre aide.

Elle mit un certain temps à répondre, comme si le sujet méritait réflexion.

— Bon, d'accord, quel genre de questions ?

— Je préférerais qu'on se voie.

— Je suis superoccupée.

Cole étudia la photo d'Ana et de Sarah en robe des années folles. Il n'avait aucune envie de lui parler au téléphone d'une sœur prostituée ou de bandits serbes, surtout s'il s'agissait de mensonges.

— C'est vraiment très important, Sarah. Vous êtes sur le campus ? Je peux vous y rejoindre dans un quart d'heure.

— Bon, s'il le faut… Mais ça va me faire sauter un cours.

Comme si c'était la fin du monde !

Sarah décrivit à Cole un café de Reseda Boulevard, non loin du campus, et lui demanda de l'y retrouver dans vingt minutes. Il raccrocha sans lui laisser le temps de changer d'avis.

Vingt-deux minutes plus tard, il la trouva assise à une table de la terrasse, en short bleu clair, tee-shirt blanc et sandalettes. Ses cheveux étaient plus courts que sur la photo de l'album, mais pour le reste elle n'avait pas changé.

— Sarah ?

Cole la gratifia de son plus beau sourire et lui tendit la main. Elle la serra, visiblement mal à l'aise. Il montra le comptoir du menton.

— Je vais vous chercher quelque chose ?

— C'est trop bizarre, je trouve. Je ne vois pas du tout ce que je vais pouvoir vous dire.

— Ma foi, on verra bien où nous mènent les réponses. Quand est-ce que vous lui avez parlé pour la dernière fois ?

Elle réfléchit un moment, puis secoua la tête.

— Il y a un an. Peut-être plus. On s'était un peu perdues de vue.

— Mais vous étiez proches au lycée ?

— Depuis la cinquième. On venait toutes d'écoles primaires différentes. On nous appelait les Trois Mousquetaires.

La photo des trois filles bras dessus bras dessous s'imposa instantanément à Cole.

— Qui était la troisième ?

— Lisa Topping. J'ai pensé à elle en vous attendant. Vous devriez lui parler. Elles avaient gardé le contact.

— Cheveux noirs ? Mèches violettes ?

Sarah pencha la tête, enfin concernée.

— Oui. Comment vous savez ça ?

— Ana avait une photo de vous trois dans sa chambre. Et aussi une de vous et d'elle en robe des années vingt. C'est comme ça que je vous ai retrouvée.

Sarah le dévisagea un certain temps, puis regarda ailleurs. Elle cligna des paupières plusieurs fois de suite. Cole vit rosir le blanc de ses yeux.

— Vous ne voulez vraiment pas que j'aille vous chercher quelque chose ? proposa-t-il. De l'eau, peut-être ?

Elle secoua la tête, toujours sans le regarder, comme si le contact visuel lui faisait mal.

— Non, c'est juste que… je ne sais pas…

Elle plongea soudain une main dans son sac et en sortit un portable. Elle composa un numéro puis plaça l'appareil contre son oreille. Une boîte vocale.

— Salut, ma belle, c'est moi. Dis, je suis avec un mec, là, il s'appelle Elvis Cole et je crois qu'il travaille pour la police ou quelque chose comme ça, il aurait besoin d'informations sur Ana. Appelle-le, d'accord ?

Elle couvrit l'appareil avec sa main.

— Votre numéro ?

Cole le lui donna. Après l'avoir répété, elle rangea son portable.

— Elle vous appellera. C'est à elle que vous auriez dû parler.

— Les cheveux violets.

— Plus maintenant, mais c'est elle. Elle est à New York pour ses études, mais elles avaient gardé le contact.

Elle avait dit cela d'un air triste, et Cole se demanda pourquoi.

— Super. Je lui parlerai. Mais vu que vous êtes ici et que vous connaissiez vous aussi Ana depuis la cinquième, je suis certain que vous allez pouvoir m'aider. Si j'ai bien compris, elle vivait avec sa sœur. C'est ça ?

Sarah hocha la tête, les yeux fixés sur le boulevard.

— Oui. Elle avait perdu ses parents. Ils sont morts quand elle était petite. En Serbie.

— Hmm-hmm. Et comment s'appelait sa sœur ?

Cole fit semblant de prendre des notes. Il poursuivait deux objectifs. Il cherchait à vérifier si l'histoire de Rina se tenait et, si oui, il espérait apprendre quelque chose qui puisse les aider à localiser Darko.

— Rina. Je crois que son prénom complet était Karina, avec un K, mais on l'appelait Rina.

Jusqu'ici, tout allait bien.

— Vous l'avez connue ?

— Euh, oui. Elles habitaient ensemble. Plus ou moins.

— Comment ça, « plus ou moins » ?

Sarah changea de position, soudain agacée.

— Je ne suis pas idiote, mec. Je sais que vous le savez. Rina se prostituait. C'est comme ça qu'elle payait le loyer.

Cole reposa son stylo.

— Tout le monde le savait ?

— Oh ! là là ! non. Juste Lisa et moi, et Ana nous a fait jurer de ne le dire à personne. Rina ne voulait surtout pas que ça se sache. Elle aurait même voulu le cacher à Ana, et Ana nous l'a dit uniquement parce qu'elle avait besoin d'en parler à quelqu'un. Ça nous a fait un truc de dingue.

— Le fait que sa sœur soit une prostituée ?

— Oui ! Je veux dire, on n'était que des gamines. On a trouvé ça cool, avec un côté glamour, sexy du genre Hollywood. Pourtant il y avait de quoi donner la chair de poule. Tout bien réfléchi, c'était juste dégueulasse.

Elle s'humecta les lèvres et détourna les yeux. Cole sentit que c'était vraisemblablement ce qui les avait séparées.

— Rina recevait des clients chez elle quand Ana y était ? C'est ce que vous voulez dire ?

— Non, pas du tout. Elle s'absentait quelques jours. Je crois qu'elle travaillait dans un de ces endroits, là. Elle partait quelques jours, puis elle revenait. Beurk, ajouta-t-elle avec un frisson exagéré.

Cole se demanda combien de personnes avaient su la vérité et jusqu'où la rumeur s'était répandue.

— Vous en avez parlé à quelqu'un d'autre, Lisa et vous ?

Sarah détourna à nouveau les yeux et mit du temps à répondre.

— On ne lui aurait jamais fait ça. C'était notre amie.

— Est-il arrivé à Ana de citer un certain Michael Darko ?

— Je n'en sais rien. C'est qui, ce Michael Darko ?

— Peut-être vous a-t-elle dit où sa sœur travaillait ? Ou pour qui ? Vous vous souvenez de quelque chose de ce genre ?

— Je ne vois pas comment je pourrais. Rina ne lui disait jamais rien de cet aspect de sa vie. Elle refusait absolument d'en parler. Alors nous… Rina ne savait même pas qu'on était au courant. Elle n'en parlait pas à Ana. C'était une sorte de secret de Polichinelle entre elles deux. Ana savait, mais elles n'y faisaient jamais allusion.

— Comment Ana l'a-t-elle su si Rina ne lui en parlait pas ?

197

— Quand Rina a été arrêtée. Ana avait toujours cru que sa sœur était serveuse ou quelque chose dans ce goût-là, jusqu'au jour où elle l'a appelée du commissariat. Ana a vraiment eu les boules. On devait être, disons, en troisième. Quand je lui ai dit que je voulais en parler à mon père et à ma mère, elle a pété un câble. Elle m'a fait jurer de me taire. Elle m'a dit qu'elle ne m'adresserait plus jamais la parole si je disais quoi que ce soit. Et là-dessus, elle est venue passer deux jours à la maison comme si de rien n'était – un truc normal entre copines, quoi. Ensuite, elle a fait pareil chez Lisa. Elle flippait grave, parce qu'elle ne savait pas ce qu'elle allait pouvoir faire, disons, si Rina atterrissait en prison. Qu'est-ce qu'elle serait devenue ?

Cole se livra à un rapide compte à rebours mental, ce qui lui permit de vérifier que l'année de troisième d'Ana correspondait bien à celle de la première arrestation inscrite sur la fiche de police de Rina. Il soupira. En troisième, c'est-à-dire autour de quatorze ans. Une fille de quatorze ans se retrouvant toute seule à la maison, sans savoir si l'unique membre de sa famille qui lui restait, son seul soutien, reviendrait un jour. Cela avait dû être terrifiant.

— Et personne d'autre n'était au courant ? En dehors de Lisa et vous ?

Sarah secoua la tête en regardant ailleurs.

— Même pas du côté de la colonie serbe ? Elle devait bien avoir des amis serbes, non ?

— Aucun. Rina ne voulait pas. Rina ne lui parlait même pas du pays qu'elles avaient quitté.

— Bref, elle n'avait que vous deux.

Sarah opina. Elle semblait seule, perdue.

Cole s'efforça de lire en elle ; il crut comprendre ce qu'elle avait ressenti à l'époque et ce qu'elle ressentait maintenant.

— Hé, dit-il.

Les yeux de Sarah le frôlèrent et s'enfuirent aussitôt.

— J'ai l'impression que Rina cherchait à la protéger, dit Cole. Je crois que vous aussi, vous avez cherché à la protéger.

Elle avait beau regarder ailleurs, il vit s'embuer ses yeux roses.

— J'aurais dû le dire à quelqu'un. On aurait dû le dire.

— Vous ne pouviez pas savoir, Sarah. On ne peut jamais savoir. Chacun essaie de faire de son mieux.

— Elle serait peut-être encore en vie.

Sarah Manning se leva et s'en alla sans un regard en arrière. Cole la suivit des yeux, en espérant pour elle qu'elle se trompait.

21

Pike observait les deux flics latinos. Ils restèrent dans la rue, l'un d'eux passant un rapide coup de fil pendant que l'autre discutait avec un shérif adjoint. Ils n'approchèrent pas de lui et l'ignorèrent, mais le plus petit des deux fit le tour de sa Jeep avant de rejoindre son camarade. Ils quittèrent les lieux au moment où commençait la fouille de Pike.

Le shérif adjoint aux cheveux gris s'appelait McKerrick. Pendant que ses hommes s'éloignaient entre les caravanes, McKerrick passa les menottes à Pike et lui fit les poches.

— Bon Dieu, fit-il, vous êtes un arsenal ambulant.

Il rangea ses trouvailles au fur et à mesure dans une pochette à pièces à conviction de couleur verte : la montre de Pike, son portefeuille, ses armes et son téléphone, mais pas le bavoir. McKerrick le prit sans doute pour un mouchoir taché de morve.

À aucun moment il ne jugea bon de lui notifier ses droits ou de le questionner. Rien non plus sur les corps, ni sur la raison de sa présence sur place, ni sur quoi que ce soit d'autre. Pike trouva cela curieux. Il se demanda aussi comment les deux Latinos avaient fait pour le suivre depuis la résidence de Yanni. Même s'ils avaient utilisé plusieurs véhicules, Pike était certain de ne pas avoir été filé. Cela aussi, c'était curieux.

Une fois la fouille terminée, McKerrick l'escorta jusqu'à une des voitures de patrouille, le fit asseoir sur la banquette arrière et s'installa au volant.

Ils démarrèrent, et Pike tourna la tête vers le chien, qui le regarda partir.

Juridiquement, Willowbrook ne faisait pas partie de Los Angeles. C'était une commune à part, sous la juridiction du shérif du comté de Los Angeles pour tout ce qui touchait au maintien de l'ordre. Pike s'attendait donc à ce que McKerrick le conduise au poste du shérif le plus proche, à Lynwood, au bord de la Century Freeway, mais lorsqu'ils atteignirent l'autoroute, McKerrick prit la direction opposée.

Vingt minutes plus tard, ils gagnèrent le centre de L.A. Pike comprit alors où ils allaient.

McKerrick prit son micro et prononça deux mots :

— Trois minutes.

Ils l'emmenaient au Parker Center, le siège central du Département de police de Los Angeles. Ils longèrent le côté de l'immeuble et s'arrêtèrent devant l'entrée de service, où les attendaient trois officiers du LAPD en uniforme. Deux hommes et une femme, tous proches de la trentaine, les cheveux courts et les chaussures bien cirées. La femme ouvrit la portière de Pike.

— Descendez, dit-elle.

L'officier responsable était un grand blond à la coupe en brosse, sec et baraqué. Il prit Pike par le bras. Ils le firent entrer sans le fouiller et montèrent avec lui dans un ascenseur qui les transporta au troisième étage. Tout était spécial au troisième étage du Parker Center. La section spéciale des vols, la section spéciale des viols, la section spéciale des homicides. Les trois branches de la RHD [1]. Terrio et sa cellule devaient avoir établi leur quartier général ici.

— Envie de pisser ?

— Non.

À la sortie de l'ascenseur, l'officier chargé de la pochette des pièces à conviction s'éclipsa, pendant que les deux autres entraînaient Pike dans les profondeurs d'un sinistre couloir beige pour l'installer dans une salle d'interrogatoire. Pike était déjà venu à cet étage et connaissait ces pièces. Celle-ci était exiguë, avec une peinture et un revêtement de sol en aussi mauvais état que toutes les autres. La petite table encastrée dans le mur était entourée de deux chaises en plastique bas de gamme.

L'officier responsable ouvrit la menotte gauche de Pike et la referma autour d'une barre d'acier fixée à la table. Quand il l'eut dûment entravé, il recula d'un pas. La femme attendait sur le seuil.

— Joe Pike, dit l'homme.

Pike le regarda.

— J'entends parler de vous depuis que je suis dans la maison. Vous n'êtes pas si impressionnant, finalement.

Une caméra vidéo était vissée dans un angle de la pièce, sous le plafond. Cette salle d'interrogatoire ne

---

1. *Robbery-Homicide Division*, division homicides-vols.

possédait pas de miroir sans tain, juste la caméra et son micro.

Au bout d'un moment, Pike leva légèrement la tête en direction de la caméra. Les deux officiers suivirent son regard. L'homme vit la caméra et se mit à rougir, comprenant qu'un de ses supérieurs était peut-être en train de le voir fanfaronner. La femme et lui sortirent et refermèrent la porte.

Pike regarda autour de lui. La salle d'interrogatoire sentait la cigarette. Bien qu'il soit interdit de fumer dans les bâtiments publics, le dernier suspect entendu ici devait avoir été fumeur, ou bien le dernier inspecteur. La table et le mur étaient couverts d'un patchwork de gribouillis, dessins, grattages, taches et slogans de taulards pour la plupart si profondément gravés dans le formica qu'ils étaient impossibles à effacer.

Pike considéra la caméra et se demanda si Terrio l'observait. Ils allaient sans doute le laisser mariner un certain temps, mais cela lui était égal. Il inspira lentement, à fond, puis vida ses poumons exactement au même rythme et se concentra sur la caméra, chassant de son esprit tout ce qui n'était pas la caméra et respira encore. Il n'y eut bientôt plus que Pike, cette caméra et la personne qui se trouvait peut-être derrière. Puis plus que Pike et la caméra. Et enfin plus que Pike. Quelques respirations lui suffirent pour se sentir voguer, sentir sa poitrine se dilater et se contracter au rythme de la mer. Sa fréquence cardiaque diminua. Le temps ralentit. Pike se contenta d'être. Il avait passé des jours entiers dans cet état, à attendre l'instant du tir parfait dans des endroits nettement moins confortables qu'une salle d'interrogatoire du LAPD.

Il se demanda pourquoi ils l'avaient embarqué et ce qu'ils espéraient apprendre de lui. Il savait qu'ils n'allaient pas l'accuser de quoi que ce soit parce qu'ils ne lui avaient pas notifié ses droits, ni imposé la procédure habituelle de mise en garde à vue. Donc ils voulaient lui parler, mais pourquoi ? Il se demanda aussi pour quelle raison ils l'avaient serré devant chez Williams. S'ils l'avaient filé toute la journée, ils auraient pu le faire à n'importe quel moment, et pourtant ils avaient attendu qu'il trouve Williams.

Pike méditait toujours sur ces questions deux heures plus tard, quand Terrio et Deets firent leur entrée. Pike les vit arriver comme s'il était en apnée statique au fond d'une piscine limpide, et il s'éleva vers la surface pour les rejoindre. L'heure des réponses allait peut-être venir.

Terrio détacha la menotte de la barre d'acier, puis celle qui entourait le poignet de Pike. Il empocha le tout et prit place sur la chaise libre. Deets resta debout dans un coin, les bras croisés et le dos contre le mur. Son visage exprimait une retenue que Pike jugea forcée.

— Bon, écoutez-moi, dit Terrio. Vous n'êtes pas en état d'arrestation. Vous n'êtes pas tenu de nous répondre. J'espère que vous le ferez, mais rien ne vous y oblige. Si vous voulez appeler un avocat, eh bien… (Terrio sortit un portable et le fit glisser en travers de la table.) Vous n'avez qu'à vous servir de ça. On attendra.

Pike repoussa l'appareil.

— Pas la peine.

Deets, tête basse, fixa sur lui un regard oblique.

— C'est vous qui avez tué ces gens ?

— Non.

— Vous savez qui l'a fait ?

— Pas encore.

Terrio approcha sa chaise de la table.

— Qu'est-ce que vous faisiez là-bas ?

Là-bas… Comme si Willowbrook appartenait à un autre monde.

— Je cherchais un repris de justice, Earvin Williams. Williams aurait pu tremper dans le meurtre de Frank ou savoir ce qui s'était passé.

— Qu'est-ce qui vous fait penser qu'il aurait pu être impliqué ?

— Williams était un D-Block Crip. Il avait monté une bande avec quelques amis à lui, dont certains ont connu récemment une très forte amélioration de leur train de vie.

Terrio haussa les sourcils.

— Vous connaissez d'autres D-Blocks impliqués ?

— Jamal Johnson.

Terrio blêmit, et Deets décocha à Pike un regard acéré.

— Où avez-vous entendu parler de Jamal Johnson ?

— Par son cousin Rahmi.

— Aucune chance. La SIS est sur lui. Ils le surveillent au moment où je vous parle. Il est impossible que vous lui ayez parlé.

Pike haussa les épaules, comme pour signifier « Croyez ce que vous voudrez. »

— Williams et Johnson sont des D-Blocks. L'autre mec, je ne sais pas. Johnson fait partie des victimes ?

— Allez vous faire foutre, Pike, lâcha Deets. C'est nous qui posons les questions, et vous, vous répondez. On n'est pas là pour bavasser.

Terrio leva une main pour faire taire son collègue.

— Johnson a été identifié comme étant une des victimes.

— Et le troisième homme, qui était-ce ?

— Samuel « Lil Tai » Renfro. Lui aussi était un D-Block, comme Williams et Johnson. Qu'est-ce qui vous a amené à croire que c'était cette bande qui avait attaqué la maison de Meyer ?

Terrio fixait Pike avec une telle intensité qu'il semblait à deux doigts de tomber de sa chaise. Pike se rendit compte à cet instant que Jamal Johnson n'était pour eux qu'un suspect et que le nom de Williams ne figurait même pas sur leurs tablettes. Ils ne lui demandaient pas en quoi Williams était impliqué, mais pourquoi il le croyait impliqué. Ils ne l'avaient pas embarqué pour apprendre ce qu'il savait – ils voulaient découvrir comment il l'avait su.

— J'ai le sentiment que Williams est à la tête de la bande. L'analyse balistique nous le dira avec certitude.

Deets secoua la tête.

— *Nous ?* Il n'y a pas de *nous* ici.

La main de Terrio s'éleva de nouveau.

— Nous n'avons aucun élément concret qui nous permette d'associer ces personnes à l'assassinat des Meyer, ni aux six autres attaques.

— Maintenant, vous en avez un. Analysez les armes.

— On peut savoir comment vous en êtes venu à identifier Williams comme une personne digne d'intérêt ?

— J'ai mes sources.

— Il se fout de nous, gronda Deets en lançant un regard noir à la caméra.

Terrio sortit un carnet à spirale de sa poche et lut une adresse à haute voix.

— Une de ces sources réside à Studio City, je suppose ?

Pike ne répondit pas. C'était devant l'immeuble de Yanni, à Studio City, qu'il avait vu la Sentra pour la première fois.

— Et si je vous parlais de La Brea Avenue, un poil au sud de Melrose ? Peut-être que là-bas aussi, on pourrait trouver une de vos sources.

Terrio rangea son carnet et se pencha à nouveau en avant.

— Qui a tué ces gens ?

— Je ne sais pas.

— Vous aimeriez le savoir ?

— Non.

Deets émit un « Ha » et quitta son coin.

— Vous les auriez butés vous-même, Pike. Si vous aviez trouvé ces mecs en vie, vous auriez donné leurs cadavres à bouffer à ce clebs, exactement comme le fils de pute qui les a laissés là-bas.

Le regard de Pike glissa sur Deets.

— Pas la dame, répondit-il.

Terrio se renversa sur sa chaise et scruta Pike en tapotant le bord de la table.

— Ces trois abrutis – Williams, Johnson et Renfro – n'ont pas fait ça tout seuls. Quelqu'un leur a montré comment s'y prendre. On est raccord là-dessus, vous et moi ?

— Oui.

— Vos sources vous ont dit pour qui ils roulaient ?

Pike soutint le regard de Terrio un certain temps, puis jeta un coup d'œil à la caméra. Quelque chose dans l'inflexion de Terrio lui soufflait qu'il connaissait la réponse et cherchait à savoir si c'était aussi son cas.

— Williams travaillait pour un mafieux serbe qui s'appelle Michael Darko. Sa bande et lui ont probablement été butés par Darko ou par un homme de Darko.

Terrio et Deets le fixèrent, et le silence tomba sur la salle d'interrogatoire. Un instant plus tard, la porte s'ouvrit sur un chef adjoint en uniforme, bedonnant et dégarni. Le mot « Darko » avait eu l'effet d'une formule magique.

— Sortons d'ici, Jack, s'il vous plaît.

Terrio et Deets se retirèrent sans un mot. Le chef adjoint les suivit, et la femme que Pike avait aperçue à l'arrière de la voiture de Terrio le jour où ils l'avaient prévenu pour Frank entra, puis referma la porte. Blazer bleu sur chemise blanche. Pantalon gris foncé. Un trait contrarié en guise de bouche.

Après avoir observé Pike comme un cobaye de laboratoire, elle leva la tête vers l'œil placide de la caméra. Elle s'en approcha, la débrancha, puis se retourna vers Pike.

Elle lui montra un insigne fédéral.

— Kelly Walsh. De l'ATF [1]. Vous me remettez ?

Pike acquiesça.

— Bien. Maintenant qu'on s'est présentés, vous allez faire exactement ce que je vous dis.

Comme si elle n'avait aucun doute là-dessus.

1. *Bureau de l'alcool, du tabac et des armes à feu.*

TROISIÈME PARTIE

Une affaire personnelle

22

Kelly Walsh s'immobilisa à trente centimètres de la table, assez près pour forcer Pike à lever les yeux. Il reconnut une technique de domination. En se plaçant en position haute, elle espérait créer une impression d'autorité. Comme lorsqu'elle avait débranché la caméra. Il s'agissait de démontrer qu'elle avait le pouvoir de faire tout ce qu'elle voulait, y compris au Parker Center.

Pike trouva cela un peu trop évident.

— Frank Meyer faisait dans le trafic d'armes ? demanda-t-elle enfin.

C'était la première fois que l'un d'eux lui posait une question surprenante.

— Non.

— Vous en êtes sûr ?

— Oui.

— Sûr sûr ? Ou vous avez juste envie de croire qu'il ne touchait pas à ça ?

Cette histoire d'armes ne plaisait pas à Pike. Il dévisagea Walsh, tenta de lire en elle. Ses yeux étaient marron clair, presque noisette mais pas tout à fait. Une ride verticale lui barrait la peau au-dessus de l'arête du nez, assortie à la cicatrice de sa lèvre supérieure. Ce n'était ni une ride de rire, ni un froncement de sourcils réprobateur. Son assurance non plus ne plaisait pas à Pike.

— Comment avez-vous fait pour me trouver là-bas ?

Elle haussa les épaules avec désinvolture, ignorant sa question.

— Bon, dit-elle, vous en êtes sûr. Personnellement, je n'ai aucune certitude, mais j'ai besoin de savoir pourquoi Darko l'a tué, et ce mobile-là me paraît plausible.

— Les armes ?

Elle se toucha le plexus.

— Je suis de l'ATF. « F » comme armes à feu.

Elle le dévisagea encore un moment avant d'ajouter en inclinant la tête :

— Bon, vous ne savez rien sur les armes. Vous n'intervenez là-dedans que par désir de revanche. OK, je pige. Vous êtes comme ça.

Pike comprit qu'elle était en train de faire le tri entre ce qu'elle lui dirait et ce qu'elle ne lui dirait pas, et de réfléchir à la façon dont elle allait pouvoir le manœuvrer. Il en était au même point qu'elle.

— Terrio vous a menti en disant qu'on n'avait rien pour impliquer Williams dans les six précédentes attaques de résidences. On a retrouvé un bracelet à l'intérieur du mobile home de sa grand-mère qui venait de chez Escalante, et une épée japonaise ancienne qui venait de chez Gelber. On trouvera probablement d'autres objets chez Renfro. Les tests balistiques viendront comme une cerise sur le gâteau, mais ces mecs sont bien nos tueurs.

Pike savait que le propriétaire de la deuxième maison attaquée par la bande s'appelait Escalante. Et le cinquième Gelber.

— Vous venez juste de découvrir ces objets. J'en déduis que vous ne saviez pas avant ça que Williams était dans le coup.

— Non. En fait, Johnson créchait chez Renfro. Voilà pourquoi personne n'a réussi à le localiser. Sauf vous. Vous avez fait du bon boulot, Pike, en logeant ces connards aussi vite. On n'avait même pas leurs noms, et vous, vous les avez trouvés en moins de deux. Chapeau.

Elle plongea une main dans la poche intérieure de sa veste et en retira un portrait photographique au format 10 × 15. Pike découvrit un Afro-Américain d'allure soignée, la trentaine, les cheveux crépus de coupe rectangulaire, un petit piercing en or dans le lobe gauche.

— L'agent spécial Jordan Brant. Jordie était un de mes infiltrés. Il a été assassiné il y a vingt-trois jours, alors qu'il tentait d'identifier une bande de braqueurs à la solde d'un certain Michael Darko. Voici Darko.

Elle sortit une seconde photo. Celle-là montrait un homme massif de près de quarante ans, au visage rond et aux yeux globuleux. Ses cheveux noirs étaient rassemblés en une courte queue-de-cheval ; il arborait une moustache fournie et de longs favoris effilés. L'homme qui refusait de se laisser tirer le portrait avait été capturé par une caméra de surveillance de l'aéroport Bob-Hope, à Burbank.

Pike regarda longuement la photo et Walsh n'en perdit pas une miette. Elle sourit pour la première fois, mais son sourire était féroce, presque cruel.

— Eh ouais, mon mignon, c'est lui. Lui qui a tué votre ami Frank. Lui qui a tué ses gosses. Le plus jeune s'appelait Joey, c'est ça ? Il tenait peut-être son prénom de vous ?

Pike se renversa sur sa chaise sans rien dire.

— Vous savez où il est ?

— Pas encore.

— Jordie a été retrouvé derrière une station Chevron désaffectée de Willowbrook. Ils l'ont fini au cutter. Il laisse une femme et un enfant. Ça doit vous parler, ça, non ? J'ai perdu un de mes gars. Vous avez perdu un des vôtres.

— Vous croyez que c'est Williams qui l'a tué ?

— Étant donné que Williams et ses potes étaient de Willowbrook, je dirais oui, mais sur le moment, la seule chose qu'on ait sue, c'est qu'une bande de Crips était dans le coup. Jordie cherchait à les identifier.

Elle rempocha ses photos.

— Quel rapport avec les armes ?

— Darko travaille pour un certain Milos Jakovic. Aussi appelé Mickey Jack ou Jack Mills.

Elle haussa les sourcils, façon de lui demander si ces noms lui évoquaient quelque chose. Pike secoua la tête. Elle s'expliqua :

— Jakovic est à l'origine de l'installation du milieu serbe à L.A. – le premier caïd à être arrivé dans les années quatre-vingt-dix. Imaginez don Corleone à la fin de sa vie, mais en plus méchant. Jakovic s'apprête à importer ici trois mille fusils AK-47 de fabrication chinoise.

La quantité surprit Pike. Après avoir cherché à voir si elle mentait, il décida qu'elle disait la vérité.

— Trois mille ?

— Du vrai matos de guerre automatique, volé par des pirates aux Nord-Coréens. Et vu que Darko a envoyé ses tueurs liquider un ancien mercenaire professionnel, qui savait sûrement comment acheter et vendre des armes n'importe où dans le monde, vous m'excuserez si je vois un rapport.

Pike inspira. Un élément nouveau venait d'entrer dans le jeu, qui faisait naître en lui l'aiguillon du doute. Il en ressentit de la gêne, comme s'il était en train de trahir la mémoire de Frank.

— Frank n'aurait jamais fait ça.

— Vous savez quoi ? Laissez-moi élucider cet aspect-là, puisqu'il se trouve que c'est mon rayon. Il y a plus important : vous allez m'aider à retrouver ces armes.

Walsh changea de position pour la première fois. Elle se pencha en avant, posa les mains à plat sur la table.

— Darko est censé rouler pour Jakovic mais il cherche à récupérer ces armes pour les vendre à ses propres clients, bref, à prendre le pouvoir. Dehors les vieux, place aux jeunes. Ce qui me laisse un délai supplémentaire pour retrouver la cargaison, mais si vous continuez à harceler ce mec et qu'il sente votre souffle chaud… (Elle claqua des doigts.) Pouf ! Adieu les armes, qui s'en iront n'importe où – Miami, Chicago, Brooklyn… Donc, primo, vous allez laisser tomber votre opération recherche et destruction.

Sans laisser à Pike le temps de répondre, elle enchaîna, de plus en plus penchée en avant :

— Ces truands d'Europe de l'Est ne vous adressent pas la parole s'ils ne vous ont pas connu au pays, et ils ne sont pas ici depuis assez longtemps pour avoir un bon réseau d'informateurs. Mon gars est mort en essayant de faire sauter ce verrou, Pike, mais vous, je crois que vous connaissez quelqu'un dans le milieu serbe. Alors, secundo, je veux votre contact.

Voilà donc pourquoi elle l'avait emballé. Pike ne savait toujours pas comment ils s'y étaient pris pour le surprendre au mobile home, mais Williams avait été le facteur déclenchant. En voyant Pike arriver jusqu'à lui, Walsh s'était sans doute rendu compte qu'il bénéficiait d'une source interne, d'où sa décision de l'interpeller. Et comme elle se trouvait avec Terrio et Deets le jour où ils avaient fait tout ce cinéma pour lui apprendre la mort de Frank, il en vint à se demander si ce n'était pas elle qui avait mis tout cela en scène. Peut-être s'était-elle servie de lui depuis le début pour infiltrer la mafia d'Europe de l'Est.

Pike réfléchit, se demandant si une personne aussi mal placée dans la chaîne alimentaire qu'une prostituée de base pouvait être au courant d'une transaction aussi importante que cette vente d'armes. Il y avait peu de chances, mais Rina était peut-être capable de glaner des informations.

— Je vais voir, dit-il.

Walsh secoua la tête.

— Vous ne comprenez pas. On a trois mille armes de guerre qui vont s'égailler dans le pays, donc je ne vous demande pas votre avis. Vous allez me mettre en contact avec votre informateur.

— J'entends ce que vous dites, Walsh. Le message est bien reçu.

— Ce n'est pas la bonne réponse.

— Je viens de vous dire que j'en parlerai à ma source. Je vais le faire, mais il y a un risque. Je ne savais rien de cette vente d'armes. Si j'aborde le sujet maintenant et que ça remonte jusqu'à Darko, vous serez dans les choux.

Un bref éclair de colère passa dans les yeux de Walsh.

— Il y a des gens au sein des mafias d'Europe de l'Est qui savent que je suis à ses trousses, ajouta Pike, et ils savent pourquoi. Quelqu'un de l'extérieur qui veut régler ses comptes, ça ne leur fait pas peur. C'est quelque chose qu'ils comprennent.

Walsh mit les paumes en avant et secoua la tête.

— Pas question, Pike. N'y pensez même pas. Je ne vous permettrai pas d'assassiner cet homme.

— Si je m'arrête d'un seul coup, je laisserai en plan les gens qui savent. Eux aussi sont partie prenante. C'est pour ça qu'ils m'aident. Si je retourne les voir avec cette histoire d'armes en disant que je suis en contact avec vous, ils disparaîtront encore plus vite que vos AK.

Walsh ne semblait plus tout à fait aussi sûre d'elle.

— Où voulez-vous en venir ?

— Vous n'avez pas de source interne – moi si. Ils sont même en plein dedans, et ils ont envie que je retrouve Darko, extrêmement envie. Je veux bien vous répéter tout ce que j'apprendrai, et je peux commencer en vous donnant une info dès maintenant : Darko repart en Europe.

Elle darda ses yeux sur lui, pâlissant sous son bronzage. Pike sentit de l'appréhension dans la manière dont elle se déplaça – un minuscule pas de côté, comme sous l'effet d'un tremblement de terre personnel. Elle jeta un coup d'œil à sa montre, comme si elle voulait noter l'heure exacte où elle avait reçu l'information pour la consigner dans son dossier.

— Vous vous foutez de moi ?

— Non, c'est ce qu'on m'a dit.

Elle bougea encore.

— Quand ?

— Je ne sais pas.

— Pourquoi repart-il ?

— Je l'ignore. Peut-être que la transaction est en passe d'aboutir. Peut-être qu'il veut rentrer au pays quand ce sera fait.

Pike décida qu'il ne devait mentionner ni l'enfant, ni Rina, ni la véritable raison pour laquelle Darko avait envoyé ses tueurs chez Frank Meyer. Pas sans la permission de Rina.

Walsh s'efforçait de digérer l'information, le visage fermé. Le regard toujours fixé sur Pike mais de plus en plus vague, elle passa en revue chacune de ses options et aucune ne sembla lui plaire.

— Je peux vous mettre sur la touche, dit-elle enfin, d'une voix sourde. Vous n'avez pas envie de ça.

— Non. Je veux Darko.

Ses yeux retrouvèrent soudain leur éclat.

— J'ai trois mille armes sur le point de s'éparpiller dans le pays, achetées par un ressortissant étranger. C'est un acte terroriste. Au nom de la loi sur la sécurité intérieure, je pourrais vous faire disparaître. Pas de procès, pas d'avocat, pas de caution – comme ça. Regardez-moi dans les yeux, Pike… Si je laisse filer ces armes par incapacité à les trouver, je m'en remettrai, mais il n'est pas question que je les échange contre Darko. Vous comprenez ça ?

— Oui.

— Je veux Darko, mais à mes propres conditions, pas aux vôtres. Pour pouvoir témoigner contre lui à la cour. Pour que la femme de Jordie Brant puisse s'asseoir au premier rang et regarder ce tas de merde se tortiller sur son banc. Pour qu'elle puisse venir à la barre au moment du prononcé de la sentence et lui dire tout le mal qu'il lui a fait, tout ce qu'il a pris à leur enfant. Voilà ce que je veux, Pike, exactement comme vous voulez ce que vous voulez – et je l'aurai. Armes ou pas, vous ne sortirez d'ici que si vous êtes d'accord.

Pike l'observa et conclut qu'elle était sincère. Il opina.

— OK.

— Vous êtes d'accord ? Darko est à moi ?

— Oui.

Elle tendit la main, il la prit, et elle la lui laissa un moment.

— Si vous le tuez, dit-elle, je jure devant Dieu que je consacrerai le restant de mes jours à ce que vous finissiez les vôtres en taule.

— Je ne le tuerai pas.

Elle le raccompagna elle-même par l'escalier. Sa Jeep l'attendait. Ses armes aussi.

23

Pike éteignit son portable dès qu'il fut seul. Il s'arrêta au premier centre commercial qui se présenta sur son chemin, monta jusqu'au dernier étage du parking et redescendit aussitôt, afin de voir si quelqu'un le filait. Il ne remarqua rien, mais il n'avait rien remarqué non plus la dernière fois. Il ne comprenait toujours pas comment ils avaient pu le suivre.

Pike ressortit du parking par la même voie et revint trois blocs en arrière. Il fit à nouveau demi-tour en passant en revue tous les véhicules qu'il croisait, sans apercevoir quoi que ce soit de suspect.

De retour au centre commercial, il se gara au premier étage du parking et se glissa sous le châssis de sa Jeep. Il ne découvrit rien, mais cela ne le satisfit pas.

Il s'épousseta de son mieux et pénétra dans le centre. Il s'acheta un téléphone portable premier prix, des batteries de rechange, et une carte prépayée donnant droit à deux heures de communication. Assis sur un banc en face d'un magasin de cuisines, Pike passa dix minutes à activer le portable et sa carte ; il appela ensuite Elvis Cole.

Cole attendit quatre sonneries avant de décrocher, ce qui n'était pas dans ses habitudes : il ne reconnaissait pas le numéro.

— Elvis Cole à l'appareil.

— C'est moi. Où est Rina ?

— Chez Yanni. Je l'ai déposée après notre virée.

— Rends-moi service, va les chercher. L'ATF sait que je me suis pointé là-bas, et ils me soupçonnent d'avoir une source sur place. Ils la veulent.

Cole émit un léger sifflement.

— Comment tu sais ça, toi ?

— Je viens de passer trois heures avec eux.

Pike résuma ce qu'il avait découvert à Willowbrook, ce qui s'était passé après que Walsh eut donné l'ordre de l'embarquer, et les informations qu'elle lui avait fournies sur Darko.

— On ne parle plus seulement d'une bande qui assassine les gens chez eux : ces gars-là s'apprêtent à introduire trois mille kalachnikovs automatiques dans le pays. C'est pour ça que les feds sont sur le coup.

— J'y vais, dit Cole. Tu veux que je les ramène chez moi ?

— Provisoirement. Je passerai dès que je leur aurai dégoté une planque.

Pike appela ensuite Jon Stone. La sonnerie retentit cinq fois avant le déclenchement de la boîte vocale, et Pike attendit le bip.

— Ici Pike. Vous êtes là ?

Stone répondit à très haute voix, sur fond de Nine Inch Nails.

— Putain, mec, je reconnaissais pas le numéro.

221

— Quelqu'un a réussi à me trouver sans me suivre, Jon. C'est pour ça que j'ai changé de portable. Il y a peut-être un souci sur ma Jeep.

Nine Inch Nails disparut.

— Vous roulez dedans ?

— Oui.

— Attendez-moi. J'arrive.

Vingt minutes plus tard, Pike s'engageait sur l'aire d'un centre de nettoyage auto et contournait par l'arrière la station de lavage, conformément aux instructions de Stone, jusqu'à être invisible de la rue. Le 4×4 Rover noir occupait un des emplacements, à côté d'une Porsche noire que bichonnaient deux jeunes Latinos. Stone était avec eux et riait de quelque chose quand il vit arriver Pike. Il lui indiqua l'emplacement libre de l'autre côté de son Rover, et Pike se gara dessus. Un des Latinos avait les bras couverts de tatouages de gang. Personne ne se retourna lorsque Pike descendit de sa Jeep.

Stone ouvrit le coffre de son Rover et en sortit une longue perche en aluminium à l'extrémité de laquelle un miroir amovible était relié à un boîtier muni de capteurs et d'antennes. Les missions de sécurité de Jon l'amenaient fréquemment à effectuer des recherches d'explosifs et d'appareils de surveillance en tout genre. En bon pro, Jon disposait de tout le matériel adapté à ce genre de tâche.

Il promena son boîtier sous la Jeep, parlant à Pike et surveillant le cadran intégré à la poignée.

— Vous avez retrouvé ces fumiers ?

— Les braqueurs, oui. Ils étaient morts.

— Sans déconner. Qui leur a fait la peau ?

— Leur chef.

— Des petits merdeux sans honneur. La note du boucher s'élève à combien ?

— Trois. Le chef court toujours, mais c'est fini pour ceux-là. Il en reste un.

Stone fit halte entre les phares de la Jeep, les yeux rivés sur son cadran. Au bout d'un certain temps, il se remit en marche et boucla son tour complet avant de revenir à l'avant. Il laissa sa perche de côté et se faufila sous le moteur avec force contorsions.

— Nous y voilà.

Il se remit debout et montra à Pike un petit boîtier gris de la taille d'un paquet de cigarettes.

— Un mouchard GPS. Du Raytheon très haut de gamme, spécialement fabriqué pour la NSA. Ce genre de matos coûte la peau du cul. Des fédéraux ?

— L'ATF.

Stone sourit largement.

— En ce moment même, un de leurs agents est en train de suivre vos déplacements en temps réel sur l'écran de son ordinateur portable, mon vieux. Il doit déjà savoir que vous vous êtes arrêté au centre de lavage de Santa Monica Boulevard.

Il lança le mouchard à Pike.

— Trois solutions : vous le désactivez, vous le balancez quelque part, ou – ma préférée – vous le collez au cul d'une camionnette FedEx et vous les laissez se promener derrière aux quatre coins de la ville.

Pike ne tenait pas à ce que Walsh sache qu'il avait découvert son mouchard, ni même qu'il avait pensé à le chercher, mais il ne voulait pas non plus qu'elle continue à surveiller ses allées et venues. S'il le posait sur un autre véhicule, elle ne mettrait que quelques heures à s'en rendre compte. À son tour, il lança le mouchard à Stone.

— Débranchez-le, et j'aurais besoin que vous fassiez autre chose.

— Pour Frank ?

— Oui.

— Comptez sur moi.

Pike l'informa de la vente d'armes qui se profilait : trois mille AK automatiques chinois volés aux Nord-Coréens.

— Jakovic ne les a pas volés lui-même, précisa-t-il. Il les a achetés à quelqu'un. Voyez ce que vous pouvez apprendre.

Stone hésita.

— Sur Frank ?

— Sur les armes. Frank n'a rien à voir là-dedans.

Stone hésita encore, puis hocha lentement la tête.

— Je connais quelqu'un qui connaît quelqu'un, mais je veux ma part du tableau de chasse. Je vous aiderai à condition de pouvoir appuyer sur la détente. Pour Frank.

— Ça marche.

24

Pike partit chez Cole après avoir quitté la station de lavage, gagnant le sommet des collines par une série de lacets puis empruntant Woodrow Wilson Drive dans un canyon fortement boisé. Il était persuadé que Walsh avait mis le GPS sur sa Jeep le jour où ils l'avaient intercepté à Runyon Canyon. Peut-être était-ce même la raison pour laquelle ils s'y étaient pris de cette manière – afin de le tenir à distance de la Jeep jusqu'à ce qu'ils aient fini d'installer leur mouchard.

Pike se demandait à présent si Walsh l'avait fait surveiller pour les besoins de son enquête personnelle ou parce qu'elle croyait Frank impliqué dans cette histoire de trafic d'armes. Elle n'avait aucune raison de le soupçonner, lui, mais peut-être savait-elle quelque chose qu'il ignorait encore.

Le ciel était en train de virer au pourpre quand il entra chez Cole par la cuisine. Pike aimait bien cette maison et il avait souvent aidé son ami à l'entretenir au fil des ans, qu'il s'agisse de remettre un coup de peinture, de réparer la toiture ou d'huiler la terrasse. Perché dans la partie haute du canyon et entouré d'arbres, le bâtiment en A, rustique, semblait très loin de la ville. Pike prit une bouteille d'eau dans le réfrigérateur. Une gamelle de nourriture pour chat attendait sur le sol, à côté d'un petit bol d'eau. La maison sentait bon l'eucalyptus, le fenouil sauvage et la flore qui tapissait les pentes abruptes du canyon.

Cole, Rina et Yanni regardaient les informations dans le salon. Le sac à bandoulière de Rina était posé à ses pieds, près d'un autre sac qui devait appartenir à Yanni. Ils tournèrent la tête lorsque Pike fit son entrée. Cole coupa le son. Le visage de Yanni était violet à l'endroit où Pike l'avait frappé.

Plissant les yeux et fixant ce dernier comme une cible dans sa ligne de mire, Rina montra Cole d'un geste vague.

— On ne va pas rester ici. Ça pue le chat.

Cole haussa les sourcils, manière de dire à Pike : « Tu vois le genre ? »

Pike fit signe à son ami d'approcher.

— Tu as une minute ?

Cole le rejoignit.

— Tu étais censé vérifier son histoire, murmura Pike. Qu'est-ce que tu en penses ?

Cole jeta un coup d'œil à Rina et Yanni pour s'assurer qu'ils ne pouvaient pas l'entendre.

— J'ai retrouvé une des amies d'Ana, et il y en a une autre qui doit me rappeler. Ça se tient. Rina protégeait sa sœur. Elle a toujours maintenu Ana en dehors de ses histoires, exactement comme elle l'a dit.

Rina se leva.

— Je n'aime pas ces messes basses, intervint-elle d'une voix forte. Je vous l'ai déjà dit. Yanni et moi, on s'en va.

— Son immeuble est surveillé par la police, rétorqua Pike. Vous ne devriez pas y retourner.

Yanni marmonna quelque chose en serbe. Rina lui répondit dans la même langue avant d'ajouter :

— Yanni n'intéresse pas les flics. Pourquoi est-ce qu'ils le surveilleraient ?

— Ils m'ont suivi pendant une partie de la journée. Et comme ils savent que j'essaie de retrouver Darko, ils se sont mis en tête que quelqu'un de l'immeuble avait des informations sur lui. Ils vont essayer de trouver ce quelqu'un.

Rina et Yanni se lancèrent dans un nouveau débat en serbe. Yanni n'avait pas l'air ravi. Cole leur tourna carrément le dos, comme s'il avait sa dose de ces apartés incompréhensibles.

— Tu veux manger quelque chose ?

— Pas encore. Tu as des infos sur les propriétés de Darko ?

— Mouais. Les biens ne lui appartiennent pas – ils ne sont ni à son nom, ni à aucun autre nom susceptible d'être relié au sien. Ce mec vit vraiment caché, mon pote – il n'a aucune existence légale. Aucun Michael Darko enregistré au DMV, ni à la Sécurité sociale, ni sur le fichier des services fiscaux de l'État de Californie. Aucune personne de ce nom n'est titulaire d'un compte bancaire associé à une carte de crédit ou d'un abonnement à l'eau, au gaz, à l'électricité et au téléphone, qu'il soit fixe ou mobile. Et pour ce que j'en sais, Michael Darko n'a pas non plus de casier judiciaire.

— En Serbie, dit Rina. Il a été arrêté en Serbie. J'en suis sûre.

Pike repensa à ce que lui avait dit George sur la façon dont les caïds serbes de la vieille école cherchaient à provoquer la peur en s'inventant une légende. Le Requin. Ici et déjà ailleurs, telle une créature imaginaire. Un monstre dont ses hommes parlaient, mais qu'ils ne voyaient jamais.

Il haussa les épaules.

— Ce n'est qu'un salopard de plus.

— Un salopard très malin, précisa Cole. Ses filles louent toujours leurs apparts en leur nom propre. Darko leur fournit une carte de crédit et les références qu'il faut pour qu'elles fassent bonne impression au moment de signer le bail, et il leur envoie ensuite du cash pour couvrir le montant du loyer, mais les chèques sont toujours signés par elles. Ça lui évite de laisser traîner des traces écrites.

— Oui, dit Rina. C'est pour ça qu'il faut suivre l'argent. L'argent va nous mener à l'homme.

Cole acquiesça.

— Il a des filles un peu partout, de Glendale à Sherman Oaks. Un encaisseur passe tous les jours ramasser leurs gains.

Pike chercha le regard de Rina.

— Vous connaissez l'homme qui vient chercher l'argent ?

— Je le connais de vue, oui, mais ce n'est peut-être plus lui qui s'en occupe. Il vient entre quatre et six. Ça se passe toujours comme ça. Les filles gardent leur argent de la soirée, mais elles gagnent plus en journée.

— Il saura nous dire où est Darko ? demanda Pike.

Elle secoua la tête avec cette moue qu'elle affichait chaque fois qu'elle prenait Pike pour un idiot.

— Non, non. C'est un banni.

Pike et Cole échangèrent un regard perplexe.

— Pourquoi un banni ? C'est une punition ?

Après un bref dialogue en serbe avec Yanni, Rina tenta de s'expliquer.

— Un banni, c'est quelqu'un qui apprend.

— Et qui commence tout en bas ? demanda Cole.

— Oui ! Les hommes qui veulent se faire accepter doivent prouver leur valeur. Il y a le pakhan, le patron – c'est Michael. Juste en dessous, il y a ses proches, qu'on appelle les autorités. Ceux-là vérifient que tout le monde fait ce que dit Michael.

— Le service d'ordre, dit Pike.

— Oui. Ils font obéir les hommes. Les hommes, eux, font le travail et ramènent l'argent. Les bannis aident les hommes.

— Bref, le type qui passe ramasser la recette des filles est un simple garçon de courses. Et il l'apporte ensuite à Michael ?

— Il l'apporte à son chef. Michael ne touche pas à l'argent.

— Dans ce cas, interrogea Cole, comment fait-on pour remonter jusqu'à lui ?

Elle s'accorda un temps de réflexion puis consulta Yanni. Celui-ci marmonna encore quelque chose, et Rina haussa les épaules.

— Ça dépend du chef. Si le chef fait partie des autorités, il peut dire où il est. Si le chef n'est qu'un homme, alors c'est impossible. On ne le saura qu'en le voyant. Un homme est comme un sergent, et Michael comme un colonel. Ça ne parle pas au colonel, un sergent. Ça parle au capitaine.

Pike regarda Cole.

— Il y a peut-être un moyen d'inverser la vapeur. De pousser Darko à venir nous chercher.

— En lui piquant son fric ?

— On suit ce mec d'adresse en adresse, et on le braque. Il faut frapper assez fort pour ne pas lui laisser le choix.

Après un instant de réflexion, Cole hocha la tête.

— Ça me paraît pas mal, comme plan. Bon, si on mangeait maintenant ?

Cole contourna Pike et gagna la cuisine. Pike regarda Rina et Yanni. Ils chuchotaient en serbe, et Rina finit par lui jeter un coup d'œil par-dessus son épaule.

— On va aller dans un motel. Ça sent trop le chat, ici. Ça me rend malade.

— Mangez d'abord, répondit Pike. Je sais où vous loger. Je vous y emmènerai après le dîner.

Muni de son portable neuf, il sortit sur la terrasse de Cole.

25

L'air nocturne était pur et froid ; aucun son d'origine humaine ne troublait le canyon en contrebas de la maison de Cole. À l'arrière de celle-ci, une terrasse en bois surplombait les pentes baignées d'ombre, tel un plongeoir au-dessus de nulle part. Pike approcha du garde-corps. L'air était agréable comme une caresse, et suffisamment limpide pour mettre en valeur les lumières qui cascadaient jusqu'à la ville. Sur cette terrasse, à quelques pas du halo de clarté venu de la maison de Cole, Pike appréciait sa solitude.

Il se retourna et s'adossa à la balustrade, face au mur invisible de la large baie vitrée. Rina et Yanni, toujours assis l'un contre l'autre sur le canapé, regardaient dehors de temps en temps. Cole s'affairait dans la cuisine, préparant le repas.

Pike sortit son portable et appela George Smith. Il n'en avait pas envie mais il devait lui parler de Walsh.

George répondit dès la première sonnerie, avec son accent d'animateur radio.

— Allô, ici George. Qui est à l'appareil ?

— Williams est mort, dit Pike. Deux de ses hommes aussi. Jamal Johnson et Samuel Renfro.

George éclata de rire.

— Bah, c'est la vie. Ils ne l'ont pas volé.

— Ce n'est pas moi. Quelqu'un les a butés la nuit où ils ont assassiné Frank.

— Ah, tu me demandes si j'étais au courant ? Non, non.

— Je ne te demande rien. J'ai pensé que tu devais le savoir, au cas où tes amis d'Odessa te poseraient la question.

— Dans ce cas, *muchas gracias*.

— Autre chose que tu devrais savoir. Mon véhicule était sous surveillance de l'ATF quand je suis passé te voir ce matin. Ils pourraient venir faire un tour, frapper aux portes.

George resta silencieux de longues secondes. Quand il reprit la parole, quelque chose de sombre émaillait sa voix.

— Tu les as conduits à ma boutique ?

— Je n'en sais rien. Ils m'avaient collé un GPS sous le châssis. Ils savent où je me suis garé et combien de temps je suis resté. Je ne peux pas te dire s'ils m'ont vu ou non.

Nouveau silence.

— Et tu t'étais garé où ?

— À un bloc au nord.

Encore un silence.

— Ce ne sont pas les commerces qui manquent dans ce coin-là.

Pike ne se donna pas la peine de répondre. George secouait les faits pour voir s'ils lui semblaient acceptables, à la façon d'un terrier secouant un rat.

De l'autre côté de la vitre, Rina se leva. Elle jeta un coup d'œil à l'extérieur, cherchant à localiser Pike dans les ténèbres, puis dit quelque chose à Yanni. Celui-ci eut un geste d'agacement, comme s'il était pressé de partir.

— Pourquoi est-ce qu'ils viendraient frapper aux portes, Joseph ? interrogea George.

— Darko. Ils savent que je reçois des informations sur les Serbes par quelqu'un qui est dans la place. Ils veulent ma source. Ils vont sûrement essayer de reconstituer mon itinéraire et de localiser toutes les personnes à qui j'ai parlé aujourd'hui.

George rit brusquement et, retrouvant sa diction d'animateur :

— Hé, ce bon vieux George Smith n'a rien à voir avec un réfugié bosniaque, sacrenom ! S'ils se pointent, je leur dirai que tu cherchais une lampe. Et je te fiche mon ticket que j'arriverai à leur fourguer une chouette petite applique. Je leur consentirai peut-être même une remise.

Tandis que George riait de plus belle, Rina contourna le canapé et se dirigea vers la terrasse. Pike allait devoir raccrocher, mais il avait encore un service à demander à George.

— Une dernière chose.

— J'écoute.

— Je vais m'attaquer au business de Darko, et je tiens à ce qu'il sache que c'est moi. Les gens d'Odessa pourraient peut-être lâcher mon nom dans certains quartiers de l'ex-bloc de l'Est.

— Autant te coller une cible sur la poitrine.

— Oui.

George émit un petit soupir.

— Bon, OK.

Et il raccrocha au moment où Rina ouvrait la porte-fenêtre. Elle émergea sur la terrasse pendant que Pike rangeait son portable.

— Il fait noir, dit-elle. Pourquoi vous restez dans le noir ?

Pike hésita. Il se demanda s'il devait lui parler de ce qu'il avait trouvé à Willowbrook et décida finalement que la réponse était oui. Le bavoir plié dans sa poche palpitait comme une créature vivante, pressée de sortir.

— Les braqueurs de Darko sont morts, dit-il.

Elle se raidit visiblement et le rejoignit près du garde-corps.

— Vous les avez retrouvés ?

— Oui. Jamal Johnson, Moon Williams. Vous connaissiez leurs noms ?

Elle secoua la tête.

— Samuel Renfro ?

Elle secoua de nouveau la tête.

— Ils ont été abattus juste après avoir enlevé votre fils et assassiné mes amis. La même nuit.

La bouche de Rina se serra comme un nœud.

— Il y avait quelqu'un d'autre avec eux ? interrogea-t-elle en le transperçant du regard. Michael ? Mon enfant ?

— Non. Mais j'ai trouvé ça.

Pike sortit le bavoir de sa poche, en s'émerveillant une nouvelle fois de sa douceur. À peine l'eut-il ouvert que son arôme d'abricot l'assaillit, malgré les riches senteurs qui imprégnaient l'air nocturne.

Rina le prit, apparemment aussi émerveillée que Pike.

— Mais rien qui puisse nous dire où est mon bébé ?

— Non. Je regrette.

Elle plissa le front et se détourna vers le canyon. Pike décida de lancer un ballon d'essai au sujet de Jakovic.

— Il y a une autre piste à explorer – un certain Milos Jakovic. Vous savez qui c'est ?

Elle scruta longuement les ténèbres, haussa les épaules.

— Le vieux. Michael travaille pour lui.

— Ils font des affaires ensemble ?

— Aucune idée. Le sang n'est pas bon.

— Ils ne s'aiment pas ?

— Je ne pense pas. Michael ne m'a jamais parlé de ça, mais j'ai entendu des choses. C'est comme pour ses affaires. Je ne suis qu'une pute.

Elle se tourna vers le canyon. Pike était mal à l'aise.

— Jakovic ou quelqu'un qui travaille pour Jakovic sait peut-être où est Michael, dit-il.

— Je ne connais pas ces gens.

— Il n'y a pas quelqu'un à qui vous pourriez poser la question ?

Elle se mordilla l'intérieur de la joue et haussa de nouveau les épaules.

— C'est comme une autre famille. J'aurais trop peur, je crois.

Pike n'insista pas, conscient qu'elle avait sans doute raison d'avoir peur. Si Jakovic et Darko étaient en guerre, elle risquait de se retrouver prise entre deux feux.

— Je comprends. Laissez tomber.

— Je le ferai si c'est ce que vous voulez.

— Laissez tomber.

Après un moment de silence et d'immobilité, elle se pencha par-dessus la balustrade pour sonder les obscures profondeurs du canyon.

235

— C'est tout noir, dit-elle.

Pike ne répondit pas.

— Vous avez des enfants ?

Il secoua la tête.

— Vous devriez. Vous devriez faire plein de bébés et être un bon père.

Pike, une fois encore, ne répondit pas.

Rina porta le bavoir à son visage, et il la vit humer le puissant arôme d'abricot et l'odeur de son fils. Elle se toucha le ventre là où les coups de couteau avaient laissé leurs marques – comme si la douleur qu'elle avait éprouvée à l'époque et celle qu'elle éprouvait maintenant étaient liées. Pike eut envie de la toucher lui aussi à cet endroit, mais il se retint.

— On va le retrouver, dit-il.

— Oui. Je sais qu'on va le retrouver.

Rina se plaqua contre lui et leva vers son visage des yeux noyés d'ombre qui semblaient à l'affût de quelque chose.

— Je serai avec vous. Ça va bien se passer.

— Vous n'avez pas besoin de prendre ce risque.

— Je ferai tout ce que vous voudrez.

Pike se détourna.

— Allez chercher votre sac, je sais où vous installer tous les deux.

Il repartit avec eux, sans manger.

26

Le lendemain matin, Pike se fit conduire par Cole en repérage à Sherman Oaks. Ils s'arrêtèrent devant un immeuble moderne, à deux étages, bâti en face d'une épicerie fine à quelques blocs au sud de Ventura Boulevard.

— Il loge combien de prostituées là-dedans ? s'enquit Pike.

— Elle m'a dit quatre, deux au premier et deux au deuxième, mais ça a peut-être changé.

— Et l'encaissement a lieu entre quatre et six ?

— Grosso modo. Ce n'est pas non plus une compagnie aérienne. On a intérêt à s'installer en avance et à se préparer pour une longue attente, peut-être de quelques jours.

Pike n'avait jamais envisagé la chose autrement.

— C'est la chasse.

— Oui. La chasse.

Ils contournèrent le pâté de maisons pour inspecter les rues résidentielles avoisinantes et s'arrêtèrent finalement sur le parking de l'épicerie fine. Pike remarqua la proximité des bretelles d'entrée et de sortie de deux autoroutes, celle de San Diego et celle de Ventura. L'adresse avait été choisie pour sa facilité d'accès. Les filles logées ici recevaient leurs clients à domicile. Plus sûr pour elles et moins de frais pour Darko. Les call-girls classiques avaient besoin de chauffeurs et de gardes du corps.

— Il fait combien d'étapes avant de passer ici ? demanda Pike.

— Trois. Darko a des immeubles à Glendale et à Valley Village.

— Bref, il devrait arriver avec la totalité de sa recette du jour.

— Il devrait. S'il finit toujours par ici.

Pike allait lui voler cet argent. C'était son plan. Voler l'argent de Darko et flanquer une telle trouille à son encaisseur que celui-ci courrait illico prévenir ses supérieurs. Que Pike n'aurait plus qu'à dépouiller à leur tour.

— J'en ai assez vu, dit-il. Partons.

Sachant qu'ils allaient avoir besoin de Rina pour identifier l'encaisseur, Pike passa la prendre un peu plus tard. Il l'avait installée avec Yanni la veille au soir dans une petite maison meublée à deux pas du Sunset Strip. Petite, mais agréable, avec un charmant jardinet sur l'arrière et des voisins qui se mêlaient de leurs affaires. Pike l'avait déjà utilisée comme planque.

Rina l'attendait sur le trottoir quand il y arriva. Le 4 × 4 de Yanni était devant la maison.

— Yanni veut venir, dit-elle.

Pike regarda derrière elle et vit l'homme sur le seuil.

— Non. Pas de Yanni.

Elle aboya quelque chose en serbe ; Yanni fit un doigt d'honneur à Pike.

Celui-ci ramena Rina chez Cole, où ils étudièrent les plans du site avec Jon Stone. En voyant entrer Stone, la jeune femme lui décocha un regard oblique et tira sur le bras de Pike.

— Qui c'est ?

— Un ami. Lui aussi était l'ami de Frank.

— Je ne fais pas confiance aux gens que je ne connais pas. J'aimerais mieux Yanni.

— Pas pour ça.

À 13 h 30, tout le monde remonta en voiture et mit le cap sur Sherman Oaks – Pike et Rina dans la Jeep, Cole dans sa Corvette, Stone dans son Range Rover. On aurait dit une caravane serpentant sur la ligne de crête des montagnes.

Une fois à Sherman Oaks, Pike et Cole s'engagèrent sur le parking, tandis que Stone continuait tout droit pour aller se garer dans une rue transversale. Pike trouva un emplacement libre face à l'entrée de l'immeuble dans une rangée intermédiaire, et Cole un autre trois véhicules plus loin.

— Vous avez besoin d'aller aux toilettes ? s'enquit Pike.

— Non, ça va.

— Ce type qui va venir chercher le fric, il vous connaît ?

— Je ne sais pas. Peut-être qu'il me reconnaîtra, oui.

— Alors, autant se préparer. Mettez-vous sur la banquette arrière. Vous serez moins visible.

Elle le regarda une nouvelle fois comme un idiot.

— Il n'est que deux heures.

— Je sais. Il faut quand même qu'on soit prêts, au cas où il viendrait plus tôt.

Elle souleva son gros sac à main. Celui qui contenait le pistolet.

— Ça m'est égal qu'il me voie.

— Pas à moi. Allez-y.

Elle lui décocha un regard noir mais descendit de la Jeep et remonta à l'arrière. Pike régla le rétroviseur de façon à la garder dans son champ de vision.

— Vous voyez l'entrée ?

— Oui.

— Surveillez-la.

— Il est à peine deux heures. Il ne viendra pas avant longtemps.

— Surveillez-la.

Il s'attendait à ce qu'elle donne des signes d'impatience ou essaie d'alimenter la conversation, mais non. Elle resta sagement assise derrière lui, une deuxième présence dans l'auto, immobile et muette, attentive.

Une heure et dix minutes s'écoulèrent ainsi, en silence, tandis que des gens allaient et venaient autour d'eux, se garaient, manœuvraient, poussaient des chariots chargés de provisions. Rina resta tout ce temps sans bouger ni parler, mais elle se pencha soudain en avant et tendit le doigt au ras du menton de Pike.

— Cette fenêtre au dernier étage, la plus loin de l'autoroute, vous voyez ? C'était la mienne.

Là-dessus, elle se rencogna sur la banquette sans rien ajouter. Pike l'étudia dans le rétroviseur, mais pas longtemps. Il ne voulait pas qu'elle surprenne son regard.

Une heure vingt plus tard, elle se repencha en avant.

— Cette fille, là. Elle travaille ici. En vert.

Une jeune femme vêtue d'un short en lycra noir et d'un haut vert citron venait d'émerger au coin de la rue et

240

marchait vers la porte vitrée. Ses cheveux d'un noir luisant étaient réunis en queue-de-cheval, et elle portait un gros sac de sport sous l'épaule. Elle rentrait de son club de gym. Elle était mince et bien faite, mais ses seins étaient trop gros pour être naturels. Elle avait l'air très jeune.

— Vous la voyez ? fit Rina. Je connais cette fille depuis qu'ils l'ont amenée ici. Ils l'ont d'abord fait travailler comme serveuse, et ensuite comme danseuse.

— De strip-tease ?

— Oui. Et ensuite ça.

La fille pénétra dans le hall et appuya sur le bouton de l'ascenseur.

Un quart d'heure plus tard, Rina se pencha une troisième fois en avant.

— Là. Dans la voiture noire.

Une BMW décapotable apparue au coin de Sepulveda passa au ralenti devant l'immeuble, comme si elle cherchait une place de stationnement. Le conducteur était un Blanc de vingt et quelques années, mal rasé, au cou épais et aux longs cheveux ternes. Il portait une chemise blanche à manches retroussées et des lunettes miroir.

Pike appela Cole qui tourna brièvement la tête vers lui en prenant son portable.

— Quoi de neuf ?

— La décapotable noire.

Cole jeta un coup d'œil à la rue.

— Je préviens Jon.

Pike reposa son portable mais ne raccrocha pas. Cole appelait Stone sur un autre appareil. Ils avaient mis au point ce système de téléphones multiples pour rester constamment en contact.

La BMW arriva au stop, mais au lieu d'aller se garer dans la rue transversale, son conducteur s'engagea lui aussi sur le parking.

— Baissez-vous.

Rina s'affala sur la banquette sans poser de questions, mais maintint le cou dressé pour voir ce qui se passait.

La BMW passa derrière la Jeep de Pike et la Corvette de Cole, prit la rangée suivante et se gara près d'une haie basse. Le conducteur en sortit, enjamba la haie et traversa la rue. Il était de taille moyenne, mais puissamment bâti, et Pike lui donna autour de trente ans. Il présentait l'aspect d'un tueur sûr de ses compétences. Il entra dans l'immeuble en se servant de sa clé.

— C'est là que vous vous en allez, dit Pike.

Rina rejoignit la Corvette de Cole et monta dedans comme prévu. Sans traîner en route, sans regarder l'immeuble avec insistance et sans attirer l'attention sur elle. Une attitude que Pike apprécia.

La voix de Cole s'éleva dans le téléphone :

— Tu veux que Jon rapplique ?

— Ça va aller. Emmène-la.

Cole effectua une marche arrière et sortit du parking.

L'encaisseur resta moins de dix minutes à l'intérieur. Pour lui, relever les compteurs de quatre prostituées n'était qu'une étape dans une journée qui en comptait beaucoup d'autres – une tâche à accomplir rapidement, sans dépense d'énergie inutile. Les filles devaient être du même avis.

Quand l'encaisseur sortit de l'immeuble, Pike descendit de sa Jeep, mais il ne bougea pas avant d'avoir la certitude qu'il allait reprendre sa voiture. En le voyant marcher vers la BMW, Pike fit mine de se diriger vers un véhicule voisin, et l'homme de Darko ne lui accorda pas un regard. Il passa trois mètres devant Pike puis contourna la BMW par l'arrière. Pendant qu'il s'installait au volant, Pike arriva à la hauteur de sa portière droite ; il sauta par-dessus et s'assit dans le siège passager.

L'encaisseur fit un bond de surprise, mais il était trop tard. Pike lui montra son Python 357, qu'il tenait bas pour que personne ne le voie.

— Chut.

Les yeux de l'homme s'arrondirent comme une paire de phares, mais c'était un dur à cuire, habitué à se servir de ses muscles. Il voulut s'emparer du revolver de Pike, mais ce dernier lui écarta les mains au moyen d'une petite parade de wing chun avant de le frapper violemment au menton avec son Python, provoquant chez son adversaire un claquement de mâchoires du genre piège à souris. Le Python s'abattit de nouveau, cette fois sur la pomme d'Adam de l'encaisseur.

Il porta les deux mains à sa gorge, asphyxié. Son visage rougissait à vue d'œil.

Pike lui prit la clé des mains, l'introduisit dans le contact et actionna la fermeture de la capote. Il dut maintenir le bouton enfoncé jusqu'à la fin du processus, mais cela ne lui posa aucun problème. Son bras était tendu comme une barre d'acier, exhibant son tatouage sous le nez de l'encaisseur. Il tenait à ce qu'il voie la flèche rouge.

Pike ne bougea pas, ne parla pas avant que la capote soit en place et les vitres relevées. L'encaisseur non plus. Il était bien trop occupé à chercher son souffle.

— Prends le volant, ordonna Pike. À deux mains.

L'homme obéit.

— Si tu essaies de fuir, je te tue. Si tu réessaies de me prendre cette arme, je te tue. C'est compris ?

— Il y a erreur, l'ami. Je sais pas ce que vous…

Pike lui assena un coup de poing sur la tempe, si vite que l'autre n'eut pas le temps de réagir. Sa tête rebondit contre la vitre, et Pike le cueillit à nouveau juste après le rebond. Ce deuxième coup de poing lui brouilla le regard.

Pike le redressa et enfonça le pouce droit entre ses côtes. L'homme gémit et tenta faiblement de repousser sa main, mais Pike le frappa une fois de plus. Il se couvrit la tête.

— Prends le volant, dit Pike derechef. À deux mains.

L'homme s'exécuta.

— Si tu essaies de fuir, je te tue. Si tu essaies encore de prendre cette arme, je te tue. Tu comprends ce que je dis ?

— Arrêtez de me frapper, merde. S'il vous plaît…

— Si tu lâches encore une seule fois ce volant, je te tue. Tu comprends ?

— Oui.

L'homme en avait les jointures blanches. Le sang de ses lèvres ruisselait sur sa chemise, et le coin extérieur de son œil droit enflait à toute vitesse.

— Ton nom ? demanda Pike.

— Vasa.

— Je vais te fouiller, Vasa. Ne lâche surtout pas le volant. Ne résiste pas.

Pike explora ses poches ; il y découvrit un porte-feuille noir en cuir d'autruche, un téléphone Nokia et quatre minces pochettes à billets en vinyle.

— Une par fille ?

— Oui.

— Elles préparent le fric à l'avance ? Et quand tu te pointes, elles te le donnent ?

— Vous savez à qui c'est ?

— À moi.

Pike compta les coupures, essentiellement des billets de vingt et de cent : trois mille huit cents dollars. Il fourra l'argent dans sa poche.

— Où est le reste ?

Vasa le regarda en clignant des yeux.

— Quel reste ? Tout est là.

Pike le fixa au fond des yeux. Vasa finit par soupirer :

— Sous le siège.

Pike y trouva sept mille trois cents dollars supplémentaires, qui rejoignirent les autres billets dans sa poche. Un total de onze mille cent dollars pris à Darko.

Pike regarda Vasa. Si longtemps que l'autre finit par se détourner.

— Pourquoi vous me matez comme ça ? Vous êtes qui ?

— Je m'appelle Pike. Répète.

— Vous vous appelez Pike ?

— Dis mon nom. Dis-le.

— Pike. Je l'ai dit. Vous vous appelez Pike.

— Regarde-moi.

Vasa se recroquevilla comme s'il avait la certitude que Pike allait de nouveau le frapper.

Pike toucha la flèche tatouée sur son épaule.

— Tu vois ça ?

Vasa acquiesça.

— Dis-moi que tu la vois.

— Je la vois.

— Où est Michael Darko ?

Les yeux de Vasa se transformèrent à nouveau en soucoupes.

— J'en sais rien, moi. Comment je le saurais ?

— Appelle-le.

— J'ai pas son numéro. C'est le patron. Pourquoi vous lui prenez son fric ? Vous êtes dingue. Il vous tuera.

Pike fixa encore un moment Vasa.

— Dis à Darko que j'arrive.

Il descendit de l'auto en emportant l'argent, le portefeuille, les clés et le portable.

— Je fais comment sans mes clés ? gémit Vasa.

Pike reprit sa Jeep et manœuvra dans le parking pour venir se garer à la hauteur de la BMW. Il voulait aussi que l'encaisseur la voie. Il lui fit signe de baisser sa vitre.

Vasa avait besoin pour cela que le contact soit mis. Il ouvrit sa portière.

Pike lui lança ses clés et démarra en trombe.

Deux blocs plus loin, il se rangea au bord de la chaussée et ouvrit son portable.

— Qu'est-ce qu'il fait ?

— Il vient de prendre l'autoroute. Jon le suit à trois véhicules de distance, et je suis derrière Jon.

Pike s'empressa de les rattraper.

27

Ils suivirent la BMW à l'est jusqu'au bout de la vallée de San Fernando, Pike regardant Cole et Jon Stone se relayer dans son sillage. L'encaisseur maintenait une vitesse stable, pas plus pressé que ça d'arriver à destination. L'idée d'expliquer à ses chefs ce qui venait d'arriver à l'argent de Darko ne l'emballait visiblement pas.

Ils continuèrent sur l'autoroute de Ventura après la fourche de Hollywood mais la quittèrent dès la sortie suivante. Ils remontèrent ensuite par Vineland Avenue entre les galeries commerciales vieillissantes de Hollywood Nord. Cole se rapprocha de la BMW juste après la sortie de l'autoroute, en même temps que Jon décrochait. Dix minutes plus tard, la voix de Cole s'élevait dans l'oreillette de Pike :

— Ça clignote. Il va tourner un peu plus haut sur Victory.

Ni Pike ni Stone ne répondit.

Trois minutes plus tard, Cole parla à nouveau :

— Encore un changement de direction. Il s'apprête à entrer sur le parking d'un bar, le Glo-Room. On va passer devant et se garer dans la première transversale.

— Hmmm, commenta Stone. Des strip-teaseuses.

Deux blocs plus loin, Pike entraperçut la BMW qui négociait son virage.

— Elle connaît ce bar ? demanda-t-il à Cole.

— Elle en a entendu parler, mais elle n'est jamais entrée. Ça fait partie des adresses qu'elle m'a citées.

En passant, Pike repéra la décapotable de Vasa garée sur l'étroit parking latéral d'un bâtiment de plain-pied peint en noir. GLO-ROOM – CLUB POUR MESSIEURS, disait l'enseigne plantée au sommet d'un poteau devant le bar. Pike poursuivit jusqu'à la première rue transversale, où il rejoignit les deux autres voitures. Cole et Rina avaient déjà pris place dans le Rover de Stone. Pike se gara derrière eux et monta à l'avant du 4 × 4. Stone redémarra sur-le-champ et s'engagea dans une allée de service qui séparait l'arrière de la rangée de commerces d'une enfilade de places de stationnement ponctuées de locaux à poubelles.

— Arrêtez-vous avant, dit Pike.

Stone immobilisa le Rover trois portes avant le bar, à la hauteur d'une animalerie. Une camionnette de livraison blanche était parquée derrière le Glo-Room, et la seule personne visible était un Latino d'âge moyen, au tee-shirt blanc plein de taches. Planté entre la camionnette et le bâtiment, il grillait une cigarette.

Pike se retourna vers Rina.

— Ce bar est à Darko ?

— Il appartient à un de ses hommes, mais oui, on peut dire qu'il est à Michael. L'argent finit dans sa poche.

— Vous connaissez les gens qui travaillent ici ?

Elle secoua la tête.

— Non, je ne crois pas. J'ai entendu parler de cet endroit, mais je n'y suis jamais entrée. Michael a trois ou quatre bars de ce genre-là. Peut-être plus.

Ils se remirent en mouvement et dépassèrent au ralenti la camionnette de livraison. Ayant atteint la rue suivante, ils firent demi-tour puis revinrent en sens inverse. Ils se garèrent de nouveau lorsqu'ils trouvèrent un endroit d'où ils avaient une vue dégagée à la fois sur le parking latéral du bar et sur sa porte de service. Celle-ci était entrouverte, mais la camionnette les empêchait de voir à l'intérieur. Côté parking, la BMW était garée devant une porte qui semblait constituer l'entrée principale du bar, en compagnie d'une Audi anthracite et d'une Mercedes gris métallisé ; trois hommes se tenaient debout devant cette porte. Deux d'entre eux étaient très corpulents et vêtus de chemises amples que tendaient leurs bedaines. Le troisième, plus jeune, avait des muscles saillants et de larges épaules.

Pike tourna la tête vers Rina.

— Vous les connaissez ?

— Celui du milieu, je l'ai déjà vu, je crois. Les autres non, c'est sûr.

L'intéressé portait des chaînes en or autour du cou et semblait le centre de l'attention.

— Vous avez vu ? dit Stone.

Pike hocha la tête.

— Vu quoi ? demanda Rina.

— Monsieur Muscle, répondit Cole. Il a un flingue à la ceinture.

Une fois la conversation terminée, les deux types corpulents regagnèrent l'intérieur du bar pendant que le baraqué se dirigeait vers la camionnette de livraison. Il assena deux coups de paume à la carrosserie et s'écarta juste avant que les portières arrière ne s'ouvrent. Un colosse au ventre monumental en descendit. Une forêt de poils noirs lui couvrait les bras et le cou. Il souleva trois caisses de Budweiser et les transporta dans le bar. Le costaud se pencha à l'intérieur de la camionnette, en retira trois autres caisses, et disparut dans le sillage du colosse.

— Ils revendent de la bière volée, vous voyez ? dit Rina. Michael en achète une partie. Ses hommes lui piquent le reste.

Cela confirmait la description de George. Darko revendait les marchandises dérobées par ses équipes de pirates de la route. L'alcool alimentait ses clubs. Le reste atterrissait chez des receleurs ou sur le marché de l'occasion.

Pike tapota la cuisse de Jon, qui redémarra pour les ramener à leurs véhicules. Tout s'enchaîna très vite après leur brève reconnaissance, conformément au souhait de Pike. La vitesse était un élément clé. Dans les confrontations armées, c'est elle qui faisait la différence entre la vie et la mort.

Cole quitta illico les lieux avec Rina. Stone redémarra aussi, mais uniquement pour se positionner à l'avant du bar et préparer son approche. Pike remonta dans sa Jeep, avança au ralenti dans l'allée et stoppa à hauteur du bar. Quelqu'un avait refermé la camionnette et la porte de service, mais le verrou de celle-ci n'était pas mis.

Il composa le numéro abrégé de Jon Stone.

— Go, lâcha celui-ci.

Pike rangea son portable, poussa la porte, et se retrouva dans un couloir encombré de piles de caisses. Une réserve sur sa gauche était elle aussi pleine de bières en bouteilles ou en tonnelets, d'alcools forts et de provisions diverses, tandis qu'un local minuscule faisant à la fois office de cuisine et de salle de plonge s'ouvrait sur sa droite. Penché au-dessus d'un évier de dimensions industrielles, le Latino qu'ils avaient vu fumer tout à l'heure dans l'allée de service leva sur lui ses yeux fatigués. Pike franchit le seuil et annonça calmement :

— Police. On va arrêter tout le monde, mais vous pouvez partir. Immédiatement.

Un bref regard à Pike, et l'homme n'hésita pas. Il posa sa serviette, le contourna comme il put et quitta les lieux sans demander son reste. Pike verrouilla la porte extérieure derrière lui.

Un peu plus loin dans le couloir, il découvrit un petit vestiaire pour les danseuses, deux W-C, et une porte battante. Les W-C et le vestiaire étaient vides. Le vestiaire empestait le moisi. Des voix s'élevaient dans le club, mais pas de musique ni aucun autre son.

Pike poussa la porte battante. La salle était éclairée, la scène déserte, la sono muette. Les trois types du parking étaient regroupés autour d'une table en compagnie d'un quatrième individu et de Vasa, qui pressait une serviette mouillée contre son visage. Le colosse velu, penché derrière le comptoir, installait un tonnelet à pression. Pike était entré si discrètement que les hommes attablés n'avaient rien entendu, mais le colosse le vit bouger et se redressa.

— C'est fermé, dit-il. Vous allez devoir partir.

À la table, toutes les têtes se tournèrent. Vasa vit Pike et se leva d'un bond, comme si quelqu'un venait de lui botter les fesses.

— C'est lui ! C'est le putain d'enfoiré qui…

Les quatre autres restèrent immobiles à leur table. Le costaud ne tendit même pas la main vers son flingue.

— Je cherche Michael Darko, dit Pike.

Le plus âgé de la bande était un type de forte carrure, aux os épais et aux yeux minuscules. Trois de ces quatre hommes portaient des chemises à manches courtes, qui révélaient pour deux d'entre eux des tatouages de taulards réalisés dans leur pays d'origine.

— Je n'ai jamais entendu parler de cette personne, rétorqua le plus âgé. Vous vous trompez d'adresse.

Deux pochettes à billets en vinyle identiques à celles que Pike avait prises à Vasa étaient posées sur le comptoir, près d'une serviette en cuir marron. Laissées là comme si quelqu'un avait été interrompu en plein travail par l'arrivée précipitée de Vasa. En voyant Pike marcher vers le comptoir, le costaud se leva.

— Foutez le camp d'ici.

Au moment où Pike atteignait l'extrémité du comptoir, le colosse posté derrière le bar repoussa son tonnelet de bière et chargea. Il écarta les avant-bras comme un deuxième ligne prêt à bloquer un trois quarts centre, mais Pike fit un pas de côté, lui baissa le coude, l'attrapa par la nuque et le projeta violemment au sol. Un quart de seconde après ce premier contact, Pike était déjà debout ; il vit le costaud courir vers lui au ralenti et les trois autres sauter de leurs chaises, encore plus lentement.

Le costaud passa la main droite sous sa chemise avant d'arriver sur lui. Pike ne tenta pas de le désarmer ; il glissa une main sous son poignet, lui rabattit le bras en arrière et le fit tomber sur le dos. L'arme se retrouva dans sa main avant même que l'homme se soit écrasé au sol ; Pike lui envoya deux coups de canon sur le front pendant que la voix de Jon Stone transperçait la pénombre :

— Haut les mains, bande de rats !

Les trois individus figés autour de la table obtempérèrent.

Jon Stone, immobile sur le seuil, brandissait une carabine M4 joliment décorée d'un camouflage de désert peint à la main. Sans jamais quitter les trois hommes des yeux, il referma puis verrouilla la porte d'entrée du bar, bouclant le périmètre.

— Depuis le temps que je rêvais de dire un truc comme ça, glissa-t-il en souriant à Pike.

Ce dernier déchargea le pistolet du costaud et lui fit les poches.

— Vous voulez quoi ? fit l'homme aux chaînes en or.

Stone s'avança. Son sourire s'était soudain évanoui, laissant place au masque fermé du combattant d'élite.

— Ta gueule, salope. Tu parleras quand on s'adressera à toi.

Après avoir récupéré sur le gorille un portefeuille, des clés et un portable, Pike s'écarta. Il pointa le pistolet vers le sol.

— À genoux. Les doigts croisés derrière la nuque.

Stone faucha d'un coup de pied l'homme le plus proche de lui, et les autres s'empressèrent de prendre la position requise.

Pike revint vers le colosse. Ses yeux ouverts regardaient dans le vague, et il n'esquissa pas un geste pour se relever. Pike trouva sur lui un joli petit pistolet de calibre 40. Il déposa son butin sur le bar à côté des pochettes en vinyle puis s'approcha des prisonniers de Stone et les fouilla à leur tour. Aucun n'était armé, et aucun ne protesta quand il leur vida les poches.

Après la fouille, Pike revint au bar et examina les pochettes en vinyle. Elles étaient pleines de billets. Il ouvrit la serviette. Encore de l'argent, un boîtier en métal servant à pirater des données de cartes bancaires, et ce qui ressemblait à une liasse de documents comptables. Il plaça les armes et le reste dans la serviette, la referma, et s'approcha des trois hommes à genoux. Ceux-ci le suivirent des yeux comme s'ils étaient des chats piégés derrière une vitre et lui un oiseau.

— Darko ? fit-il.

Le plus âgé secoua la tête.

— Vous vous trompez.

Derrière eux, Stone parla d'une voix sourde :

— Peut-être que ces fils de pute y étaient. Peut-être que l'un d'eux a buté Frank.

— Tu te rappelles mon nom, Vasa ? demanda Pike.

— Vous êtes Pike.

— Vous êtes surtout un homme mort, grommela le plus âgé.

Stone lui flanqua un grand coup de M4 sur la nuque. L'homme s'écroula comme un sac de linge mouillé, et ne bougea plus. Vasa et l'autre étudièrent un moment sa forme inerte. La peur brillait maintenant dans leurs yeux.

Pike agita la serviette pour qu'ils la voient.

— Tout ce qui était à Darko est à moi, dit-il. Darko est à moi. Ce bar est à moi. Si vous êtes encore là à mon retour, je vous tue.

Le seul gros type encore conscient regarda Pike en plissant les yeux comme s'il était dissimulé par un brouillard.

— Vous êtes cinglé.

— Vous allez fermer ce bar, et tout de suite. À double tour. Dites-lui que j'arrive.

Pike se retira avec la serviette, et Stone le suivit à l'arrière. Ils montèrent dans la Jeep puis contournèrent le bâtiment jusqu'au Rover. Stone ouvrit la serviette. Il écarta les liasses de billets et fronça les sourcils.

— Hé, c'est quoi, cette merde ?

Pike feuilleta les pages qu'il lui tendait, survola les colonnes de chiffres classées par branche d'activité, et prit conscience de ce qu'ils avaient entre les mains.

— Nos prochaines cibles.

Il ouvrit son portable et appela Cole.

28

Ils se retrouvèrent chez Cole pour étudier les papiers. Rina les reconnut sur-le-champ.

— Les stations-service, dit-elle.

— Qu'est-ce qu'elle raconte ? lâcha Stone.

Cole confirma qu'ils avaient sous les yeux des extraits de comptes des stations All-American Best Price Gas, Down Home Petroleum, et Super Star Service.

— La Super Star Service est juste en bas d'ici, à Hollywood. C'est une de ces stations indépendantes.

Rina hocha la tête.

— Vous voyez ? Il gagne beaucoup d'argent avec ça. Énormément. Peut-être encore plus qu'avec tout le reste.

— Tu parles, dit Stone. Comment est-ce qu'on peut s'enrichir en vendant de l'essence ?

— Vous êtes un imbécile. Il ne s'enrichit pas en vendant de l'essence. Il vole les informations des cartes de crédit.

— On appelle ça le skimming, dit Cole. Darko fait du piratage de données bancaires.

Il expliqua la combine. Les hommes de Darko branchaient un petit mouchard électronique sur le lecteur de cartes de la pompe, ainsi qu'un faux clavier fixé sur le vrai. Ce système leur permettait d'enregistrer les codes secrets et toutes les données des cartes bancaires dont les clients se servaient pour payer leur plein. Les escrocs de Darko exploitaient ensuite ces informations pour fabriquer de nouvelles cartes, avec lesquelles ils vidaient les comptes de leurs victimes ou y prélevaient de fortes sommes avant que celles-ci fassent opposition.

— Chaque mouchard peut rapporter entre cent mille et cent cinquante mille dollars par mois, en achats ou en cash. Un nombre à multiplier par le nombre de mouchards installés dans ces trois stations.

Jon Stone émit un petit sifflement et éclata de rire.

— Voilà qui commence à ressembler à ce que j'appelle du vrai pognon.

Et il ajouta, fronçant les sourcils :

— Attendez un peu. Qu'est-ce qu'on va pouvoir voler dans ces stations s'il n'y a pas de cash ?

— Ses machines, dit Pike.

Cole acquiesça.

— On les retire des pompes. Si on dégomme ses mouchards et ses claviers, il perdra plus de fric que ses prostituées ne lui en rapportent.

— Foutre ces saloperies en l'air, dit Stone. Voilà qui est parlé, les gars. Allons-y.

Pike le retint.

— Demain. Il vaut mieux y aller petit à petit et lui laisser le temps d'entendre parler de ce qui s'est passé aujourd'hui, de se mettre en colère. On va lui détruire ses pions un par un, tout au long de la journée.

— Et tôt ou tard, le service d'ordre rappliquera.

— C'est l'idée.

On appelait cela appâter l'ennemi – Pike allait planifier ses actions de manière à créer une attente, ce qui obligerait ledit ennemi à réagir.

Pike ramena ensuite Rina à la planque. Ils effectuèrent l'essentiel du trajet en silence, chacun de son côté de la Jeep. Sur Sunset, des ados faisaient la queue devant le Roxy, mais Rina ne tourna pas la tête. Elle regardait droit devant elle, pensive.

Le 4 × 4 de Yanni était toujours garé le long du trottoir quand ils arrivèrent devant la maison.

— Vous ne viendrez pas demain, dit Pike. Ce n'est pas la peine. Je vous dirai ce qui s'est passé après.

Il s'attendait à des objections, mais elle n'en émit aucune. Elle resta un moment à le dévisager et n'ébaucha aucun geste pour ouvrir la portière.

— Vous faites beaucoup pour nous. Je vous remercie.

— Je ne fais pas ça que pour vous. Je le fais aussi pour Frank et pour moi.

— Oui, je sais.

Elle s'humecta les lèvres. Elle se mit à contempler le bout de la rue, dans le noir. Deux personnes marchaient sur le trottoir défoncé, faisant une petite promenade avant de se mettre au lit.

— Vous devriez y aller, dit Pike.

— Venez avec moi. J'aimerais bien.

— Non.

— Yanni s'en ira. Je lui dirai. Il s'en fiche.

— Non.

La douleur envahit les yeux de Rina.

— Vous ne voulez pas coucher avec une pute.

— Allez-y, Rina.

Elle l'observa encore un moment puis se pencha par-dessus la console centrale et lui déposa un baiser sur la joue. Un baiser bref, et elle s'en fut.

Pike ne rentra pas chez lui. Il longea tout le Strip à faible allure, monta vers Hollywood par Fairfax, puis roula encore jusqu'aux rues résidentielles qui irriguaient la base du canyon.

Le parc était fermé la nuit, mais Pike laissa sa Jeep et poursuivit son ascension à pied dans une rue silencieuse. L'air embaumé au jasmin était froid et le devint plus encore lorsqu'il contourna le portail et s'enfonça dans le parc.

Le canyon était à lui. Rien ni personne ne bougeait.

Pike partit à l'assaut d'un chemin coupe-feu abrupt, s'éleva au-dessus de la ville, d'abord en marchant tranquillement, puis plus vite, puis en courant à petites foulées. Des flaques d'ombre emplissaient les ravins. Ces ombres l'enveloppèrent peu à peu, mais Pike ne ralentit pas. Il sentait plus qu'il ne voyait la paroi friable au-dessus de lui, les buissons et les arbres rabougris qui l'entouraient, et la pente qui dévalait dans son dos, mais il savait que les broussailles invisibles grouillaient de vie et de mouvement.

Des coyotes hurlaient sur les sommets, et des yeux l'observaient, qui clignaient, s'évanouissaient et réapparaissaient, courant à son rythme dans les fourrés.

Pike poursuivit sa course sur le chemin serpentant tout au bord du ravin jusqu'à l'extrémité de la crête, là où les lumières de la ville se déployaient devant lui. Il tendit l'oreille et savoura l'air vif. Il sentit l'odeur de la terre nue, du jasmin et de la sauge, mais le puissant arôme d'abricot continuait de tout dominer, sucré dans la nuit froide.

Il perçut un infime mouvement et vit deux yeux d'un rouge incandescent en suspens au-dessus du sol, aux aguets. Une seconde paire d'yeux se joignit à la première. Pike les ignora.

Le canyon était à lui. Il ne rentra à la maison qu'après le lever du soleil et, même alors, il ne dormit pas.

29

La station All-American Best Price de Tarzana ne payait pas de mine. Six pompes, pas d'atelier mécanique, juste une miniboutique tenue par une Latino d'âge moyen barricadée derrière sa vitre pare-balles.

Cole et Stone y arrivèrent en avant-garde, Cole se chargeant de surveiller les abords pendant que Stone faisait semblant de gonfler ses pneus tout en regardant s'il y avait du monde à l'intérieur ou autour de la station. Pike attendait leur feu vert à deux blocs de là, équipé d'une oreillette Bluetooth qu'il continuerait de porter jusqu'à ce qu'il ait terminé ce qu'il avait à faire ; Cole et Stone étaient là en couverture.

Cole l'appela pour lui parler de la caissière.

— Elle est seule. Elle ne bougera pas de derrière sa caisse.

L'idée d'épouvanter une innocente ne plaisait pas à Pike.

— Il n'y a pas de risque qu'elle appelle la police ?

— Rina dit que non. Ces stations sont comme toutes les autres, les employés ont pour consignes d'avertir le

261

gérant en cas de pépin, pas les flics. En l'occurrence, il s'agit d'un homme de paille de Darko.

— C'est bien beau, intervint Stone, lui aussi au téléphone, mais imaginez qu'elle ait un fusil à pompe planqué sous son comptoir ?

— Rina dit que non. Ils vendent de l'essence frelatée et ils ont mis des mouchards sur toutes les pompes. Ils ne tiennent certainement pas à voir rappliquer la police.

— Rina ferait peut-être bien de venir braquer cette station elle-même, marmonna Stone.

— J'arrive, dit Pike.

Il s'arrêta entre les îlots de pompes, face à la miniboutique, pour que la caissière voie bien sa Jeep. Il tenait à ce qu'elle soit capable de la décrire sans se tromper.

À peine eut-il franchi le seuil qu'il aperçut la caméra de surveillance fixée sous le plafond derrière la vitre. Il se demanda si elle tournait, estima que cela n'avait pas d'importance. Il se présenta à la femme et lui annonça qu'il était là pour laisser un message à M. Darko.

— M. Darko ? fit-elle, apparemment déconcertée. Qui est-ce ?

— Peu importe. Mon message lui parviendra de toute façon.

— Vous ne prenez pas de carburant ?

— Non. Je viens régler les pompes.

— On ne m'a rien dit là-dessus.

— M. Darko vous expliquera.

La tableau de commande d'urgence des pompes était placé sur le mur extérieur, à côté de la porte. Après avoir coupé le courant, Pike força au pied-de-biche le clapet de protection de chaque compteur. La femme assise derrière le comptoir ne manifesta aucune surprise. Elle se contenta de décrocher son téléphone comme si ce genre de chose lui arrivait trois ou quatre fois par jour et passa un coup de fil sans perdre son calme.

Six pompes, deux distributeurs par pompe, douze lecteurs de cartes.

Les fausses façades se repéraient facilement à la bande d'adhésif qui entourait les lecteurs. Chaque fois qu'un client insérait une carte bancaire dans le lecteur, toutes les informations qu'elle contenait étaient enregistrées par le mouchard de la fausse façade, qui les stockait dans un circuit imprimé de couleur verte. Pike se mit en devoir d'arracher les fausses façades et les circuits, en les jetant au fur et à mesure dans un sac en plastique. Les compteurs de pompe étaient désormais hors d'usage ; il ne se donna pas la peine de les refermer.

Un 4 × 4 Lexus conduit par une femme s'immobilisa devant une pompe pendant que Pike s'affairait.

— On est en maintenance, dit-il.

Elle repartit.

Huit minutes plus tard, il n'y avait plus un seul mouchard en place.

Ils auraient pu se poster quelque part dans les parages pour attendre de voir ce qui allait se passer, mais Pike voulait maintenir la pression. Il voulait que ça se bouscule dans sa ligne de mire.

Ils s'offrirent une longue pause petit déjeuner et attaquèrent leur cible suivante trois heures plus tard. La Down Home Petroleum (indépendante et fière de l'être !) était une vilaine petite station de North Holly-wood, encore plus vétuste et exiguë que l'All-American Best Price, tellement crasseuse qu'elle faisait tache dans le paysage.

Cole et Stone arrivèrent les premiers, exactement comme tout à l'heure, sauf que ce fut cette fois la voix de Stone que Pike entendit dans son oreillette :

— Deux mecs à l'intérieur.

— Ennemis ou civils ?

— Chais pas. Jeunes, blancs et maigres, mais ça ne veut pas dire qu'ils ne sont pas armés.

— Rien à signaler dans les rues voisines, intervint Cole, qui écoutait la conversation.

— J'y vais.

Pike rejoignit la station et s'arrêta devant les pompes.

La Down Home était trop miteuse pour disposer d'une vitre blindée. Un grand ado de type européen était assis derrière le comptoir, pas rasé, hirsute, maladif. Un copain lui tenait compagnie. Plus petit, plus trapu, à peu près du même âge que le caissier, il se la coulait douce sur une chaise calée contre le mur. Pike les entendit parler en entrant et crut reconnaître un accent semblable à celui de Rina, quoique moins prononcé. Une étincelle pétilla dans leurs yeux lorsqu'il cita Darko, et le gamin du comptoir leva les paumes.

— Hé, mec, je travaille juste ici, moi.

Son ami sourit stupidement, incrédule.

— Sans déconner. Vous voulez nous braquer ?

Le caissier le fusilla du regard.

— Boucle-la avant qu'on se fasse buter.

Des civils, songea Pike. Ou des ennemis tellement à côté de la plaque que cela revenait au même.

Six pompes, douze fausses façades, huit faux claviers pour pirater les codes secrets. Ils devaient savoir que les pompes étaient piégées – ou au moins s'en douter – mais ni l'un ni l'autre ne tenta de s'interposer. Pike repartit sept minutes plus tard et retrouva Cole et Stone dans le parc de Studio City.

En voyant le nombre de mouchards qu'il avait récoltés, Stone siffla.

— La vache, on devrait envoyer la facture au LAPD.

Après avoir tué les deux heures suivantes chez Cole, ils redescendirent jusqu'à Hollywood. La station Super Star Service était installée dans la partie la plus laide de Western Avenue, un peu au nord de Sunset. Encore moins grande que celle de Tarzana, elle ne disposait que de quatre pompes réparties sur deux îlots et partageait son terrain avec un stand de tacos où l'activité battait son plein.

En attendant que Cole et Stone aient effectué leur reconnaissance, Pike se souvint qu'il s'agissait de leur dernière cible. Si le service d'ordre de Darko ne réagissait pas, ils allaient devoir imaginer une autre approche. Ce fut alors que Cole parla dans son oreillette :

— Mon cher Joseph, je crois que nous avons de la compagnie.

— Tu vois quoi ?

— Un Lincoln Navigator bleu nuit le long du trottoir d'en face, et une BMW gris métallisé près du petit stand de tacos.

265

— Je dirais qu'il y a deux hommes dans la BM, intervint Stone, et au minimum deux autres dans le Navigator.

— Et dans la station ?

— Un homme à la caisse, répondit Cole, mais rien à voir avec les gamins de tout à l'heure. Celui-là est tout en angles. Je ne pense pas que tu aies intérêt à descendre de bagnole ce coup-ci.

— Non ?

— Ces gars sont prêts. Je ne sais pas s'ils vont essayer de te tomber dessus ici ou de te prendre en filature, mais à mon avis, il ne faut pas leur laisser la main. Entre dans la station. Montre-toi. Et va-t'en. Oblige-les à te suivre. Ne leur donne pas le choix.

— Reçu. J'arrive.

Pike sortit le 357 de son holster et le cala entre ses jambes.

Il approcha de la station au ralenti, détecta la présence du Navigator et de la BMW à la périphérie de son champ visuel mais ne tourna pas la tête vers eux. Il fallait leur laisser croire qu'il ne se doutait pas de leur présence.

— Tout va bien, dit Elvis.

— Nickel, reprit Stone en écho.

Pike pénétra dans la station mais immobilisa sa Jeep avant les pompes. Il compta jusqu'à dix puis fit lentement demi-tour et regagna le flot de la circulation. Sans coup de volant ni d'accélérateur intempestif, sans un regard vers son rétro.

— C'est parti, dit Cole. Le Nav démarre.

Pike décocha un regard oblique à son rétroviseur et vit le Navigator bleu nuit faire demi-tour : il s'engouffra dans la station-service, en ressortit en trombe et se mit à le suivre à quatre ou cinq voitures de distance. La BMW s'élança à son tour dans le sillage du Navigator après avoir coupé la route aux véhicules qui venaient en sens inverse et déclenché un concert de crissements de pneus et de coups de klaxon.

— Le pied, dit Stone. Ça va être aussi facile que de descendre des éléphants dans un couloir, vieux frère.

Le coin des lèvres de Pike frémit.

— On verra ça plus tard. Pour le moment, tenez-les à l'œil.

30

Pour éviter de montrer qu'il se savait suivi, Pike ralentit au lieu d'accélérer lorsqu'il décida que le moment était venu de semer ses poursuivants. Il les obligea à le suivre sur un boulevard en travaux où le nombre de voies de circulation était temporairement réduit à deux. Quand sa Jeep ressortit de la zone en chantier, ils étaient toujours empêtrés dans les sables mouvants de l'embouteillage. Il reprit tranquillement sa route puis s'arrêta devant une croissanterie.

Quelques minutes plus tard, Cole l'appela.

— Un des mecs est descendu de bagnole dans le bouchon et t'a couru après à pied. Ça n'a pas donné grand-chose.

— Où ils en sont ?

— Ils viennent de se séparer. Je suis sur le Navigator, qui monte vers le nord par Vine. Jon s'occupe de la BM.

— La BM aussi roule vers le nord, dit Stone. Sur Gower. Il y a des chances pour que les deux aillent au même endroit.

— Je vous rejoins, dit Pike.

Tout se déroulait conformément à ses souhaits. Les autorités de Darko avaient envoyé leur service d'ordre, dont le responsable allait maintenant devoir expliquer pourquoi il avait merdé. Il conduirait donc Pike à une de ces autorités, et peut-être même à Darko.

Pike repéra le Range Rover de Stone en bas de Laurel Canyon à l'instant où il bifurquait après deux colonnes grecques prétentieuses pour s'engager dans un lotissement de luxe affublé du nom de Mount Olympus.

Cole, qui précédait Stone de deux ou trois véhicules et attaquait déjà les premières pentes du canyon, signala que leur convoi risquait d'être repéré dans un décor pareil.

— Je vois un chantier sur ma droite, dit-il. On devrait y laisser deux voitures.

— OK.

Pike prit de la vitesse et les rattrapa. Cole et lui descendirent de leur véhicule et sautèrent dans le Rover de Stone. Stone redémarra en trombe pour ne pas perdre trop de terrain sur leurs cibles.

Aucune des luxueuses villas d'un goût plus ou moins douteux qui ponctuaient le paysage n'était digne des divinités grecques dont les rues pentues portaient les noms. Mount Olympus céda la place à Oceanus, puis à Hercules et Achilles. Ils prirent rapidement de l'altitude, apercevant par instants, quelques lacets plus haut, les deux voitures qu'ils filaient.

Ils atteignirent la ligne de crête, négocièrent un virage serré, et découvrirent le Navigator et la BMW garés devant une villa gris foncé bâtie le long du côté aval de la rue. Tous deux étaient vides ; ils en déduisirent facilement que leurs occupants se trouvaient à présent dans la villa. Comme toutes les autres constructions du lotissement, elle était de plain-pied. Basse et contemporaine, elle présentait sur rue une façade aveugle et monolithique, tout juste rompue par une porte d'entrée en acier poli et une triple porte de garage assortie. De part et d'autre du bâtiment, un mur percé d'un portail secondaire empêchait de voir quoi que ce soit à l'arrière.

— Bienvenue chez Darko, dit Stone. Je sens son odeur.

— Continuez de rouler et déposez-moi devant la maison suivante.

Jon ralentit juste de ce qu'il fallait pour permettre à Pike de sauter en marche. Pike balaya du regard les façades voisines pour voir si quelqu'un l'observait, mais rien ne bougeait dans ces villas coupées du monde.

Il revint à pied jusqu'à la maison grise et trouva une fine liasse de magazines et d'enveloppes dans la boîte aux lettres. Il constata en les feuilletant que le courrier était adressé à un certain Emile Grebner.

Il remit le tout en place et alla rejoindre le Range Rover, qui avait bifurqué au coin de rue suivant et l'attendait au bord de la chaussée.

Tout en marchant, Pike appela George Smith. Cette fois, George reconnut le numéro et décrocha instantanément.

— Mes amis me disent que tu es une équipe de démolition à toi tout seul.

— Tes amis du KGB ?

— Les gars d'Odessa se régalent. L'un d'eux est en concurrence avec M. Darko sur le marché des stations-service.

— Je ne fais pas ça pour eux.

— Ça ne fait jamais de mal d'être apprécié, mon ami.

— Le KGB sait peut-être quelque chose sur Emile Grebner ?

— Grebner…

George réfléchit une seconde avant d'ajouter :

— Si on parle bien du même Grebner, il roule pour Darko, oui. J'ai oublié son prénom.

— Il fait partie des autorités ?

George éclata de rire.

— C'est comme ça qu'on les appelle, effectivement. Tu parleras bientôt le serbe, dis donc. Et peut-être le russe.

— Ce qui veut dire que Darko et Grebner sont proches ?

— Darko doit avoir trois ou quatre lieutenants comme Grebner, chacun à la tête de trois ou quatre cellules opérationnelles. Le secret compte plus que tout pour les gens qui viennent de notre partie du monde, mon vieux. Il est possible que ces gars-là ne se connaissent même pas entre eux.

L'ex-KGB et le Parti communiste avaient toujours fonctionné selon une organisation similaire depuis le temps de Lénine, et Pike savait que les premiers gangs soviétiques avaient repris la même lorsque le Parti avait tenté sans succès de les mettre hors d'état de nuire. Ces gangs avaient finalement survécu au Parti et exporté leur modèle en Europe de l'Est, puis en Amérique.

— Un système de cellules, donc.

— Oui. Par exemple, ces stations-service que tu viens d'attaquer sont probablement sous la responsabilité de Grebner, donc c'est à lui de résoudre le problème. C'est comme ça que tu as entendu parler de lui ? Il t'a envoyé ses hommes ?

— C'est comme ça que j'ai entendu parler de lui.

— Je les plains.

Pike referma son portable en arrivant à la hauteur du Rover.

— Alors ? demanda Stone. Casa Darko ?

— Non.

Pike monta dans le Rover et les informa de ce qu'il venait d'apprendre par George Smith. Pendant qu'il parlait, la porte d'entrée de la villa s'ouvrit ; deux gorilles en sortirent l'un après l'autre et se dirigèrent vers le Navigator. Ils n'avaient pas l'air ravis : le premier engueulait son acolyte, à qui il reprochait certainement leur échec. Le Navigator s'en alla après un demi-tour effectué avec force hurlements de pneus.

Stone éclata de rire.

— Je vous parie que ces mecs vont avoir besoin de se faire recoudre le cul.

— Il y en avait combien dans la BM, Jon ? demanda Pike.

— Deux. Des gonzesses. J'ai vu ça à leur façon de conduire.

Stone était du genre à dire des choses comme ça.

Pike se demanda si Darko se trouvait chez Grebner. Cela lui paraissait peu probable, mais restait possible. Peut-être n'y avait-il que deux ou trois hommes à l'intérieur, mais il se pouvait aussi qu'il y en ait douze, ou même une famille avec des enfants.

— Bon, dit Cole, qu'est-ce qu'on fait ?

— On va jeter un œil. Toi et moi. Jon, vous restez ici. Prévenez-nous si quelqu'un arrive.

— Vous voulez le M4 ? proposa Stone pendant que Cole et Pike descendaient. Pour la guérilla urbaine, il n'y a pas mieux.

Cole fronça les sourcils.

— Vous avez un M4 ?

— Tu parles, Charles. À suppresseur. Et j'ai mis des pointes creuses, ça vous évitera de faire un carnage chez les voisins. Il sort tout droit de l'armurerie Delta.

Cole se tourna vers Pike.

— Il plaisante ?

— Allons-y.

Pike s'éloigna au trot, et Cole le suivit. Ils ralentirent à l'approche de la villa grise et se plaquèrent contre le portail latéral le plus proche d'eux le temps de laisser passer une auto. Ni l'un ni l'autre ne parla – ni l'un ni l'autre n'en éprouvait le besoin. Pike avait effectué des missions de plus d'une semaine sans prononcer un seul mot.

Il fut le premier à escalader le portail. Il atterrit en douceur de l'autre côté puis, sans attendre, courut plié en deux jusqu'à l'angle qui donnait sur l'arrière de la villa. Quand il l'atteignit, Cole était sur ses talons.

Le jardin, quoique de dimensions modestes, offrait des possibilités de détente ultrasophistiquées avec son bar extérieur, sa terrasse couverte distribuée autour d'un barbecue en brique et sa piscine à débordement. La vue, au-delà, était à couper le souffle : toute la plaine de Los Angeles s'étalait sous leurs yeux, du centre des affaires à l'océan Pacifique, et on voyait au sud jusqu'à Long Beach. Le bord opposé du bassin se confondait avec l'horizon. C'était en raison de ce panorama que le lotissement avait été baptisé Mount Olympus.

Pike perçut un brouhaha étouffé et comprit qu'il provenait d'un téléviseur. Quelqu'un parlait avec émotion des Lakers sur ESPN.

Cole lui toucha l'épaule et tendit l'index. Une allée passant derrière le bar menait à un appentis délimité par un retour de mur, dans lequel devait être entreposé le matériel d'entretien. Cole lui toucha une deuxième fois l'épaule avant de montrer ses propres yeux, manière de signifier que cet appentis constituait un bon poste d'observation.

Pike se faufila derrière le bar et alla se tapir derrière le matériel de piscine. Cole le rejoignit quelques secondes après.

L'arrière de la villa d'Emile Grebner était entièrement ouvert. Les panneaux coulissants des baies vitrées avaient été repoussés au maximum pour supprimer la limite entre l'intérieur et l'extérieur et inonder la maison d'air et de lumière. Il y avait trois hommes dans le salon, deux assez jeunes et le dernier d'une cinquantaine d'années, plus petit et plus râblé que les autres, mais aucun d'eux n'était Michael Darko. Le quinquagénaire ne portait qu'un pantalon de survêtement ample coupé aux genoux ; son torse et son dos étaient couverts de poils gris. Il monopolisait la parole, et Pike se dit que ce devait être Grebner. Il avait l'air en colère et moulinait spectaculairement des bras.

Un des jeunes hommes commit l'erreur de dire quelque chose, et Grebner le gifla, manquant le faire tomber. Le jeune homme prit la poudre d'escampette. Il sortit dans le jardin, alluma une cigarette et s'accouda au bar, boudeur.

Grebner finit par se retrouver en panne de mots. Il attrapa un portable et passa un appel pendant que l'autre jeune homme filait dans la cuisine. Grebner jeta l'appareil dans le canapé puis partit à grands pas vers les toilettes attenantes.

Dès que la porte eut claqué, l'homme du bar lui adressa un doigt d'honneur.

Pike toucha Cole du doigt et lui montra l'occupant de la cuisine – celui-là est pour toi. Il se toucha la poitrine et montra l'autre, au bar – celui-là est pour moi.

Cole acquiesça. Pike aussi. Tous deux se mirent en mouvement sans la moindre hésitation, Pike devant pour préparer la voie à Cole.

Pike se faufila derrière sa proie, lui enserra le cou dans l'étau de son bras gauche, et le souleva de terre.

— Chut, dit-il.

Une forme bougea à la limite du champ de vision de Pike quand Cole passa à sa hauteur, mais Pike était concentré sur sa cible. L'homme se débattait ; Pike le souleva encore un peu plus en comprimant sa carotide pour bloquer l'afflux du sang au cerveau : sa victime tourna de l'œil en quelques secondes. Pike l'allongea derrière le bar et lui attacha les poignets dans le dos à l'aide d'entraves en plastique.

Il aperçut Cole en train de mettre au tapis l'homme de la cuisine en se rapprochant du salon. Il fila jusqu'aux toilettes et se plaqua derrière la porte quelques secondes avant qu'elle se rouvre sur Grebner.

Pike le frappa derrière l'oreille droite avec son 357, et Grebner bascula en avant. Sa hanche s'écrasa contre le sol en mosaïque, mais il se rassit et recula sur les fesses jusqu'à buter contre le mur. Pike n'avait pas eu l'intention de l'assommer. Il le voulait conscient.

Cole ressortit de la cuisine et, hormis un bref regard en direction de Grebner, l'ignora complètement.

— Je vais faire le tour de la baraque.

Et il disparut, laissant Grebner à Pike. On ne savait jamais : quelqu'un pouvait s'être caché dans un placard.

Pike regarda Grebner. Les yeux de ce dernier s'arrêtèrent sur le Python de Pike, puis sur le bras de Pike, puis sur le visage de Pike.

— Vous êtes qui, merde ?

Pike ouvrit son portable.

— Ça y est.

— Je suis là si vous avez besoin de moi, vieux frère, répondit Stone. Prêt à envoyer la sauce.

— Vous avez intérêt à arrêter ça tout de suite, gronda Grebner.

Pike sentit qu'il avait peur, ce qui était une bonne chose. Dehors, Cole traînait l'homme du bar sur la terrasse. Après lui avoir entravé les chevilles, il repartit vers la cuisine.

Grebner secoua la tête.

— Vous n'avez aucune idée des ennuis qui vont vous tomber dessus.

— Debout, dit Pike.

Grebner se releva avec méfiance. Pike le retourna, lui lia les mains dans le dos, et le fit allonger à plat ventre. Grebner l'observait du coin de l'œil, tentant de deviner ses intentions, mais il ne voyait que la surface réfléchissante de ses lunettes miroir – deux yeux bleutés d'insecte sur un visage de marbre. Pike savait qu'elles le perturbaient. Comme Walsh au Parker Center, il était déstabilisé.

— Où est Darko ?

— Je t'emmerde.

Pike le frappa. Le métal du 357 lui ouvrit le haut de la tempe.

— Où est Darko ?

Grebner émit un grognement sourd et secoua la tête, ce qui eut pour effet d'étaler le sang sur son visage.

— Je sais que vous voulez Darko. Vous dites à tout le monde que vous voulez Darko. Tenez, vous n'avez qu'à l'appeler, dit-il en inclinant la tête vers le canapé. Au téléphone. Vous voyez ce portable, là, sur le canapé ? Prenez-le. Sélectionnez « Michael » dans le répertoire. Appelez-le.

Pike ramassa le portable, fit défiler les noms jusqu'à trouver le bon.

— Allez-y, dit Grebner. Vous voyez le numéro ? Notez-le si vous voulez. Appelez-le.

Dehors, Cole venait de transporter l'homme de la cuisine à côté de son camarade. Tous deux avaient repris connaissance, mais ils étaient pieds et poings liés. Cole repartit à grands pas vers une autre partie de la maison, pistolet en main.

Pike appela le numéro et tomba sur une voix de synthèse féminine :

— *Veuillez laisser un numéro de contact après le bip, suivi de la touche dièse.*

Un service de messagerie vocale. Pike raccrocha au moment où le bip se faisait entendre et consulta le journal d'appels du portable. Il vit que le même numéro avait été contacté quelques minutes plus tôt, ce qui correspondait très vraisemblablement au coup de fil que Grebner avait tenté de passer avant d'aller aux toilettes. Il ne mentait pas.

Pike glissa le téléphone dans sa poche et revint vers Grebner.

— Où est-il ?

Grebner baissa les yeux vers sa poche.

— Là. C'est là qu'il est. On lui laisse un message, et il rappelle. Michael vit là, dans ce téléphone. Il est dans votre poche.

Pike rengaina son 357 et s'accroupit à quelques centimètres de lui.

— Ça va faire mal, dit-il.

Il enfonça son pouce derrière la clavicule droite de Grebner, cherchant un centre nerveux. Quand il l'eut trouvé, il appuya dessus pour le coincer contre l'os. Grebner sursauta et se plaqua contre le mur. Pike appuya plus fort pour écraser les nerfs. Tout le corps de Grebner se tendit comme un arc ; il poussa un long râle, luttant pour résister à la douleur.

Pike le lâcha.

— Ça fera plus mal la prochaine fois.

Grebner respira profondément plusieurs fois de suite.

— Je sais que vous cherchez Darko, mais qu'est-ce que vous faites ici, mec ? Vous voulez du fric ? Je peux vous en donner.

Pike appuya de nouveau sur le point névralgique, et Grebner hurla. Son visage cramoisi devint violacé. Il se mit à ruer frénétiquement, mais Pike le maintenait plaqué au sol. Puis il relâcha sa pression.

— Pas de fric. Darko.

Grebner sanglota et se remit à secouer la tête.

— Je ne sais pas. Je l'appelle. À ce numéro. Je ne sais rien de plus. C'est justement pour ça qu'il ne dit à personne où il est. Frappez-moi autant que vous voudrez, je ne pourrai pas vous en dire plus. Vous n'êtes pas le seul à vouloir lui mettre la main dessus.

— Jakovic ?

Grebner tiqua, surpris pour la première fois. Son regard se tourna brièvement vers ses hommes, puis vers la porte d'entrée, comme s'il ne parvenait pas à croire à la réalité de cette situation et s'imaginait qu'il lui suffirait de rester dans le déni pour que Pike s'en aille.

— Vous ne savez pas ce que vous dites.

— Et si je te dis kalachnikovs ?

Grebner ouvrit lentement la bouche, en fixant Pike telle une apparition.

— Comment vous savez ça ?

— Les armes sont à Los Angeles ?

Grebner ne répondit pas. Il cherchait toujours à comprendre d'où Pike tenait cette information.

Pike tendit la main vers son épaule, et Grebner sursauta.

— Oui ! Oui, c'est ce qu'on m'a dit. Je ne suis pas au courant – je ne les ai pas *vues* – mais c'est ce que j'ai entendu dire.

Cole réapparut pendant que Grebner parlait, un sachet de supermarché sous le bras. Il fit signe à Pike d'approcher et lui glissa à mi-voix :

— Les armes sont là ?

— C'est ce qu'il dit.

— Et Darko ? Il t'a donné une adresse ?

— Un numéro de boîte vocale. C'est tout.

Cole tapota le sac.

— J'ai récolté quelques papiers, mais ça ne va pas chercher bien loin. Je ne suis pas sûr que ça puisse nous aider.

Pike et Cole se retournèrent vers Grebner, qui les fixait comme un rat acculé par deux chiens.

— Où sont les armes ? interrogea Pike.

— Comment vous voulez que je le sache ? Le vieux. C'est lui qui les a.

— Jakovic ?

— Vous faites ça pour les armes ? Vous voulez les voler, les acheter, ou quoi ? Vous travaillez pour qui ?

— Frank Meyer.

— Je ne connais aucun Frank Meyer. Qui c'est ?

— Darko a envoyé une bande attaquer une maison à Westwood il y a près d'une semaine. Tu es au courant ?

— Bien sûr que je suis au courant. C'était la maison de ce Frank Meyer ?

— De Frank, de sa femme Cindy, et de leurs deux petits garçons. La bande les a assassinés pour enlever un bébé, le fils de Darko.

Grebner tiqua de nouveau.

— Le fils de Michael ?

Pike hocha la tête, ce qui n'atténua pas le désarroi de Grebner.

— Michael n'a pas d'enfants, dit-il. C'est le fils du vieux qu'il a enlevé.

Cole et Pike échangèrent un rapide regard, puis Cole sortit de sa poche la photo du fils de Rina et la montra à Grebner. Le bébé roux aux cheveux clairsemés.

— Peter. *Petar.* C'est bien de cet enfant dont tu parles ?

— Je ne l'ai jamais vu. Tout ce que je sais, c'est ce que m'en a dit Michael.

— À savoir ?

— Michael a enlevé le gosse pour avoir les armes. Il a cru qu'il pourrait forcer le vieux à accepter l'échange, mais le vieux est aussi enragé que ceux d'autrefois, au pays. Il a perdu la tête.

— Bref, c'est la guerre.

Grebner éclata de rire.

— Il faudrait que vous soyez serbes pour comprendre. Ça va au-delà de la guerre. Le vieux a dit à Michael qu'il tuerait l'enfant de ses mains. Il le fera pour montrer qu'il n'a aucune faille et qu'on ne peut pas le menacer, et il tuera aussi Michael. Vous comprenez ce que je vous dis ? Tout ça est revenu à la figure de Michael.

— L'enfant est de Jakovic ? fit Cole. Pas de Michael ?

— Oui.

— Qui est la mère ?

— Allez savoir. Je ne connais pas ces gens-là.

— Michael a combien d'enfants ?

— Quelques-uns ? Beaucoup ? Aucun ? Vous croyez qu'on pique-nique ensemble, ou quoi ? Moi, j'ai toujours vu Michael avec des putes.

Une sonnerie se déclencha dans la poche de Pike, avec un bruit de casserole suraigu qui fit sursauter Grebner. Son portable.

Pike prit l'appel et resta muet. La personne au bout du fil resta muette. Pike entendit une respiration, puis la personne raccrocha.

Pike rempocha le téléphone et vit que Grebner souriait, les incisives vernies d'une pellicule de sang.

— Ça devait être Michael, non ?

— Il y a des chances.

— Je suis désolé pour votre ami Frank Meyer, mais il n'aurait pas dû se mêler de nos affaires. Vous non plus, vous ne devriez pas. Nous sommes des ennemis redoutables.

Pike le dévisagea un long moment puis tourna la tête vers Cole, qui avait l'air perplexe et l'interrogeait du regard.

— C'est bon, lui dit Pike. Je te rejoins dans une seconde.

Cole partit vers la porte d'entrée pendant que Pike se retournait vers Grebner. Quand Cole eut disparu, Pike sortit son 357 et arma le chien avec un clic métallique qui résonna comme un craquement d'os dans la maison silencieuse. Les sourcils de Grebner se levèrent, et son souffle se hacha, Il s'humecta les lèvres.

Pike lui colla son canon contre la tempe. Grebner pressa les paupières, puis les rouvrit. Ses yeux luisants se mirent à danser comme des phalènes contre une vitre.

— Où Jakovic a-t-il eu ces armes ?

— Aucune idée. Je n'en sais rien.

— Frank a trempé là-dedans ?

— Quoi ? Qui ?

La terreur de Grebner était telle qu'il avait déjà oublié son nom.

— Le propriétaire de la maison. Frank Meyer. Il a trempé dans cette vente d'armes ?

— Je ne sais pas. Comment je le saurais ?

— Qu'est-ce que t'a dit Darko ?

— Il ne m'a jamais parlé de ce Frank Meyer. Il m'a juste dit qu'il savait où le vieux cachait son fils. C'est tout.

Pike appuya plus fort son canon contre la tempe de Grebner. Il y laisserait une marque parfaitement circulaire.

— Il t'a dit pourquoi l'enfant était chez les Meyer ?

— Non, juste qu'il allait l'enlever. C'est ce qu'il m'a dit.

— Darko a participé à l'attaque de la maison de Westwood ?

— C'est ce qu'il m'a dit. Pour être sûr que ça ne foirerait pas. S'il vous plaît…

Pike laissa errer son regard sur la mosaïque blanche, sur le luxueux mobilier blanc et, par-delà les deux sbires ligotés qui l'observaient avec effroi, sur le ciel infini et laiteux. Savoir le soulageait.

— Passe-lui le message.

Grebner rouvrit les paupières. Il s'attendait à être exécuté.

— Dis à Michael qu'il ne pourra pas m'arrêter, quoi qu'il fasse.

Grebner hocha lentement la tête, cherchant les yeux invisibles de Pike.

— Peut-être que vous aussi, vous êtes un ennemi redoutable.

Pike rengaina son arme et s'en fut.

31

Pike fit signe à Jon de venir les récupérer, et Cole lui attrapa le coude dès qu'ils furent ressortis de la villa.

— Rafraîchis-moi la mémoire. On cherche le gosse de qui, déjà ?

— Ta mémoire fonctionne bien. Rina nous a dit que c'était Darko, le père.

— Sauf que ce mec vient de nous dire que c'est Jakovic.

— Oui.

— Je ne comprends pas. Tout ce qu'elle nous a dit a pourtant été corroboré par la copine d'Ana.

Pendant que Jon Stone les ramenait à leurs voitures, Pike le mit au courant de ce qu'il venait d'apprendre de Grebner et lui demanda de rester sur place pour le suivre au cas où celui-ci irait parler à Darko en face à face. Stone accepta sans problème mais posa quelques questions :

— Ce Grebner était là quand Frank s'est fait buter ?

— Non. Il dit qu'il en a entendu parler, mais que c'est Darko qui était aux manettes.

— Bref, il ne sait pas si Frank est impliqué ?

Pike s'aperçut que Stone le scrutait et il comprit pourquoi.

— Il ne sait pas si Frank a joué un rôle dans ce trafic d'armes. Il pense que non mais il n'est sûr de rien.

— Les armes sont déjà à Los Angeles, enchaîna Cole, et c'est Jakovic qui les a. Ces mecs ont tellement le goût du secret que Darko ne sait peut-être même pas comment il se les est procurées. Il les veut pour lui, point barre.

Stone n'insista pas. La descente se poursuivit en silence, mais il y avait de fortes chances pour que les pensées de Stone soient à peu près du même ordre que celles de Pike. La ligne de front n'était plus nette. Soit Rina avait confié son fils à sa sœur dans le but de le protéger de Michael, soit Jakovic avait chargé Ana – ou Frank – de garder le bébé pour la même raison, ce qui impliquait qu'il avait été en contact avec la sœur de Rina ou avec Frank. Soit Frank et les siens étaient des victimes collatérales innocentes, soit Frank avait joué un rôle quelconque dans l'acquisition par Jakovic de ces trois mille AK automatiques. Pike se posa ces questions sans tenter d'y répondre. Il savait rester calme dans le chaos du combat. Il avait été formé pour, et c'était ce qui lui avait permis de survivre à des déluges de feu dans des dizaines de situations de combat. Son cerveau était exercé à ne traiter qu'un seul problème à la fois. Évaluer la situation, planifier une action, puis s'engager à fond. Une guerre se gagnait pas à pas.

— Il faut qu'on parle à Rina, finit-il par dire.

Cole et Pike récupérèrent leurs véhicules et mirent le cap sur la planque pendant que Stone remontait vers chez Grebner. Il ne leur fallut que quelques minutes pour avaler tout le Sunset Strip et rejoindre la petite rue mouchetée de soleil. Le 4×4 de Yanni n'était plus là, et Pike sentit sur-le-champ qu'ils ne trouveraient personne.

Il quitta Cole au portail et s'avança discrètement sur la courte allée latérale reliant la maison à son petit jardin. Une pénible sensation de vide l'envahit. Quand Pike revint sur ses pas, il vit que Cole avait dégainé son arme et la tenait le long de sa cuisse.

Pike testa la porte d'entrée, constata qu'elle n'était pas fermée à clé, et entra devant Cole. Il régnait à l'intérieur une fraîcheur d'autant plus sensible qu'elle se mêlait au parfum des rosiers grimpants.

La pièce unique était déserte. Derrière la porte entrouverte de la salle de bains, aucune lumière ne filtrait. Pike tenta tout de même sa chance :

— Rina ?

— Ils sont partis. Regarde. Leurs affaires ne sont plus là.

Cole déposa son sachet de supermarché sur la table du coin salle à manger.

— Je vais voir s'il y a quelque chose à tirer de tout ça.

Il vida le sachet sur la table et entreprit de trier le fouillis de portables, de portefeuilles et de documents divers récupérés chez Grebner.

Pike téléphona à Walsh en activant le haut-parleur pour permettre à Cole d'entendre. Dès que Walsh reconnut Pike, son ton devint distant et circonspect.

— Où êtes-vous ?

— En train de faire ce que je vous ai dit.

286

— Vous étiez censé me tenir au courant. Je veux tout savoir.

Pike comprit qu'elle essayait de le pousser à avouer qu'il avait découvert leur mouchard et décida de passer outre.

— Les armes sont à Los Angeles, dit-il.

— Où ça ?

— Je n'en sais rien, mais la vente est pour bientôt. Il y a quelques informations que j'aurais besoin de vérifier.

— Ne tournez pas autour du pot. Où sont ces foutues armes ?

— Tout ce que je sais, c'est que c'est Jakovic qui les a. Vous voulez que j'arrête là ?

— Non, répondit-elle à contrecœur, comme si avoir besoin de l'aide de Pike lui en coûtait.

— Jakovic a des enfants ?

— Qu'est-ce que ça peut faire ?

— Michael Darko a organisé l'enlèvement d'un bébé de un an, un garçon, et j'ai des informations contradictoires sur l'identité de cet enfant.

— Jakovic est un vieil homme.

— Ça n'empêche pas d'avoir des enfants.

— Bon Dieu, Pike, je n'en sais rien ! Admettons qu'il en ait, et alors ?

— Si j'en crois une de mes sources, l'enfant est de Darko. L'autre me dit que le père est Jakovic. À supposer que Darko ait enlevé ce bébé pour forcer la main au vieux, ça s'est retourné contre lui. Ils sont en guerre ouverte, et, toujours d'après la même source, le vieux a choisi l'escalade, d'où il s'ensuit qu'il pourrait accélérer la vente des armes pour s'en débarrasser.

— Hé, attendez – qu'est-ce que c'est que cette histoire d'escalade ?

— Jakovic a promis de tuer l'enfant de ses mains. Pour lui ôter toute valeur d'échange à la table des négociations et pour envoyer un message clair aux Serbes d'en face. Ma source me dit qu'ils adorent s'envoyer ce genre de message.

Pike entendit Walsh respirer profondément.

— Cette source est-elle fiable ?

— Cette source avait mon flingue sur la tempe, Walsh. Un bon gage de fiabilité, non ? C'est pour ça que je vous appelle – pour vérifier si c'est possible.

Elle respira à nouveau.

— Le *Vorovskoï Zakon*, lâcha-t-elle pensivement. Vous savez ce que c'est ?

Pike chercha le regard de Cole, qui secoua la tête.

— Non.

— C'est une création des gangs russes de l'ex-Union soviétique, mais qu'on retrouve aujourd'hui dans tous les gangs d'Europe de l'Est.

— Qu'est-ce que c'est ?

— On pourrait traduire ça par « le Code des voleurs ». La vie de ces truands est régie par dix-huit règles, Pike – des règles écrites, une sorte de manuel à l'usage des gangsters. La première de ces règles – la règle numéro un, la règle d'or – dit que la famille ne compte pas. La mère, le père, les frères, les sœurs – tout ça n'a aucune valeur. Ils sont censés n'avoir ni femme ni enfants. C'est écrit noir sur blanc, Pike. Je l'ai vu de mes yeux.

Pike pensa à Rina.

— Et les maîtresses ?

— Les maîtresses, pas de problème. On peut en avoir autant qu'on veut, mais le mariage est exclu. Ces mecs s'engagent sur cette connerie par un pacte de sang, et j'en ai interrogé assez pour savoir qu'ils le respectent. Donc, si vous me demandez si Jakovic serait capable de sacrifier son propre fils, je dois vous répondre oui. Ces règles existent et elles sont appliquées. Celui qui les enfreint est puni de mort. Je ne déconne pas. Les vieux pakhans prennent ça très au sérieux.

Pike hocha la tête et s'interrogea brièvement sur la nature d'un homme capable d'un tel acte.

— J'ai aussi besoin de savoir pour Darko, dit-il. Si l'enfant est de lui, ça signifie que mon autre source est fiable. Sinon, elle ne l'est pas, et ce que je vous ai dit sur le retour au pays de Darko doit être faux.

— Je vais vérifier du côté d'Interpol. Ils ont peut-être quelque chose sur Jakovic, mais je peux d'ores et déjà vous dire qu'on ne dispose pas de cette information sur Darko. En ce qui le concerne, vous allez devoir vous débrouiller.

— D'accord. Tenez-moi au courant.

— Pike ?

Il attendit.

— Oubliez vos idées de meurtre. Ne commettez pas l'erreur de le tuer. Darko est à moi.

Pike raccrocha au moment où Cole relevait la tête des divers objets étalés sur la table.

— Je crois qu'on tient quelque chose, dit-il.

Pike le rejoignit en songeant que lui aussi respectait certaines règles.

32

Jon Stone

Après avoir ramené Pike et son ami à leurs voitures, Jon Stone fit demi-tour et retourna sur les hauteurs de la ville, mais il ne rejoignit pas directement son poste de guet. Il comptait le faire après avoir réglé un petit détail.

Il se gara juste devant la villa de Grebner et remarqua que la moitié des véhicules stationnés devant les villas du coin étaient des Rover ressemblant comme deux gouttes d'eau au sien. Il en compta deux blancs et un gris métallisé, mais tous les autres étaient noirs. Se garer dans ce quartier était aussi facile pour lui que de cacher un arbre au milieu d'une forêt.

Stone descendit de son 4 × 4 et alla ouvrir le hayon arrière. Il fouilla dans sa boîte à outils, sélectionnant un joli petit Sig 9 mm qu'il avait lui-même reconstitué et un silencieux assorti, également fabriqué par ses soins. Il vissa le silencieux sur le canon, s'assura que personne ne l'observait, verrouilla le Rover et entra chez Grebner.

Celui-ci, debout, se contorsionnait devant un miroir pour essayer de voir son dos. Il avait réussi à saisir une paire de ciseaux et tentait de sectionner les entraves qui lui liaient les poignets.

À l'arrivée de Jon, Grebner se retourna, vit le Sig, et devint pâle comme un mort.

— Le mec qui vient de passer, celui aux lunettes noires, tu te rappelles ? dit Jon. Lui, c'est le gentil.

Il arracha ses ciseaux à Grebner, lui faucha les jambes et le regarda s'écrouler sur la mosaïque.

— Regarde bien, dit-il.

Les deux hommes du jardin virent Stone s'approcher d'eux et tentèrent de s'échapper en rampant comme un couple de chenilles. L'un d'eux glapissait en serbe alors que l'autre, Jon Stone dut lui reconnaître ce mérite, se contentait de ramper.

Jon empoigna celui qui glapissait par les chevilles, le traîna jusqu'au bord de la piscine et le fit tomber à l'eau. Le deuxième avait réussi à se glisser contre le bar quand Jon le rejoignit. Lui aussi fut traîné vers la piscine et poussé dedans. Ils se débattirent comme deux poissons échoués sur la plage, suffoquant et soulevant des gerbes d'éclaboussures.

Grebner réussit à se remettre sur pied et courut vers la porte d'entrée, mais il perdit un temps considérable à tripoter le verrou, que Jon avait remis en entrant. Jon le rattrapa à la porte, le projeta à nouveau au sol, et le traîna jusqu'au salon sans effort : ce mec glissait tout seul sur la mosaïque.

— Tu as une belle baraque, au fait, dit Jon. Vue sublime, design nickel. L'architecture est mon dada.

Jon le traîna dehors et lui souleva la tête par les cheveux pour lui montrer les éclaboussures que produisaient ses hommes de main en se débattant dans l'eau.

— Tu vois ça ? Tes gars sont en train de se noyer. S'ils avaient reçu un entraînement digne de ce nom, si c'étaient de vrais tueurs d'élite, ils sauraient quoi faire. Le mec qui est venu te voir ? Les lunettes noires ? Il aurait su quoi faire, lui. Moi-même, si tu me balançais là-dedans comme ces connards, je m'en sortirais les doigts dans le nez.

Jon jeta un regard vers la piscine : il y avait de moins en moins d'éclaboussures.

— Sauf que tu n'arriverais pas à m'y balancer.

— J'ai déjà dit tout ce que je sais à l'autre, fit Grebner.

— Je sais. C'est juste que je n'avais pas envie qu'il soit le seul à s'amuser. Ça te dirait de piquer une tête ?

— Non !

Jon sourit. Il n'avait pas l'intention de le pousser dans l'eau. Son sourire s'effaça.

— Tu as un message à transmettre. Je suis juste venu m'assurer que tu le feras dans les temps. Tu tâcheras d'y penser, hein ?

— Oui !

— Je m'en doutais. Et maintenant, laisse-moi te poser une question : Jakovic a un acheteur ?

— Je ne sais pas. Michael dit que non, mais je ne sais pas.

— Parlons-en, de Michael. Pourquoi est-ce qu'il veut tellement récupérer tout ce matos lourd ?

Grebner détourna les yeux, Jon en déduisit qu'il réfléchissait. Ce n'était pas bon. Stone lui expédia son poing dans le nez. Une fois, deux fois, trois fois.

Un flot de sang jaillit des narines de Grebner.

— Les Arméniens lui ont fait une offre, dit-il. Nettement au-dessus du prix du marché. Ça peut lui rapporter gros. Plus que gros.

— C'est-à-dire ?

— Trois millions de dollars. Peut-être plus, à ce qu'il dit.

Stone laissa retomber la nuque de Grebner sur le sol. Il admira un instant le panorama, envisagea brièvement de sortir ces deux crétins de la piscine, puis décida que non. Il se contenta de tapoter le crâne de Grebner.

— Tes gars ont merdé pour de bon, ce coup-ci.

Jon ressortit de la belle villa, démonta et rangea son arme, puis reprit sa position au coin de la rue.

Il ouvrit son portable et contacta un ami bien introduit sur le marché des ventes d'armes clandestines.

— Eh, vieux ! Qu'est-ce qui se raconte sur ces AK ?

Assis derrière son volant, il attendit ensuite qu'il se passe quelque chose en se remémorant les bons moments avec Frank Meyer en terre étrangère.

33

Cole passa en revue l'historique du portable de Grebner, notant les numéros d'appels entrants et sortants sur un carnet à spirale. Quand ce fut fait, il fit réapparaître le dernier numéro entrant à l'écran et le montra à Pike. C'était celui d'une ligne fixe à indicatif 818 [1].

— C'est l'appel que tu as pris chez Grebner – la personne qui a raccroché.

— Darko ?

— Je pense. Et voici le dernier numéro d'appel sortant, en direction de la messagerie vocale, enregistré sous le nom de « Michael ».

Cole lui montra un numéro à indicatif 323 [2] puis remonta dans la liste des appels sortants.

— L'avant-dernier appel sortant correspond au même numéro, c'est celui que Grebner a passé juste avant de balancer son portable.

— C'est pour ça que je pense à Darko. Grebner venait de le contacter, donc il rappelait.

1. Préfixe téléphonique de la vallée de San Fernando.
2. Préfixe téléphonique du centre de Los Angeles.

— Regarde ça. Ce modèle d'appareil ne garde en mémoire que les vingt derniers appels entrants et sortants.

Cole orienta son carnet pour que Pike puisse lire. Il avait réparti les numéros en deux colonnes, accompagnés des dates et des heures auxquelles chaque appel avait été passé ou reçu. Une petite moitié des appels entrants étaient suivis d'un X indiquant qu'ils provenaient de numéros masqués, mais Cole avait tracé des lignes reliant trois appels sortants à trois appels entrants. Il montra du doigt les appels sortants.

— Ça, c'est Grebner appelant Darko. Tu vois les heures ?

— Oui.

Cole désigna ensuite les trois appels entrants associés.

— Et chaque fois, il a reçu un appel entrant dans les vingt minutes suivantes. Un de ces appels a été passé d'un numéro masqué, mais les deux autres provenaient du même numéro que celui que tu as intercepté à la villa.

— Darko lui a téléphoné de plusieurs endroits ?

— On dirait. Mais pourquoi s'être servi d'une ligne fixe non masquée ? Deux fois ?

— Pas de réseau, peut-être. Rien d'autre sous la main.

Cole considéra un moment la liste d'appels puis ouvrit son portable.

— Voyons ce que ça donne.

Il composa le numéro et attendit. Il attendit très long-temps et finit par couper.

— Pas de réponse. J'ai compté vingt sonneries, et *nada*. En général, ça signifie que le poste est débranché.

— Tu pourrais nous trouver l'adresse ? demanda Pike.

Ce fut chose faite deux coups de fil et douze minutes plus tard. La ligne en question était enregistrée au nom de la société Diamond SA, à Lake View Terrace, dans la vallée de San Fernando. Cole reposa son portable.

— Ça peut coller. Lake View se trouve dans les contreforts, du côté d'Angeles Crest. Les montagnes sont toujours synonymes de mauvaise couverture pour les mobiles, donc l'usage des lignes fixes y reste incontournable.

— Bon début, dit Pike. Si j'allais faire un tour à Lake View pendant que tu vois ce que tu peux encore tirer de tout ça ?

Cole remit les papiers dans son sachet de supermarché.

— Si j'essayais plutôt de retrouver Rina et Yanni ? Il y a un peu trop de contradictions dans cette histoire, et…

Ils entendirent grincer le portail extérieur, et Pike alla à la porte. Rina s'arrêta net en le voyant, une main en visière au-dessus des yeux pour se protéger du soleil. Elle portait toujours le même jean, un tee-shirt noir, et son gros sac en bandoulière.

— Vous avez trouvé quoi ?

— Où est Yanni ? demanda Pike, ignorant sa question.

Elle le contourna avec un regard noir et pénétra dans la maison. Elle déposa son gros sac sur la table en observant Cole du coin de l'œil.

— Il doit travailler pour vivre. Il n'a pas droit à des jours de congé pour aider à retrouver les enfants kidnappés.

— Où étiez-vous ? demanda Cole.

Elle retira de son sac un paquet de vêtements qui sortaient de la machine.

— À la laverie. Mes vêtements puaient.

— Vous connaissez Emile Grebner ? interrogea Pike.

— Bien sûr, je le connais. Il m'a baisée plein de fois.

Elle prononça ces mots d'un ton détaché, comme elle aurait dit que ses yeux étaient bleus ou ses cheveux noirs, et elle se mit à plier son linge dans la foulée, comme si cette réponse n'impliquait rien de particulier. Ce qui était peut-être le cas pour elle, songea Pike.

— Comment l'avez-vous connu ? demanda Cole.

— Il a une grande maison dans les collines, où il faisait venir des filles pour ses fêtes. C'était avant Michael, peu de temps après mon arrivée, je devais avoir quinze ou seize ans. Il n'aimait que les filles serbes, pas les Américaines ni les Russes. Il nous faisait confiance, on se parlait comme au pays. C'est chez lui que Michael m'a rencontrée, là-haut. Pourquoi ça vous intéresse ?

— Vous savez donc sûrement qu'il fait partie des autorités de Darko, que c'est un de ses proches collaborateurs ?

— Je viens de vous dire que je le connaissais. Vous n'écoutez pas ?

— Grebner dit que le père du bébé est Milos Jakovic, intervint Pike. Pas Darko.

Pike observa attentivement Rina pour décrypter sa réaction. Des rides profondes apparurent entre ses sourcils, comme si elle cherchait ses mots. Après un rapide coup d'œil à Cole, qui l'observait tout aussi attentivement, elle fit de nouveau face à Pike.

— C'est vous qui avez inventé ça ?

— On n'a rien inventé, dit Cole. Et vous ?

— Je vous emmerde.

Elle se tourna à nouveau vers Pike avant d'ajouter :

— C'est complètement con. Je sais qui est le père, et Michael le sait aussi. Grebner ment. Pourquoi il a dit ça ? Où est-ce que vous l'avez vu ?

— Grebner y croit, répondit Pike. Darko et Jakovic sont en guerre à cause d'une vente d'armes illégales. Des fusils automatiques. Vous savez quelque chose à ce sujet ?

— Michael déteste le vieux. Ça, je le sais, mais je n'ai jamais entendu parler du reste. Pourquoi il dirait que Michael n'est pas le père ?

— Probablement parce que Michael le lui a dit. Cet enfant n'est pas de Jakovic ?

— Non.

— Jakovic pourrait-il croire que c'est le cas ?

Rina se raidit et toisa Cole comme s'il était la lie du genre humain.

— Sa queue n'est jamais entrée en moi.

Cole rougit. Rina se retourna vers Pike, qui crut voir ses yeux s'embuer.

— C'est ça que Michael dit à ses hommes ? Que ce n'est pas lui le père ?

— Oui.

298

— Ça n'a aucun sens. Michael m'a dit qu'il voulait emmener Petar en Serbie, mais sans moi. C'est lui le père, pas ce vieil homme que je n'ai jamais vu. Et moi la mère. Petar est mon enfant.

Cole regarda Pike en fronçant les sourcils.

— Tout ça me donne mal au crâne.

Rina l'ignora.

— Il a vraiment dit que Michael racontait ces horreurs ?

— Oui.

Elle médita un instant là-dessus, et son visage se froissa ; elle semblait au fond du gouffre.

— Je ne comprends pas. Peut-être qu'il dit ça pour cacher sa honte.

Cole croisa les bras et se carra sur sa chaise, le regard distant.

— Honte que la mère de son fils soit une pute ?

— Quoi d'autre ? Les hommes sont tous des lâches. Vous feriez pareil.

— Non. Sûrement pas.

— Mon cul. Vous n'avez qu'à me mettre en cloque, et on verra si vous parlez encore comme ça après : « Voilà la mère, c'est une pute. »

Cole se contenta de soutenir son regard.

— Grebner sait où est mon fils ? demanda-t-elle à Pike.

— Non.

— Les hommes sont tellement lâches. Emmenez-moi chez lui. Je lui ferai dire.

— Il ne sait rien, mais nous avons peut-être une piste en ce qui concerne Darko. Vous avez déjà entendu parler de Diamond SA ?

— Non. C'est quoi, une bijouterie ?

— On va aller voir, dit Pike.

Rina repoussa son linge et se dirigea vers la porte.

— D'accord. Allons voir.

Pike lui bloqua le passage.

— Pas vous. Nous.

Rina se lança dans une tirade en serbe qui les accompagna jusqu'au trottoir.

— Elle dit quoi, à ton avis ? demanda Cole une fois dehors.

— Aucune idée.

— Probable que ça ne nous plairait pas.

— Non. Probable que non.

Pike laissa Cole à sa voiture et partit vers la vallée.

34

Elvis Cole

Lorsque Cole quitta la planque, il pensait à Yanni.

Janic « Yanni » Pevic était blanc comme neige. En se renseignant sur le numéro de plaque de son F-150 fourni par Pike, Cole avait appris que le véhicule était enregistré au nom d'un certain Janic Pevic. Le syndic de l'immeuble lui avait confirmé que le titulaire du bail de son appartement s'appelait aussi Janic Pevic – en précisant que M. Pevic était un excellent locataire. Cole avait ensuite contacté un ami du commissariat de Hollywood, qui lui avait dit que le casier de M. Pevic était vierge. Cole avait transmis ces informations à Joe Pike sans se donner la peine de creuser plus avant, mais il s'était mis à douter après leur visite chez Grebner.

Ils étaient désormais confrontés à deux versions différentes et incompatibles, ce qui signifiait que l'un des acteurs principaux de l'affaire mentait.

Cole monta à Studio City par Coldwater Canyon et se rendit à l'adresse de Yanni. Rina leur avait dit qu'il était au travail, mais Cole ne savait pas et ne se souciait pas particulièrement de savoir si c'était ou non la vérité. Le

F-150 n'était pas à sa place. Après s'être garé sur le parking visiteurs, Cole rejoignit à pied l'appartement.

Il commença par frapper, puis sonna. En l'absence de réponse, il crocheta la serrure et se faufila à l'intérieur.

— Hé, Yanni ! Rina est en bas, dans la voiture !

Juste au cas où.

Pas de réponse : il n'y avait personne.

Cole referma la porte à clé derrière lui et inspecta rapidement la chambre. C'était un petit appartement, un deux-pièces, mais qui donnait l'impression d'être habité, bien réel. Cole fouilla la salle de bains, les tiroirs de la commode, et regarda sous le lit. Il ne découvrit rien d'insolite ni de compromettant, rien non plus qui indiquait que Yanni avait pu mentir. Il ne trouva aucun objet à caractère personnel, ce qu'il jugea étrange – pas la moindre photo de famille, aucun souvenir, rien qui renvoie à une histoire intime. Alors qu'Ana Markovic avait conservé son album scolaire et des photos de ses amies, Yanni n'avait rien.

Cole revint au séjour et entra dans la cuisine. Le plan de travail et l'évier étaient encombrés de vaisselle sale. Cole dénicha un rouleau de sachets en plastique sous l'évier, prit un verre droit, le glissa à l'intérieur du sachet, et ressortit. Yanni Pevic n'avait pas de casier, mais peut-être Yanni Pevic était-il quelqu'un d'autre.

Cole appela John Chen de sa voiture et lui exposa la situation.

— Comment voulez-vous que je vous fasse ça en douce, avec le monde qu'il y a ici ? pleurnicha Chen.

— Vous trouverez bien une solution. J'arrive.

— Ici ? Vous venez ici ? Non, surtout pas !

— Retrouvez-moi dehors.

302

Le trajet jusqu'à la SID ne prit qu'un quart d'heure à Cole, un laps de temps que John Chen passa sans doute entièrement à poireauter devant l'immeuble. Quand Cole approcha de lui, Chen se dandinait comme un gamin pressé d'aller pisser. Il ne se détendit qu'en voyant le verre.

— Dites donc, c'est de la balle, cet échantillon.

Les empreintes digitales étaient parfaitement visibles sur les parois.

— Ouaip, fit Cole. Pas besoin de vaporiser de la colle dessus ni de vous lancer dans des trucs compliqués. Contentez-vous de me relever tout ça et de voir ce que ça donne.

— Vous voulez aussi que je vérifie du côté d'Interpol ?

— C'est ça, Interpol. Je serai dans ma voiture.

— Quoi, vous allez attendre ?

— Je vais attendre. Ça ne va pas vous prendre long-temps, hein, John ? Je vous demande juste de voir ce que ça donne.

Chen décampa. Il n'aurait qu'à déposer de la poudre dactyloscopique sur le verre, décoller les empreintes à l'aide d'un adhésif, et scanner le tout dans le système Live Scan. Quelques minutes lui suffiraient pour obtenir une touche – ou non.

De retour dans sa voiture, Cole téléphona à Sarah Manning. La fille aux mèches violettes ne lui avait pas encore fait signe, et il regrettait maintenant de ne pas avoir pris son numéro de téléphone. Son appel aboutit malheureusement sur la boîte vocale de Sarah.

— Salut, Sarah, c'est Elvis Cole. Dites, je n'ai aucune nouvelle de Lisa Topping. Pourriez-vous me rappeler pour me dire où la joindre ? Merci d'avance.

Cole lui laissa son numéro de portable et raccrocha. Il regarda l'heure. Il n'attendait que depuis huit minutes, et Chen risquait d'en avoir pour une éternité.

À défaut d'autre chose, Cole se mit à penser à Grebner. Celui-ci avait clairement fait vaciller leurs certitudes avec son histoire sur Jakovic, qui paraissait d'autant plus plausible que Rina avait volontiers admis qu'elle le connaissait. Les deux versions étaient crédibles, mais Cole savait d'expérience que les meilleurs menteurs sont toujours crédibles et que les meilleurs mensonges possèdent une grande part de vérité. Ils avaient d'un côté Grebner et sa villa de partouzeur dans les collines, et de l'autre Rina, qui prétendait avoir participé à ses fêtes avec d'autres prostituées serbes pour que Grebner et ses potes puissent se trémousser avec des filles qui leur inspiraient confiance.

À force de se demander s'il existait un moyen de démêler le vrai du faux, Cole pensa qu'il réussirait peut-être à se procurer les informations nécessaires auprès d'une autre de ces prostituées.

Il n'avait pas les rapports de police sous la main mais les dates des arrestations de Rina étaient inscrites dans son carnet. Il téléphona donc au bureau du procureur de district. Il eut affaire à trois fonctionnaires successifs et passa près de vingt minutes en ligne avant de tomber sur un interlocuteur capable de retrouver le numéro du dossier et d'identifier le procureur adjoint qui en avait eu la charge.

— Il semblerait que ce soit Elizabeth Sanchez.

— Pourrais-je savoir quel poste elle occupe actuellement et où je peux la joindre, s'il vous plaît ?

Le procureur adjoint Elizabeth Sanchez était en poste au tribunal de Playa del Rey, au sud de l'aéroport international de Los Angeles.

Cole s'attendait à tomber sur une boîte vocale, mais une voix de femme lui répondit.

— Lauren Craig.

— Excusez-moi de vous déranger. Je cherchais à joindre Elizabeth Sanchez.

— Ne quittez pas, je crois que je peux…

Cole l'entendit appeler. Il y eut ensuite des sons étouffés d'appareil qu'on repose, et une autre voix finit par s'élever au bout de la ligne :

— Liz Sanchez, j'écoute.

Cole se présenta, lui donna la date et le numéro du dossier, et expliqua qu'il avait besoin de connaître les noms des autres prostituées interpellées lors du coup de filet.

Sanchez éclata de rire.

— Ça remonte à presque six ans. J'étais encore au deuxième échelon. Vous ne pensez quand même pas sérieusement que je me souviens de leurs noms.

— J'espérais que cette histoire vous aurait marquée, vu la nature de l'opération.

— Un coup de filet des mœurs, vous dites ?

— Sur un réseau de prostitution. Les filles travaillaient pour le milieu serbe.

— Ah. D'accord, ça me dit quelque chose. Ça s'est passé du côté des studios d'enregistrement de CBS. La brigade des mœurs de Hollywood Nord avait embarqué treize ou quatorze filles. Dans le cadre d'une opération montée conjointement avec l'OCTF[1].

— C'est ça.

— Les Serbes. Oui, bien sûr. Ils avaient des appartements de passe dans plusieurs immeubles et tellement de filles autour de la piscine qu'on se serait cru à la villa du patron de *Playboy*. Que je ne connais pas, d'ailleurs.

— Exactement. J'aurais besoin de les interroger sur certains événements ayant eu lieu à l'époque.

— Ça vous dérange si je vous demande de quoi il s'agit ?

— D'un pakhan serbe, Michael Darko. Darko est à la tête du gang qui faisait travailler ces filles.

— Darko…, répéta Sanchez.

— Oui. Il avait vraisemblablement mis un de ses lieutenants à la tête du réseau, mais c'était lui le patron. Je me pose des questions à son sujet, et ces filles pourraient peut-être y répondre.

Un silence pensif tomba sur la ligne.

— Ça ne devait pas être cet homme, dit-elle. Je ne crois pas qu'il s'appelait comme ça.

Ce fut au tour de Cole d'hésiter :

— Quoi, Darko ?

— Je ne crois pas.

— Grebner, alors ?

— Attendez un peu. Les gars de l'OC n'ont pas du tout aimé la manière dont ça s'est terminé. Les flics des mœurs ont fait du bon boulot – ils ont embarqué treize prostituées – mais les costards de l'OC étaient furax. Ils

---

1. *Organized Crime Task Force*, force spéciale de lutte contre le crime organisé.

espéraient remonter jusqu'à la tête du réseau, mais aucune de ces filles n'a voulu coopérer.

— Si ce n'était pas Darko, ce devait être Grebner.

— Non. Ça me revient, il s'appelait Jakovic. C'est cet homme-là qu'ils voulaient coincer. Les filles lui appartenaient.

— Jakovic.

— C'est ça. Les gars de l'OC s'amusaient à déformer son nom. C'était tout le temps Jaduconvic, Jakop'titebite, Jenculovic, ce genre de vanne.

— Vous me dites que ces prostituées travaillaient pour Milos Jakovic ?

— Absolument. C'est même pour ça que l'OC a organisé cette descente. Ils voulaient Jakovic. On a mis treize prostituées en garde à vue, et aucune – pas une seule – ne l'a balancé.

— Merci, Liz. Merci de votre aide précieuse.

Cole raccrocha. Il contempla le ciel vide et s'étonna, pour la énième fois, de la capacité qu'avaient certaines personnes à mentir.

Son portable sonna. Il prit l'appel, d'humeur sombre et l'esprit au ralenti.

Une voix de jeune femme s'éleva à une distance infinie :

— Monsieur Cole ? Ici Lisa Topping. Sarah Manning m'a appelée. Il paraît que vous voulez me parler ?

Lisa Topping avait été la meilleure amie d'Ana Markovic, et elle savait des choses que tout le monde ignorait.

35

Après avoir repéré l'adresse de Diamond SA sur son guide Thomas, Pike cala la photo du bébé roux sur son tableau de bord et partit en direction du nord sur la Hollywood Freeway, en silence. Seuls le souffle et les grincements de sa Jeep lancée à pleine vitesse lui rappelaient qu'il roulait. Il jetait de fréquents coups d'œil au bébé. Ce gamin ne ressemblait ni à Rina, ni à Darko, mais Pike n'avait jamais été très doué pour ces choses-là. Quand il voyait un bébé, il le trouvait mignon ou pas, et celui-là ne l'était pas. Sur la seule base de cette photo, il n'aurait même pas pu deviner s'il s'agissait d'un garçon ou d'une fille. Il se demanda s'il ressemblerait un jour à Jakovic.

La Hollywood Freeway amena Pike dans le nord-est de la vallée de San Fernando, où il rattrapa la Golden State Freeway et en ressortit moins de deux kilomètres plus tard, dans un paysage plat comme la main où des bâtiments trapus montaient la garde devant des terrains vagues tapissés d'herbes sèches et de ciment craquelé. Des rangées d'immeubles anonymes bordaient les rues principales, entrecoupées de pavillons tout aussi anonymes, tous blanchis par les rayons brouillardeux du soleil et perpétuellement recouverts de poussière descendue des montagnes. Les poteaux téléphoniques au garde-à-vous au bord de la chaussée supportaient un tel enchevêtrement de câbles et de fils qu'ils semblaient tendre dans le ciel des espèces de toiles d'araignée visant à prendre au piège les habitants du coin.

Pike n'eut pas besoin de consulter à nouveau son guide : un seul coup d'œil lui suffisait pour mémoriser un itinéraire. Il contourna le parc de Hansen Dam en passant devant des pépinières, des dépôts de matériaux à ciel ouvert, et d'interminables alignements de maisons poussiéreuses et délavées. Il localisa l'entreprise Diamond SA sur un boulevard à quatre voies passant au pied de Little Tujunga Canyon, coincée entre un garde-meuble Mom's Basement et un dépôt de pierres décoratives derrière les grilles duquel des chariots élévateurs soulevaient des plaques de calcaire ou de marbre. Un gigantesque magasin de bricolage trônait juste en face, cerné par plusieurs hectares de parking accueillant quelques centaines de véhicules en stationnement. Plusieurs dizaines d'hommes basanés et trapus attendaient qu'on vienne leur proposer du travail devant les entrées de la grande surface, originaires du Mexique ou d'Amérique centrale.

Pike entra sur le parking du magasin de bricolage et cacha sa Jeep au milieu des voitures et autres camionnettes. Diamond SA était une ferraille. Un premier bâtiment de plain-pied donnait sur le boulevard, dont la façade jaune était barrée de lettres rouges hautes de deux mètres cinquante disant : ACHAT DE FERRAILLE – RECYCLAGE DE PIÈCES AUTO EN MÉTAL. L'allée de gravier qui le bordait menait à un petit parking. Au-delà de ce parking se dressait un second bâtiment, en tôle ondulée celui-là, plus vaste et construit sur deux niveaux. Celui sur rue masquait quasiment tout ce qui se trouvait derrière, Pike réussit néanmoins à voir que le terrain était encombré de vieux châssis automobiles, d'amas de tuyaux rouillés et de déchets métalliques divers. Deux voitures flambant neuves étaient garées le long du boulevard, et deux autres sur le parking à côté d'un gros camion, malgré la chaîne tendue à l'entrée de l'allée et l'écriteau FERMÉ suspendu derrière la vitre du bâtiment jaune. Pike vit un homme en chemise bleue sortir de celui-ci et traverser le parking en faisant crisser le gravier pour rejoindre le bâtiment en tôle ondulée. Arrivé devant la porte, il parla à quelqu'un que Pike ne voyait pas, jusqu'à ce qu'un deuxième individu émerge de derrière le camion. Un solide gaillard aux jambes épaisses. Tous deux rirent de quelque chose, puis Chemise bleue disparut dans le hangar. Après avoir observé un moment la circulation, l'autre regagna à pas lents sa place derrière le camion.

Tout, dans son langage corporel, trahissait le gorille. Darko ne se déplaçait vraisemblablement qu'avec des gardes du corps, et ce devait être l'un d'eux. Pike se demanda combien il pouvait y en avoir à l'intérieur et autour du bâtiment.

Il décida de ne pas rappeler le numéro de Diamond SA, même s'il avait envie de savoir où le téléphone sonnerait. Darko pouvait aussi bien être dans le bâtiment jaune que dans celui en tôle ondulée. L'assassin de Frank et de Cindy Meyer, de Frank junior, et de Joey.

— On y est presque, mec, dit-il à mi-voix.

310

Trois ouvriers latinos se détachèrent du groupe en attente devant l'entrée et traversèrent le parking dans sa direction. Ils faisaient le pied de grue depuis le début de la matinée et avaient peut-être décidé de s'accorder une pause pipi ou d'aller manger un sandwich.

Pike baissa sa vitre et leur fit signe. Il parlait très bien l'espagnol, le français et l'allemand de la rue ; il savait aussi un peu de vietnamien, un peu d'arabe, et ce qu'il fallait de swahili pour se faire comprendre de la plupart des Bantous.

— Excusez-moi, lança-t-il. Je peux vous poser une question ?

Les trois hommes se consultèrent du regard avant de s'approcher, et le plus jeune lui répondit en anglais :

— Mon cousin est un très bon maçon, il sait aussi poser des tuyaux, des charpentes. Moi, j'ai trois ans d'expérience comme peintre et plaquiste.

Ils prenaient Pike pour un entrepreneur en bâtiment.

— Désolé, mais je ne cherche pas d'ouvriers. J'ai juste une question à poser sur la boîte d'en face.

Les trois hommes suivirent son regard.

— La ferraille ?

— Oui. Je vois du monde et des voitures, et pourtant il y a cette chaîne à l'entrée. J'aurais du métal à leur vendre, mais l'écriteau dit que c'est fermé. Ça fait longtemps que c'est comme ça ?

Les trois hommes se mirent à parler en espagnol. Pike capta l'essentiel de leur conversation et en déduisit que tous trois venaient régulièrement chercher du travail ici. Il savait que le phénomène se répétait à peu près devant tous les magasins de bricolage, de peinture et de quincaillerie de Los Angeles. Les mêmes ouvriers se rassemblaient chaque jour aux mêmes endroits, où ils se faisaient embaucher par les mêmes artisans, paysagistes, et autres chefs de chantier.

Ils parvinrent à un consensus.

— Il y a du monde, répondit le plus jeune, mais la chaîne reste en place. Ça dure depuis trois ou quatre jours.

Depuis les meurtres de Westwood.

— Et avant ? La chaîne était retirée et la ferraille ouverte ?

— Oui, m'sieur. Avant, on voyait des camions qui venaient livrer ou chercher des pièces, mais ça s'est arrêté. Mon cousin et moi, on est allés là-bas l'autre jour pour voir s'ils avaient besoin de bons travailleurs, mais ils nous ont envoyés promener. Et maintenant, ils ont mis la chaîne et les camions ne viennent plus. Il n'y a plus que ces hommes et leurs belles voitures.

— Ces gens à qui vous avez parlé, ils étaient dans le bâtiment jaune ? Le bureau, je suppose ?

Les trois Latinos acquiescèrent.

— Oui, c'est là qu'ils étaient. Ils nous ont mal reçus.

— Ce type en chemise bleue en faisait partie ? Je viens de le voir passer. C'est lui qui a été grossier ?

— Ils étaient deux, et ils ont été grossiers tous les deux. On en a vu d'autres derrière, mais on n'a pas osé aller les voir.

— Des Américains ?

— Non, m'sieur. Ils avaient un accent différent.

— Encore une question. Est-ce que ces hommes s'en vont le soir ?

Ils eurent une nouvelle discussion, menée cette fois par le doyen. Le plus jeune répondit ensuite :

— On ne peut pas vous dire. Quand on n'a toujours pas de travail après le déjeuner, on s'en va, mais on arrive le matin avant sept heures et ces hommes sont déjà là. On voit leurs voitures sur le parking. Ils doivent se lever avec le soleil pour être ici avant nous.

— De belles voitures ?

— *Sí*. Très belles.

— Et il y a des allées et venues pendant la journée ?

— Pas souvent, mais ça arrive. Un homme retire la chaîne pour les laisser entrer ou sortir, mais pas souvent.

— Il y a quelquefois d'autres voitures ?

— *Sí*. Quelquefois.

— *Muchas gracias, mis amigos.*

Pike leur offrit un billet de vingt dollars pour les remercier de leur aide, mais ils le refusèrent et s'éloignèrent. Au même moment, l'homme à la chemise bleue réapparut et revint vers le bureau.

Pike envisageait de composer à nouveau le numéro pour voir si quelqu'un répondait, quand l'idée lui vint que la ferraille disposait peut-être d'une deuxième ligne. Il ouvrit son portable pour appeler les renseignements mais l'icône de réseau n'apparut pas. D'où la nécessité d'une ligne fixe.

Muni d'une poignée de pièces de vingt-cinq cents, Pike se dirigea vers le téléphone public installé près de l'entrée de la grande surface et appela les renseignements pour demander s'il existait un abonné au nom de Diamond SA, à Lake View. C'était le cas, et une voix de synthèse lui récita le numéro. Différent de celui qu'il avait.

Après en avoir pris note, Pike rappela les renseignements et demanda s'il existait plusieurs lignes au nom de Diamond SA. Cette fois, la voix de synthèse lui lut deux numéros : le second correspondait à celui qui était enregistré dans la mémoire du portable de Grebner.

Pike remit quelques pièces dans l'appareil et composa le premier numéro sans quitter le bureau des yeux.

Une voix masculine lui répondit à la deuxième sonnerie, et Pike se demanda si c'était celle de l'homme à la chemise bleue. Son accent d'Europe de l'Est était peu marqué.

— Allô ? lâcha prudemment l'homme, comme s'il n'était pas sûr de ce qu'il devait dire.

— Je suis bien chez Diamond SA ?

— Oui, mais c'est fermé.

— J'ai dix Crown Victoria à vendre. Je suis pressé de m'en débarrasser et je pourrais vous faire un bon prix. Y a-t-il quelqu'un ici avec qui je pourrais en discuter ?

— Non, désolé. C'est fermé.

— D'après l'enseigne, vous rachetez pourtant de la ferraille, et je…

L'homme raccrocha avant que Pike ait pu ajouter quoi que ce soit.

Il compta jusqu'à cent et rappela le numéro, mais, cette fois, il eut droit à un répondeur.

Pike était en train de revenir vers sa Jeep quand un Ford Explorer beige s'engagea sur l'allée de gravier, stoppa juste devant la chaîne, et klaxonna. L'homme à la chemise bleue sortit du bâtiment jaune, décrocha la chaîne, et l'Explorer alla se garer sur le parking. Une blonde boulotte et un homme en tee-shirt noir en descendirent. La femme était d'âge moyen, et ses cheveux pâles semblaient presque blancs. L'homme était plus jeune qu'elle et tout en muscles. Il souleva un pack de bouteilles d'eau sur la banquette arrière de l'Explorer pendant que la blonde récupérait un sac de provisions. L'arrivée de ces provisions et de l'eau suggéra à Pike que des gens passaient du temps à l'intérieur.

Les deux nouveaux venus se dirigeaient vers le bâtiment en tôle ondulée lorsque trois hommes en émergèrent. Le dernier à sortir leur maintint la porte ouverte, mais l'homme de tête, un balèze, marcha sur eux comme s'il avait envie de frapper cette femme qui osait se mettre sur son chemin.

Le coin de la bouche de Pike frémit.

Le balèze était Michael Darko.

36

Pike ne quitta pas Darko du regard une seule seconde pendant qu'il retraversait le parking en slalomant entre les véhicules. Focalisé sur sa cible, il n'avait d'yeux pour rien ni personne d'autre.

Il s'installa au volant de sa Jeep, baissa le pare-soleil et mit le moteur en marche. Aucun des trois hommes ne regarda en direction de l'énorme parking qui occupait l'autre côté du boulevard. Ils n'auraient rien vu de toute façon. La Jeep de Pike n'était qu'un arbre au milieu d'une forêt de plusieurs centaines de véhicules.

À l'aide de sa paire de jumelles, Pike vérifia de nouveau que le balèze était bien Darko. Il le trouva moins gras que sur la photo de Walsh – plus affûté, comme s'il avait fait de la musculation. Sa moustache avait disparu et ses cheveux étaient plus courts, mais ses yeux globuleux et ses favoris effilés restaient reconnaissables entre tous. Dans le viseur de Pike, Darko alluma une cigarette qu'il se mit presque aussitôt à agiter avec colère en faisant nerveusement les cent pas devant les deux autres.

Pike se demanda si Darko avait parlé à Grebner et s'il était sur le point de changer de repaire. Si oui, il allait devoir agir vite. Il observa les trois hommes et estima la distance qui le séparait d'eux à cent quarante mètres. À cent mètres, une balle de 357 descendait d'environ neuf centimètres par rapport à son axe de tir. À cent quarante, d'environ vingt centimètres. Pike aurait pu cibler la partie centrale de leur corps, mais il n'avait pas l'intention de tirer. Il voulait savoir où était l'enfant de Rina, et connaître la vérité sur Frank. Darko détenait la réponse à ces deux questions, et Pike était sûr de pouvoir le faire parler.

Darko jeta sa cigarette et réintégra à grands pas le bâtiment en tôle. Les deux autres le suivirent. Pike quitta le parking de la grande surface tel un client lambda, roula sur deux blocs puis rebroussa chemin jusqu'au garde-meuble, dont le terrain était séparé de la ferraille par un mur en parpaings de deux mètres cinquante.

Les clients du garde-meuble devaient franchir en voiture un portail de sécurité commandé par une carte magnétique. Au-delà de ce portail, des box s'alignaient contre le mur en parpaings comme les plateaux de tournage d'un studio de cinéma. Certains étaient longs et bas, vraisemblablement destinés à accueillir des voitures ou des bateaux, mais le plus grand, tout au fond de la propriété, était une construction en dur sur trois niveaux.

Pike fixa les étuis du Python 357 et du Kimber à sa ceinture, ôta son sweat-shirt et enfila un gilet pare-balles. Il laissa sa Jeep le long du trottoir, escalada le portail, puis remonta au trot le long des box adossés au mur mitoyen. Deux hommes d'un certain âge occupés à décharger une camionnette à plateau s'interrompirent pour le regarder passer, mais Pike les ignora. Il serait de l'autre côté du mur avant qu'ils aient pu signaler sa présence.

Une fois passé le bâtiment en tôle de la ferraille, Pike se hissa sur le toit d'un box et jeta un coup d'œil au-dessus du mur. Des amas de pièces détachées étaient disposés dans le fond du terrain telles les cases d'un échiquier, reliés entre eux par un lacis d'étroits passages – il y avait là des ailes, des toits, des capots, des coffres ; des châssis, des arbres à cames, des piles de roues vertigineuses. D'énormes bobines de câbles reposaient parmi de touffes de mauvaises herbes sèches, surgies pendant les dernières pluies et mortes juste après.

Pike ne vit ni gardes ni employés, et se déplaça le long du mur jusqu'à bénéficier d'un meilleur point de vue sur le bâtiment. La façade arrière comportait une porte simple et plusieurs fenêtres à battants, mais celles-ci n'étaient pas accessibles de l'extérieur ; quant à la porte, elle était recouverte d'une telle couche de poussière et de toiles d'araignée qu'il y avait de fortes chances qu'elle soit inutilisable. Après s'être choisi un itinéraire entre les tas de ferraille susceptibles de lui offrir une vue aussi dégagée que possible sur le flanc opposé du bâtiment, Pike sauta par-dessus le mur. Il dégaina son Python, slaloma entre les pièces automobiles et atteignit son nouveau poste d'observation.

Pike voyait maintenant le bureau jaune, une partie du parking gravillonné, la chaîne tendue en travers de l'allée d'accès, et la longue paroi latérale du bâtiment en tôle. Il y avait une série de fenêtres à l'étage, ce qui suggérait l'existence de plusieurs pièces. À proximité de l'angle arrière, une porte de garage basculante était ouverte sur un vaste atelier mécanique où se côtoyaient un pont de levage, toutes sortes d'outils et une batterie de poubelles. Sans doute l'endroit où les carcasses de voitures et de camions étaient désossées. Un homme assis dans un transat sur le seuil lisait le journal, avec deux fins cordons reliant ses oreilles à un iPod. Un fusil à pompe noir était appuyé contre le mur à côté de lui.

Pike passa plié en deux derrière un tas d'ailes criblées de hautes herbes mortes. Quand l'atelier revint dans son champ de vision, l'homme du transat était debout et parlait à un deuxième individu, qui se tenait sur le pas d'une porte située un peu plus loin. L'homme du transat ramassa son fusil à pompe et rejoignit son compagnon. Tous deux disparurent à l'intérieur.

Pike approcha rapidement du bâtiment. Il se plaqua contre le mur juste à côté de la porte de garage, jeta un coup d'œil dans l'atelier et constata qu'il était désert. Darko se trouvait soit dans une des pièces sur lesquelles donnait la porte suivante, soit à l'étage, mais Pike n'avait pas nécessairement besoin de lui. Il se serait occupé de l'homme au transat si celui-ci était resté à sa place, puis il serait passé au suivant. Un proche de Darko pouvait suffire si celui-ci était capable de lui donner les informations nécessaires.

Pike venait de franchir le seuil de l'atelier quand il entendit le petit pleurer. Un sanglot syncopé comme seuls en produisaient les bébés, surgi quelque part dans le bâtiment et résonnant de pièce en pièce. Pike crut d'abord que ce sanglot avait transpercé la porte ou les cloisons, puis il comprit qu'il provenait d'une des fenêtres de l'étage.

Il revit son plan d'action. L'objectif consistait à atteindre Darko, mais le petit était là-haut. En train de pleurer.

Pike prit sa décision.

Un escalier d'angle métallique reliait le fond de l'atelier à l'étage. Il monta.

37

L'escalier desservait un long couloir étroit courant jusqu'à l'avant du bâtiment. La première porte donnant sur ce couloir était ouverte, et les pleurs du bébé s'étaient nettement intensifiés. Une voix féminine exaspérée s'éleva soudain. Pike avait beau ne pas comprendre la langue dans laquelle elle s'exprimait, son irritation était palpable, comme si on lui avait confié une tâche dont elle ne voulait pas. Il entendit aussi des voix d'homme au fond du couloir.

Pike inspira puis entra sans bruit dans la première pièce, si discrètement que la femme ne s'en rendit pas compte.

La blonde de tout à l'heure secouait un bébé aux cheveux roux clairsemés, cherchant à lui imposer le silence. Elle faisait face à la fenêtre et tentait en vain d'attirer son attention sur quelque chose dehors. Un berceau en osier était installé contre le mur, à côté d'une petite table recouverte d'une couverture bleu ciel et d'un vieux bureau en bois. Des couches jetables et des petits pots s'entassaient sur le bureau, ainsi que des lingettes, du coton et un certain nombre d'autres accessoires.

Pike émit un léger sifflement pour attirer l'attention de la blonde. Dès qu'elle se retourna, il leva le canon de son arme en travers de ses lèvres et murmura :

— Chut.

La blonde se figea net, comme si elle avait soudain cessé de respirer, et son visage pâle vira par endroits au bleuté.

— C'est l'enfant de qui ? demanda Pike à voix basse.

— De Milos Jakovic. S'il vous plaît, ne me tuez pas. Je ne lui ai pas fait de mal. Je m'occupe de lui.

Elle croyait qu'il travaillait pour Jakovic et qu'il était venu tuer l'enfant.

— Taisez-vous. Ne bougez pas.

Le bébé tourna la tête vers Pike, et son front couleur de neige se froissa comme un mouchoir usagé. Ses cheveux roux étaient fins et rares, et ses yeux bleus un peu trop grands.

Pike contourna la blonde pour jeter un coup d'œil par la fenêtre. Quatre mètres environ les séparaient du sol. L'impact équivaudrait à celui d'un atterrissage en parachute brutal, mais Pike était capable d'effectuer ce saut avec le petit dans les bras. Il était capable d'amortir le choc et de repasser ensuite par-dessus le mur mitoyen.

Il rengaina son Python. Il s'apprêtait à ouvrir la fenêtre lorsqu'un piétinement se rapprocha dans le couloir. L'homme qui avait tiré le gorille de son transat apparut sur le seuil et le vit.

Il poussa un cri ; il était encore en train de sortir un pistolet quand Pike lui écrasa le larynx et lui brisa les cervicales.

La blonde appelait au secours par la fenêtre et le bébé se mit à hurler lui aussi, écarlate. Pike la ramena en arrière en lui tirant les cheveux, mais il n'eut pas besoin de lui arracher le petit : elle le lui fourra dans les bras et s'enfuit en trébuchant vers le couloir. Pike retourna à la fenêtre avec le bébé ; dehors, trois hommes couraient déjà vers eux, l'un d'eux montrant la fenêtre du doigt.

Pike recula, écouta. Il entendit des pas, des voix, une porte claquer, mais rien dans l'escalier. Ils devaient être en train de parler à la blonde. Ils allaient passer quelques instants à tenter de découvrir qui il était, s'il était seul, puis ils viendraient. Quelques-uns resteraient dehors pour surveiller la fenêtre pendant que d'autres monteraient par l'escalier situé à l'avant du bâtiment, et d'autres encore par celui de l'atelier. Ensuite, ils attaqueraient.

Le bébé hurlait, lançant de grands coups de pied, serrant ses petits poings pour se battre. Des larmes débordaient de ses paupières serrées.

Pike le souleva pour qu'ils soient face à face.

— Petit gars.

Les hurlements cessèrent et les yeux bleus s'entrouvrirent, furieux.

La séquence de combat rapproché promettait d'être acharnée et bruyante ; Pike songea qu'il devait protéger les tympans du bébé. Il repéra le coton sur le bureau, en fit deux petites boules et lui en introduisit une dans chaque oreille. L'enfant résista comme un diable et se remit à hurler encore plus fort qu'avant.

— Ça va faire du bruit, petit gars. Accroche-toi.

Pike entendit du mouvement à l'avant du bâtiment et comprit que le combat était imminent. Ils avaient l'intention de le tuer : il n'était donc pas question de rester là avec le petit. Pike prit une couverture sur le berceau, enveloppa le bébé dedans et ouvrit un des tiroirs du bureau. Après l'avoir vidé de ses vieux dossiers, il déposa le petit à l'intérieur. Celui-ci cessa illico de pleurer.

— Ça te va ?

Le bébé cligna des yeux.

— Bien.

Pike referma le tiroir et courut à la porte. Il devait maintenant y avoir des tireurs dans les deux cages d'escalier, prêts à lancer leur offensive. Ils avaient dû entendre la blonde et mettre au point un plan quelconque, persuadés d'avoir pris Pike au piège. Ils se trompaient. Ce fut lui qui attaqua.

Pike se jeta sur la porte de la cage d'escalier la plus proche et l'arracha à ses gonds comme une charge explosive. Les deux hommes postés à mi-étage, totalement pris au dépourvu, ne réagirent pas assez vite. Pike les abattit coup sur coup d'une balle dans leur centre de gravité et entendit des cris monter de l'atelier.

Pike ne descendit pas, car c'était ce à quoi s'attendaient ceux du rez-de-chaussée. Ils devaient avoir leurs armes braquées sur la porte du bas de la cage d'escalier, pensant que Pike allait tenter une sortie en force. Les hommes postés dans l'autre escalier allaient probablement s'avancer, sûrs de pouvoir le piéger.

Mauvais calcul. Pike était déjà reparti.

Il n'eut pas besoin de réfléchir à tout cela, c'était déjà fait. Il savait comment les choses se passeraient avant d'installer le bébé dans le tiroir. Il jouait avec dix coups d'avance.

Blam, blam, deux de moins, et Pike remonta quatre à quatre. Il était prêt, tapi sur le seuil, quand la porte s'ouvrit à l'autre bout du couloir sur deux gorilles en train de charger. Pike abattit le premier et l'autre se replia illico, refermant la porte d'un coup de pied et laissant geindre son camarade. Pike expédia trois balles dans la porte pour le dissuader de la rouvrir, déverrouilla le barillet de son Python et engagea une chargette rapide. Il ne prit pas le temps de souffler et ne vérifia pas non plus l'état de l'homme à terre. Il traversa la chambre du bébé plié en deux et sauta par la fenêtre. Les trois hommes aperçus tout à l'heure n'étaient plus dehors, attirés à l'intérieur par les coups de feu et les cris.

Pike atterrit sur le sable et se mit à courir : toujours être en mouvement, le mouvement était tout. Les hommes à l'intérieur devaient être déboussolés. Ils ne savaient ni où il se trouvait, ni même à combien de personnes ils avaient affaire, et Pike allait leur remettre un coup de pression.

Il entra à nouveau dans l'atelier mécanique ; quatre individus étaient agglutinés au pied de l'escalier, les yeux et les armes braqués sur la porte. Pike descendit le plus proche d'une balle dans le dos, courut se mettre à couvert derrière un établi, et en descendit un deuxième. Les deux autres ressortirent ventre à terre, en expédiant à l'aveuglette une grêle de balles dans les murs et le plafond. Pike entendit leurs cris s'éloigner, suivis du mugissement d'une voiture en marche arrière.

Un petit couloir reliait l'atelier à l'avant du bâtiment. Pike l'emprunta tandis que s'élevaient d'autres bruits de moteur ; il déboucha dans une pièce encombrée d'étagères métalliques, dont la porte donnant sur l'extérieur était ouverte. Il s'accorda une première pause ; ayant constaté que le silence régnait, il s'avança vers la porte. Le parking était vide. Darko et sa clique avaient pris la poudre d'escampette.

Pike trouva le deuxième escalier et remonta prestement à l'étage. Il enjamba le cadavre affalé en haut des marches et se rapprocha des hurlements. Il emprunta le couloir avec circonspection, en s'arrêtant sur chaque seuil pour jeter un coup d'œil à l'intérieur des pièces. Revenu là où tout avait commencé, il rengaina son revolver et ouvrit le tiroir.

Le bébé semblait fou de rage. Ses poings battaient l'air, ses jambes minuscules lançaient des ruades sauvages, et sa frimousse écarlate ruisselait de larmes.

— Ça va ?

Il le souleva et le blottit contre son torse. Il lui déboucha les oreilles. Pleurs et cris cessèrent. Le bébé se laissa aller contre lui. Pike lui caressa le dos.

— Ça va aller, petit gars. Je suis là.

Pike revint à l'avant du bâtiment, descendit l'escalier, et entra dans la pièce aux étagères. Quelqu'un avait certainement alerté la police, qui n'allait pas tarder à débarquer.

Il n'était plus qu'à un mètre cinquante de la porte extérieure lorsque Rina Markovic surgit de l'atelier. Elle tenait à la main son petit pistolet noir, mais ce furent ses yeux qui la trahirent, et Pike comprit instantanément qu'il avait face à lui une tueuse travaillant pour Jakovic. Des yeux froids et inexpressifs, comme ceux d'un poisson sur un lit de glace.

— Vous l'avez retrouvé, dit-elle. Bravo. C'est bien Petar. Il a Petar, Yanni !

Dans un crissement de gravier, Yanni entra par l'autre porte en marmonnant quelque chose en serbe. Armé d'un pistolet qui trouva Pike aussi vite que si la bouche de son canon était un œil.

Pike comprit que sa seule chance était d'agir tout de suite, dans la seconde à venir, avant qu'ils aient eu le temps de l'exécuter. Il se mit aussitôt en mouvement.

Il tendit la main vers le Python tout en pivotant sur sa gauche pour protéger le bébé de son corps. Il s'attendait à prendre au moins deux balles dans le dos avant de pouvoir riposter ; soit son gilet le sauverait, soit non. Si ces deux premières balles ne l'envoyaient pas au tapis, il se sentait capable de les battre, même blessé.

Pike n'entendit pas la détonation, mais l'impact de la balle de Yanni dans son dos le fit tituber comme un crochet balancé par un poids lourd. Pike réussit tout de même à dégainer son arme ; pendant qu'il se retournait, Jon Stone apparut sur le seuil. Jon flanqua un coup de M4 sur la tête de Yanni, qui s'effondra pendant que Cole se ruait sur Rina par-derrière, lui arrachait son pistolet et la plaquait au sol. Lui aussi avait l'arme au poing et le regard halluciné.

— Tu vas bien ? demanda-t-il.

Pike baissa les yeux vers le petit, qui hurlait à s'en retourner les boyaux.

Petar était en pleine forme.

— On va bien.

— Foutons le camp d'ici, suggéra Stone.

QUATRIÈME PARTIE

Gardien

38

Ils ligotèrent Yanni et Rina à l'aide de liens en plastique puis les poussèrent jusqu'aux voitures, pressés de lever le camp avant l'arrivée des flics. Pike portait le petit, qui hurlait comme un damné. Rina aussi.

— Ce n'est pas ce que vous croyez ! Petar est à moi ! J'essayais de le sauver, et…

— Bouclez-la.

Le Range Rover de Stone les attendait au parking. Ils chargèrent Yanni dans le coffre. Cole poussa Rina sur la banquette arrière et grimpa à sa suite.

— On monte dans le canyon, dit Pike. Angeles Crest. Jon ?

— Je sais où c'est.

Cole tendit les mains vers le bébé.

— Passe-le-moi, je vais le tenir.

— Je le garde.

— Tu seras seul dans ta voiture, Joe. Comment feras-tu pour conduire ?

— Allez-y.

Stone démarra sur les chapeaux de roues avant même que la portière soit refermée, dans une gerbe de gravier et de poussière.

Pike sprinta jusqu'à sa Jeep, rejoignit le flot du trafic et vit les gyrophares approcher au moment où il accélérait en direction des montagnes sous le regard médusé des deux petits vieux du garde-meuble. Trois voitures du bureau du shérif lancées à pleine vitesse le dépassèrent cinq cents mètres plus loin, et Pike se rangea sagement sur la droite comme tout le monde. Le petit hurlait toujours, terrorisé, et Pike eut pitié de lui. Il le repositionna sur son épaule et lui tapota le dos.

— Ne t'inquiète pas, petit gars. Ça va bien se passer.

Ils passèrent sous la Foothill Freeway puis montèrent jusqu'au Little Tujunga Wash. La route serpentait ensuite un certain temps au fond du ravin, et quelque chose dans les mouvements de balancier du véhicule apaisa le petit. Il souleva sa grosse tête pour regarder autour de lui.

Après dix kilomètres d'ascension dans le canyon, Pike bifurqua sur un chemin gravillonné. Il connaissait la distance parce qu'il avait effectué ce trajet des dizaines de fois, montant jusqu'au milieu de nulle part pour tester des armes à feu réparées ou fabriquées par ses soins. Il parcourut encore quatre kilomètres sur les gravillons, atteignit le sommet d'un mamelon en pente douce, et retrouva le Rover de Stone sur le replat qui occupait l'autre versant de la crête. Stone et Cole étaient déjà descendus de voiture. Yanni était à plat ventre sur le sol et Rina assise en tailleur près de lui, les poignets toujours liés dans le dos.

Pike vira au ralenti en direction du Rover ; ses pneus firent crisser la rocaille et les milliers de douilles vides qui jonchaient le sol. Peut-être y en avait-il des centaines de milliers, ou même des millions. La plupart étaient là depuis si longtemps que leur cuivre jadis rutilant avait viré au noir.

Cole approcha au moment où Pike descendait avec le petit, et le gratifia d'un sourire crispé.

— On pourrait se reconvertir dans le baby-sitting. J'ai entendu dire que ça gagnait bien.

— Il a du coffre.

Le bébé cambra le dos et se tordit le cou pour voir Cole. Celui-ci agita les doigts et se fendit d'une espèce de grimace, la bouche en cul-de-poule.

— Il est mignon.

Le bébé lâcha un pet.

Pike regarda brièvement Rina puis, baissant le ton :

— C'est sa mère ?

— Rien de ce qu'elle nous a dit n'est vrai. Ils bossent pour Jakovic. Je ne sais pas qui sont les parents de ce petit, mais elle n'est certainement pas sa mère. Peut-être que Grebner disait la vérité.

— Darko n'est pas le père ?

— Tout ce que je sais, c'est que Rina n'est pas la mère. Ana a confié à sa meilleure amie, une certaine Lisa Topping, que Rina ne pouvait pas avoir d'enfants à cause des coups de couteau qu'elle avait reçus. Ce qui explique sans doute son attitude tellement protectrice avec sa petite sœur. C'est la seule partie vraie de son histoire.

Pike maintint les yeux fixés sur Rina pendant que Cole lui racontait ce qu'il savait et comment il l'avait appris. Rina leur avait dit la vérité sur Ana et leurs relations, et son activité de prostituée, à ceci près qu'elle travaillait pour Jakovic, pas pour Darko. Elle avait menti sur à peu près tout le reste, et bien : elle avait mêlé des vérités à ses mensonges, comme tous les bonimenteurs de talent. Pike indiqua Yanni de la tête :

— Et lui ?

— Simo Karadivic de son vrai nom, originaire de Vitez. La ville natale de Jakovic. Yanni, ici présent – Karadivic, donc –, est une des autorités de Jakovic. Il a été arrêté trois fois à Vitez, et deux autres sous sa véritable identité depuis son installation à Los Angeles. C'est pour ça que je n'ai rien trouvé sur lui quand je me suis renseigné. Janic Pevic n'existe pas.

Pike comprit que la route était encore longue avant que le petit soit hors de danger. Tout ce qu'il avait cru savoir jusque-là se révélait faux, en dehors du fait que Darko et Jakovic se haïssaient et qu'ils étaient prêts à assassiner un enfant de dix mois au nom de cette haine. Pike sentit qu'il y avait peut-être moyen de se servir de cela et caressa le dos du petit.

— Il s'appelle vraiment Petar ?

— Je n'en sais rien.

Pike se tourna vers Rina et Yanni. Les genoux de Rina tremblaient comme si un feu intérieur lui consumait les entrailles. Yanni avait la tête basse, ce qui lui donnait un air somnolent, mais ses yeux faisaient constamment la navette entre Pike, Stone et Cole comme des furets luisants dans un tunnel obscur. Ils avaient peur. C'était une bonne chose. Pike voulait qu'ils aient peur.

Le petit tressaillit et, quelques secondes plus tard, une mauvaise odeur monta aux narines de Pike.

— Il vient de salir sa couche.

— Comment tu sais ça ?

— Je l'ai senti faire. Et ça pue.

Pike réfléchit un instant avant d'ajouter :

— Il va falloir acheter quelques trucs pour lui. Il faut aussi qu'on lui donne à manger. Il aura bientôt la dalle.

Cole revint se placer au beau milieu du champ de vision de Pike, s'interposant entre Rina, Yanni et lui.

— Tu es sérieux ? On ne peut pas garder ce gosse, Joe.

— Je vais le garder jusqu'à ce qu'il ne risque plus rien.

— Je connais quelqu'un à la direction de la Petite Enfance. Je vais l'appeler.

— Quand il ne risquera plus rien.

Pike tendit le bébé à Cole.

— Occupe-toi de lui, d'accord ? Il pourrait prendre froid. Achète tout ce dont il a besoin, je te retrouve chez toi un peu plus tard. Tu n'as qu'à prendre ma Jeep. Je repars avec Jon.

Cole jeta un coup d'œil à Yanni et Rina, et Pike devina son inquiétude.

— Qu'est-ce que tu vas faire d'eux ?

— Les utiliser.

— Pour ?

— Rencontrer Jakovic. J'ai quelque chose qui l'intéresse.

Cole observa un moment Pike et lui prit le bébé. Pike les regarda partir et ne bougea pas jusqu'à ce que la Jeep ait disparu. Pike tenait à ce que Cole soit loin ; dès que ce fut le cas, il s'avança vers ses prisonniers. En le voyant saisir le bras droit de Yanni, Stone arriva en renfort, et tous deux remirent le géant en position assise. Yanni fuyait leur regard, mais Rina redressa les épaules.

— Vous vous trompez, dit-elle. Petar est à moi. Pourquoi vous nous attachez comme ça ?

Pike ne répondit pas. C'était inutile. Il avait croisé la route de tant de gens capables des pires atrocités que rien de cet ordre ne le touchait plus. Cette femme n'aurait pas hésité à assassiner le petit. Ce Jakovic lui en avait probablement donné l'ordre, et Darko ne valait pas mieux. Tous étaient capables de commettre ce geste terrible.

Pike s'étira le dos. La balle de Yanni lui avait fait mal. Elle lui avait peut-être fêlé une côte.

— De qui est cet enfant ?

— De moi !

— Non.

— Je dis la vérité. Qu'est-ce qui vous prend ? Pourquoi vous nous traitez comme ça ?

Stone enfonça le canon de son M4 dans le dos de Yanni.

— Peut-être parce que ce connard lui a tiré dessus.

— C'est une erreur. Il a paniqué.

Pike fixa Yanni.

— Vous m'avez tiré dessus par erreur, Simo ?

Yanni tiqua à la mention de son véritable prénom.

— J'ai paniqué. Qui est ce Simo ?

— Un homme de Milos Jakovic. Né à Vitez.

— Ce n'est pas moi.

— Vos empreintes ont été relevées, Simo. On sait tout.

Rina donna de la voix :

— Je ne sais pas pourquoi vous dites ça ! Je suis la mère de…

Pike dégaina son 357, le colla contre la tempe de Yanni, et pressa la détente. La détonation roula jusqu'aux collines voisines comme un bang supersonique. Rina fit un bond de côté en hurlant, mais Yanni s'écroula en silence.

— Oups, dit Jon Stone.

Pike réarma le chien mais n'eut pas besoin d'interroger à nouveau Rina. Les mots lui sortirent de la bouche comme un torrent de lave.

— Non, non, non, non… ce n'est pas mon enfant, c'est celui de Milos. C'est pour ça que Darko l'a enlevé. Je vous jure !

— Vous travaillez pour Jakovic ?

— Oui !

— Jakovic est son père ?

— Non, non ! Son grand-père ! Le grand-père du bébé !

Ces gens mentaient tellement qu'ils ne se souvenaient peut-être même plus de la vérité.

— Qui est son père ?

— Il est mort ! En Serbie ! L'enfant est là parce qu'il n'a plus personne. Sa mère aussi est morte.

Rina leur débita sa nouvelle histoire à toute allure, et cette fois, Pike la crut. Le fils unique de Jakovic avait été incarcéré à quarante-deux ans dans une prison serbe. Petar avait été conçu au parloir, et sa mère était morte en couches. Deux mois plus tard, son père – Stevan – avait été assassiné dans sa cellule par un Bosno-Croate condamné pour le massacre de soixante-deux Bosniaques musulmans au camp de détention de Luka. Suite à ce drame, Petar Jakovic était devenu le seul héritier mâle encore en vie du vieux parrain, qui l'avait fait venir aux États-Unis.

— Quand Milos a appris ce que Michael préparait, ajouta Rina, il nous a chargés de cacher le bébé, Yanni et moi, et je l'ai confié à Ana. Mais ça n'a pas suffi pour empêcher Michael de l'enlever. Milos nous a donné l'ordre de retrouver le petit et de leur faire comprendre.

D'assassiner son petit-fils pour leur faire comprendre.

Stone cracha dans le sable.

— Grand-père de mes couilles. Vous voulez que je vous dise ? Je vais lui faire sauter le caisson, à ce fumier. Je vais le crever à coups de lame.

Pike fit le point sur ce qu'il avait et sur les objectifs qu'il lui restait à atteindre. Assurer la sécurité du petit. Punir l'homme qui avait tué Frank. Retrouver trois mille armes de combat. Dans cet ordre-là.

— Où est Jakovic ? Où est-il en ce moment ?

— Sur son bateau. Il a un bateau.

— Où ça ?

— La marina.

— Vous pouvez le joindre ? L'appeler ?

— Oui ! Il n'est pas comme Michael. Il ne se cache pas.

Pike la releva sans ménagement et trancha ses entraves.

— Bon. On va aller le voir.

— Et pas qu'un peu, fit Stone.

Pike la poussa vers le Rover. Il détenait maintenant quelque chose que les deux hommes voulaient, et un plan commençait à prendre forme.

39

Le long trajet d'Angeles Crest à Marina del Rey laissa à Pike le temps de découvrir ce que savait Jakovic : Rina avait parlé de lui au vieux parrain, de ses liens avec Frank Meyer et de ses intentions. Pike estima que c'était une bonne chose. Le fait que Jakovic soit au parfum rendrait son approche plus crédible, surtout avec ce qu'avait appris Stone sur les armes.

— Il sait que j'ai débusqué Darko à la ferraille ?

— Oui, dit Rina. Je lui ai dit après votre départ.

— Il sait que Yanni et vous m'avez suivi ?

— Oui. C'est lui qui nous a dit de le faire.

Cela signifiait que Jakovic se demandait ce qui s'était passé et qu'il s'attendait à ce que Rina le rappelle. Vu le temps écoulé, il devait commencer à penser que quelque chose avait peut-être mal tourné, mais cela aussi était positif.

Les tours résidentielles qui bordaient la marina gagnaient en hauteur au fil de leur approche ; à leur sortie de l'autoroute, ils contournèrent le port de plaisance en longeant une succession de restaurants, de magasins de yachts et de luxueuses tours en verre fumé.

Rina ne connaissait pas le nom du yacht de Jakovic, mais elle savait où le trouver.

— Montrez-le-moi, dit Pike.

— Comment ça ? On est dehors, et lui dedans. Il faudrait qu'on nous laisse entrer.

Si la marina était entourée de restaurants et d'hôtels accessibles au public, l'accès aux quais était défendu par un système de hautes grilles, de portails électriques et de caméras de surveillance. Les allées aménagées à l'extérieur des grilles permettaient aux visiteurs d'admirer les bateaux, mais il fallait être muni d'une clé ou d'un code pour aller au-delà. Rina les guida jusqu'à l'extrémité opposée du port de plaisance, dans une presqu'île tout en longueur que bordaient d'un côté des yachts et de l'autre des immeubles. La pointe de la presqu'île était occupée par un hôtel.

— Il est derrière l'hôtel, dit Rina. Avec les gros yachts.

Stone s'avança sur le parking de l'établissement pour leur permettre de voir le quai. Rina passa les bateaux en revue et finit par tendre l'index.

— Celui-là. Le bleu. Tout au bout, vous voyez ? Bleu foncé.

Stone fronça les sourcils en découvrant le yacht.

— Non, mais vous avez vu dans quoi il vit, cet enfoiré de mes deux ? Je vous coulerais ça aussi sec, putain. Il se retrouverait au fond en trois coups de cuiller à pot.

Pike estima la longueur du yacht à vingt-cinq mètres. Tout en acier et fibre de verre, il possédait une coque bleu marine et plusieurs ponts crème. Les bateaux étaient rangés en fonction de leur taille, et

340

comme celui-là faisait partie des plus longs, il était proche de l'extrémité du quai, la proue face au chenal. Il n'y avait pas âme qui vive sur le pont du yacht de Jakovic, mais Pike dénombra au moins sept personnes en train de s'affairer sur les bateaux voisins. La présence de témoins était une bonne chose.

— Ramenez-nous au portail, Jon.

Quand ils y furent, Pike rendit son portable à Rina. Il lui avait déjà expliqué quoi dire et comment le dire.

— Souvenez-vous : vous resterez en vie aussi longtemps que vous m'aiderez.

Rina passa l'appel.

— C'est moi. Il faut que je lui parle.

Au bout de presque trois minutes d'attente, elle hocha la tête. Le vieil homme venait d'arriver en ligne.

— Non, dit-elle, on ne l'a pas. Non, Michael non plus. C'est Pike qui a le bébé. Oui, il l'a repris à Michael, mais Michael s'est enfui. Il faut m'écouter…

Pike entendit des éclats de voix masculine. Rina dut hausser le ton pour se faire entendre.

— On est au portail, Milos. Il est là. Pike.

Elle le regarda.

— Il est assis à côté de moi. Il veut vous voir.

Elle détourna les yeux.

— Je ne peux pas… Si je parle en serbe, il me tuera.

Elle regarda de nouveau Pike.

— Yanni est mort.

Pike prit le téléphone.

— Je l'ai buté. Et je buterai aussi Michael Darko, mais j'ai besoin de votre aide.

La ligne resta muette de longues secondes, puis la voix masculine s'éleva de nouveau :

— Attendez devant le portail. On va vous ouvrir.

Pendant que Pike descendait du Rover, Stone lui dit :

— Coulez-moi cette merde. Envoyez-la par le fond.

Ainsi parlait Jon Stone.

Pike patientait devant le portail depuis moins de trente secondes lorsqu'il entendit la gâche électrique cliqueter. Il poussa la grille, descendit la longue rampe menant au quai et s'engagea sur le ponton des yachts. Le ciel commençait à rougeoyer mais la lumière de l'après-midi demeurait éclatante, et il y avait du monde sur les ponts.

Deux gorilles l'attendaient à bord du yacht, l'un sur le pont arrière et l'autre un peu plus bas, au pied d'une volée de marches menant à une petite plate-forme en surplomb de la poupe. Tous deux portaient une chemise Tommy Bahama et étaient empâtés, ce qui ne les empêchait pas d'avoir l'air de vrais durs, avec leurs mines fermées et leurs regards noirs. Pike décida qu'il ne risquerait pas grand-chose tant qu'il resterait sur le pont, à découvert. Personne n'oserait appuyer sur la détente avec tous ces gens autour, et Pike savait que ces deux gaillards ne seraient pas capables de le battre à mains nues, même à deux.

Un homme dégarni qui paraissait avoir plus de soixante-dix ans était assis derrière une petite table ronde sur le pont supérieur. Lui aussi avait dû être massif, mais sa peau commençait à pendouiller comme un tissu distendu. Quand Pike s'arrêta devant la poupe du yacht, il lui fit signe d'embarquer.

— Montez. Voyons si ce que vous avez à me dire peut m'intéresser.

Son accent était peu prononcé. Sans doute parce qu'il vivait en Amérique depuis longtemps.

Pike monta à bord. Le gorille de la plate-forme voulut le fouiller, mais Pike repoussa sa main.

— Je ne suis pas là pour flinguer. Sinon, je ne vous aurais pas prévenus.

— Venez. Ça va.

Pike grimpa sur le pont supérieur mais ne s'assit pas à la table de Milos Jakovic et n'y fut pas invité. Derrière le vieil homme, un salon se devinait derrière une baie vitrée coulissante. À l'intérieur, une jeune femme regardait la télévision. Nue.

— Bon, dit Jakovic. Allons-y. Qu'est-ce que vous avez contre Michael Darko, et pourquoi est-ce que je devrais vous aider ?

— Trois mille kalachnikovs.

Jakovic tapota le bord de la table. Pendant quelques secondes, son index fut la seule partie de son corps qui bougea. *Tap, tap, tap.* Il secoua la tête.

— Je ne vois pas de quoi vous parlez. C'est une plaisanterie, ou quoi ?

Il craignait que Pike ne porte un micro. Pike écarta les bras, paumes ouvertes.

— Il faut qu'on parle franchement. Faites-moi fouiller par votre gars.

Jakovic s'accorda un temps de réflexion, puis contourna la table, vint se planter juste devant Pike et le fouilla lui-même.

— Un sur ma hanche droite, lui dit Pike, et l'autre sur ma cheville gauche. Vous pouvez les toucher, mais si jamais vous essayez d'en sortir un, je vous tue avec.

Jakovic se pencha sur lui, encore plus près. Il sentait le cigare.

— Vous êtes gonflé de venir me dire ça sur mon bateau.

Toujours aussi proche, Jakovic promena ses mains sur et sous les vêtements de Pike. Il lui palpa les aisselles, la colonne vertébrale et l'intérieur du pantalon. Une fouille approfondie. Quand il toucha les parties génitales de Pike, celui-ci ne broncha pas. Il descendit le long de ses jambes, inspecta ses chaussures et finit par regagner la table.

— D'accord, dit-il. On peut parler franchement.

— Vous savez pourquoi je vais tuer Michael Darko ?

— Votre ami.

— Oui. Mon ami et moi avons travaillé ensemble pour des sociétés militaires privées. Vous comprenez ? Des soldats professionnels.

— Je sais. La fille m'a dit ça.

— Mon ami vous a-t-il aidé à acheter ces armes ?

La question qui brûlait les lèvres de Pike.

— Je ne savais rien de cet homme. À part que la sœur de Rina travaillait pour lui. C'est tout.

— Il vous a aidé à les vendre ?

— Non. Je viens de vous le dire, non. Je ne connaissais pas ces gens. Même pas de nom.

Pike ne montra pas son soulagement. Frank avait les mains propres. Les avait toujours eues et les aurait toujours.

— Ça ne m'étonne pas. S'il vous avait aidé, vous auriez un acheteur.

Jakovic s'efforça de paraître offensé.

— J'en ai plusieurs.

— Si vous aviez un acheteur, ces armes ne seraient plus là, et Darko n'essaierait pas de vous doubler. Vous avez besoin d'un acheteur, mais vous ne connaissez rien au marché des armes. Je suis disposé à vous les acheter, et je cherche à éliminer Darko. Je peux le tuer pour vous ou vous le livrer pour que vous fassiez un exemple, comme vous voudrez.

Milos Jakovic s'éclaircit la gorge. Il se massa la paupière puis s'éclaircit à nouveau la gorge.

— Je ne m'attendais pas à ça.

— Non. J'en sais sûrement plus que vous sur ces armes. Elles ont été volées par des pirates indonésiens sur un cargo de Kowloon qui faisait route vers Pyongyang. Elles sont neuves, entièrement automatiques et toujours dans leur emballage d'origine, mais elles ne seront pas faciles à écouler vu la façon dont elles ont atterri sur le marché.

Jakovic parut irrité.

— Comment vous savez tout ça ?

— Vous êtes un amateur dans ce domaine. Je suis un professionnel. Les Nord-Coréens ont envie de récupérer ces AK mais ils refusent de payer pour – ils considéreraient ça comme une rançon. Les Chinois aussi veulent les avoir, mais ils tueront ceux qui les ont volés et ils ont déjà fait savoir qu'ils considéreront tout acheteur éventuel comme un complice. Vous ne tenez sûrement pas à voir les Chinois débarquer ici.

Jakovic fit la moue : il devait être en train de s'imaginer une invasion chinoise dans la marina.

345

— Je suis prêt à vous les acheter, reprit Pike. Si vous acceptez, je vous offre Darko et votre petit-fils en prime.

— À quel niveau se situe votre offre ?

— Trois mille armes, cinq cents dollars pièce, ça fait un million cinq, mais seulement si elles sont entièrement automatiques, sans trace de rouille ni de corrosion. Je les vérifierai une par une – pas trois ou quatre, les trois mille. S'il manque des culasses ou des récepteurs, je vous les achèterai quand même, mais avec une remise.

Pas un instant Pike ne détourna les yeux ; il récita son offre d'un ton aussi professionnel que possible.

— Ce n'est pas assez.

— Vous n'en tirerez jamais autant. Et je vous sers Darko sur un plateau en prime.

Jakovic s'humecta à nouveau les lèvres, signe que le vieil homme réfléchissait. Tout en étant désormais convaincu que Pike savait de quoi il parlait, il avait peur. Cette offre le surprenait, mais il était dans une situation suffisamment difficile pour l'étudier.

— Vous avez l'argent ?

— Je peux l'avoir demain à la même heure. Je vous apporterai la moitié de la somme d'avance. Vous aurez le solde à la livraison.

Jakovic croisa les bras, sur la défensive mais tenté de se laisser convaincre.

— Et Michael ? Vous comptez me le livrer comment ?

— Lui aussi veut ces AK. Si vous faites affaire avec moi, je vous amènerai Darko quand je viendrai prendre livraison.

Jakovic réfléchit encore longtemps avant de se décider.

— Laissez-moi votre numéro de téléphone. Vous aurez ma réponse demain.

— Ne traînez pas trop. Je ne pourrai retirer le cash que pendant les heures ouvrables.

Pike lui donna son numéro de portable puis quitta le yacht sans un regard en arrière. Il franchit le portail en sens inverse et remonta dans le Rover.

Stone paraissait déçu.

— Je n'ai rien entendu exploser.

Pike garda un instant le silence, songeant toujours à Jakovic et à la façon dont son plan évoluait. C'était une des règles d'or du combat : tous les plans de bataille étaient appelés à changer, et le vainqueur était en général celui qui avait imposé les changements.

— Tu pourrais me dégoter un AK chinois ? demanda Pike. Neuf, encore sous emballage ?

— Comme ceux qu'ils essaient de fourguer ? Bien sûr. Les AK, ce n'est pas ça qui manque.

— Il faut qu'il soit chinois. Pas un truc modifié. Une vraie arme de combat.

Stone haussa les épaules.

— Je connais un mec qui connaît un mec.

— Appelle-le. Et retournons voir Grebner.

Stone passa son coup de fil en conduisant.

40

Il n'y avait qu'un seul garde du corps cette fois-ci, un petit homme musculeux qui leur ouvrit la porte de Grebner d'un air renfrogné et n'eut pas le temps d'en placer une. Pike l'étrangla, le désarma, puis l'entraîna au fond de la maison. Il trouva Emile Grebner aux toilettes. Pike obligea le garde du corps à se mettre à plat ventre et ordonna à Grebner de rester assis sur le trône. On ne bouge jamais très vite quand on a le pantalon au niveau des chevilles.

— Appelle Darko, dit Pike. J'ai le petit, maintenant, ça change la donne.

— Pourquoi ?

— Je tiens Milos Jakovic, donc je tiens ses fusils. Je suis prêt à vendre Jakovic à Darko contre un tiers de ces armes – deux mille pour lui, mille pour moi.

— Vendre Jakovic ? Qu'est-ce que vous dites ?

— Je dis que si Darko et moi arrivons à surmonter notre désaccord, Darko sera en mesure d'éliminer la concurrence. J'ai inscrit mon numéro de portable sur la mosaïque de ton salon. Dis-lui de m'appeler.

— Vous les avez, ces fusils ?

— Dis à Darko de m'appeler. S'il ne le fait pas, Jakovic les vendra à quelqu'un d'autre, et ton chef pourra dire adieu à son deal avec les Arméniens.

Pike quitta la villa et résuma la situation à Stone pendant qu'ils repartaient chez Cole. Sa Jeep et la Corvette de Cole étaient garées côte à côte sous l'auvent du garage. Ils laissèrent le Rover en travers de l'allée, bloquant les deux véhicules, et Pike entra en tête par la cuisine. Stone tenait Rina comme si celle-ci avait l'intention de s'enfuir.

Cole avait le petit dans ses bras et regardait un reportage sur les Lakers à la télévision. Il n'avait pas lésiné sur les emplettes en leur absence. Des petits pots. Des couches et des lotions, une cuiller spéciale nourrisson. Pike découvrit tout ce matériel en pénétrant dans la cuisine.

Cole se leva en les voyant arriver et haussa les sourcils : il s'attendait à voir quatre personnes, et Yanni n'était pas là.

— Je l'ai buté, dit Pike.

— J'ai besoin d'aller aux toilettes, dit Rina.

— Jon ?

Stone l'escorta à la salle de bains. Il entra avec elle et laissa la porte ouverte. Elle ne protesta pas.

Cole approcha de son ami. Le petit tourna sa grosse tête, vit Pike, et sourit. Il battit des mains, ravi.

— C'est toi qu'il veut, dit Cole.

Pike prit le petit et le serra contre sa poitrine.

— Qu'est-ce qui s'est passé ? demanda Cole, baissant la voix pour ne pas être entendu de Rina.

Pike lui exposa ce qu'il croyait désormais être la vérité, et décrivit le piège qu'il était en train de tendre à Jakovic et Darko.

— Je vais devoir appeler Walsh, ajouta-t-il. Le 4 × 4 de Yanni est resté à Lake View, donc les flics vont savoir qu'il était sur place. Dès que l'identification des macabs de la ferraille leur permettra de faire le lien avec la mafia de l'Est, elle va sortir le grand jeu. Je vais avoir besoin qu'elle me couvre et qu'elle m'aide à réussir mon coup.

— Je ne suis pas sûr qu'elle soit partante pour une guerre des gangs.

— Elle est partante pour récupérer trois mille armes de guerre. Elle les aura, avec l'assassin de son agent infiltré en prime.

Pike chatouilla le petit. Celui-ci éclata de rire puis lui ôta ses lunettes noires. La dernière personne à l'avoir fait avait écopé d'un séjour de trois semaines à l'hôpital. Le petit agita les lunettes comme un hochet.

— Et le gosse ? s'enquit Cole.

Pike le chatouilla de nouveau et se laissa donner quelques coups de poing. Il était fasciné par ses yeux. Il se demanda ce que voyait ce petit d'homme et pourquoi cela lui procurait tant de plaisir.

— Il a besoin que quelqu'un s'occupe de lui.

— Toi ?

— Pas moi, mais quelqu'un. Tout le monde a besoin de quelqu'un.

— Même toi ?

Pike dévisagea un moment son ami et récupéra ses lunettes en douceur. Il ne les remit pas. Le petit semblait le préférer sans elles.

Après avoir menotté Rina au cadre du lit de la chambre d'amis, ils improvisèrent un berceau de fortune dans le salon. Le petit n'apprécia pas la nourriture achetée par Cole, et ils lui firent des œufs brouillés qui lui plurent énormément.

Pike téléphona à Kelly Walsh à 21 h 10 ce soir-là, mais resta vague. Il lui annonça qu'il saurait bientôt où étaient les armes et promit de la rappeler le lendemain. Son véritable but était de s'assurer qu'il pourrait la joindre au cas où il aurait des nouvelles de Jakovic ou de Darko. Si l'un ou l'autre mordait à l'hameçon, il devrait agir vite et aurait besoin que Walsh fasse de même.

Plus tard, Cole sortit courir, laissant Pike et Stone avec le petit. Celui-ci rampa un moment sur le sol, mais se fatigua vite et redevint grognon. Pike le prit dans ses bras ; il s'endormit au bout de quelques minutes. Pike avait gardé son portable sur lui, mais personne n'appela.

Stone prit une cuite et finit par s'endormir à même le sol. Pike le réveilla et lui dit d'aller dans sa voiture. Il ne voulait pas que ses ronflements réveillent le petit.

— Faut que j'aille voir ce mec, marmonna Stone, à demi comateux.

Cole revint une heure plus tard et offrit de prendre le relais, au cas où Pike souhaiterait aller courir à son tour, mais le petit dormait encore sur son épaule et Pike ne voulut pas le déranger.

Cole éteignit et monta prendre une douche sous les combles. Quelques minutes après, Pike l'entendit se mettre au lit, et la dernière lampe s'éteignit. Toujours immobile, il écouta le silence recouvrir la maison.

Peu après deux heures du matin, une fine couche de nuages masqua la pleine lune, emplissant le salon d'une lueur bleutée. Pike, toujours debout, tenait le bébé depuis presque trois heures, et ni l'un ni l'autre ne bougeait. Puis, l'enfant tressaillit et Pike pensa qu'il rêvait peut-être. Il fit entendre une espèce de miaulement et se mit à ruer comme s'il était sur le point de hurler.

— Je suis là, petit gars, dit Pike.

L'enfant s'éveilla, arqua le dos, et vit que Pike l'observait. Il le fixa comme s'il n'avait jamais vu d'yeux de sa vie, contemplant l'un, puis l'autre, comme si chacun d'eux offrait un spectacle unique et fascinant.

— Ça va mieux ?

L'enfant baissa la tête et se remit bientôt à ronfler doucement.

Pike ne bougeait toujours pas.

Le petit corps était compact et chaud. Pike sentait son cœur battre, rapide et délicat, et sa poitrine se soulever au rythme de son souffle. Tenir une vie minuscule dans ses bras lui faisait du bien.

Pike regarda les ombres de la nuit glisser dans le canyon.

Le petit s'agita à nouveau, soupira et rouvrit les yeux.

— Coucou, fit Pike.

Le petit sourit. Il battit des mains et des jambes, tout excité.

— C'est ça.

Le bébé tendit une main vers Pike, les doigts écartés.

Du bout de l'index, Pike toucha le centre de sa petite paume. La main du bébé se referma dessus.

Pike agita l'index, juste un peu, et le petit, sans lâcher prise, gazouilla avec un sourire béat, comme s'il s'agissait d'un jouet merveilleux.

Pike agita de nouveau l'index, et l'enfant gazouilla de plus belle. Pike comprit qu'il riait. Il lui serrait le doigt et il riait.

— Tu ne risques plus rien, petit gars, chuchota Pike. Je ne les laisserai pas te faire de mal.

Le bébé rua. Pike s'assit et le garda toute la nuit dans ses bras, jusqu'à ce qu'une lumière dorée effleure le monde.

41

Plus tard ce matin-là, peu après que le soleil eut décollé de l'horizon, Jon Stone regagna sans bruit la maison de Cole. D'un signe du pouce, il indiqua à Pike qu'il avait le fusil. Pike coucha le bébé dans son berceau improvisé et suivit Stone à l'extérieur. Le bébé ne broncha pas.

Stone le mena à l'arrière du Rover.

— Du vrai de vrai, mon vieux. Chinois, pas russe. Ça sort du four.

Stone souleva le hayon, ce qui permit à Pike de voir un carton de forme allongée sur lequel étaient inscrits des caractères chinois. Stone l'ouvrit. Le fusil était emballé dans une feuille de plastique graisseux. Stone l'en dégagea et la reposa sur le carton.

— Jamais tiré. Le lubrifiant de l'usine est encore dessus.

Un lubrifiant de synthèse sentant la pêche trop mûre avait été pulvérisé sur le fusil, dont le fût et la crosse en bois orange vif étaient poisseux. Les Russes avaient adopté les crosses en polymère, mais les Chinois continuaient de les fabriquer en bois. Pike ouvrit la culasse mobile pour inspecter le récepteur et le percuteur. Tous deux étaient impeccables.

— Tu vois ? fit Stone. Même pas une éraflure, mec. Il est nickel.

Pike actionna plusieurs fois la culasse. Elle aussi était poisseuse. Il fallait tirer un bon millier de balles avec ces engins avant qu'ils s'assouplissent, mais ils étaient quasi indestructibles. Il replaça l'arme dans son emballage et l'emballage à l'intérieur du carton, qui contenait en outre un chargeur de trente balles, lui aussi sous plastique.

— Bon boulot, Jon. C'est parfait.

Après avoir mis le carton dans la Jeep de Pike, les deux hommes regagnèrent la maison.

Michael Darko téléphona à 7 h 10. Le bébé et Stone dormaient, Cole était allé voir comment allait Rina. Pike exécutait une série de pompes quand son portable vibra.

— Pike.

— Ça fait quatre jours que vous essayez de me tuer. Pourquoi est-ce que je devrais vous parler ?

— Trois millions de dollars.

— Qu'est-ce que vous racontez ?

— Vous et moi, on veut ces armes.

— Je les veux. Le reste, je m'en fous.

— Vous ne pouvez pas les avoir. Moi si. Jakovic a accepté mon offre et vous, vous avez un acheteur.

Darko hésita.

— Vous mentez.

— Non, je ne mens pas, mais j'ai besoin de vous pour que ça se fasse. C'est ce qui m'a obligé à reconsidérer nos relations.

— Vous me prenez pour un con.

— J'ai son petit-fils. Ça ne vous a avancé à rien de l'enlever parce qu'il vous hait. Moi, il ne me hait pas. Je l'ai rencontré hier sur son yacht, pour voir les AK. Je les ai vus et on s'est mis d'accord. Ils sont à moi.

Nouvelle hésitation.

— Vous avez vu les AK ?

— J'ai un échantillon. Il me l'a donné quand on a conclu le deal, mais il y a moyen de gagner encore plus gros. Je vous montrerai ça. Hollywood Boulevard, devant le Musso & Frank Gril, dans une heure. Sur le trottoir, à la vue de tous, pour notre sécurité à tous les deux. Vous reconnaîtrez ma Jeep.

Pike coupa. Il savait qu'il n'y avait rien à ajouter pour convaincre Darko : le mafieux serbe allait devoir se convaincre lui-même. Soit il viendrait, soit il ne viendrait pas.

Cole arriva dans le salon au moment où il refermait son portable. Pike lui expliqua ce qu'il comptait faire et Cole proposa de l'accompagner, mais il déclina son offre :

— J'aurai besoin de ton aide plus tard, mais pas maintenant. Occupe-toi plutôt du petit. Et laisse Jon se reposer un peu. J'en ai pour quelques minutes.

Pike savait qu'il aurait dû accepter l'aide de Cole, mais il tenait à être seul lorsqu'il ferait face à Darko. Peu lui importait le nombre d'hommes que le truand amènerait, et peu lui importait de savoir si Darko tenterait ou non de l'abattre ; Pike ne voulait aucune compagnie. Il comprit plus tard que c'était parce qu'il n'avait pas encore entièrement décidé à ce moment-là s'il tuerait ou non le Serbe, en dépit de l'accord passé avec

Walsh. Il tenait à ce que rien ne vienne troubler la pureté de ses sentiments et de sa décision.

Hollywood n'était qu'à quelques minutes. Pike descendit par le canyon et atteignit le Musso en moins de dix minutes. Le flot des banlieusards commençait à s'épaissir, mais la circulation restait relativement fluide sur Hollywood Boulevard, et la plupart des places de stationnement payant étaient libres. Il se gara devant le restaurant sous un jacaranda, baissa ses vitres, et attendit.

Vingt minutes plus tard, un jeune homme bien bâti et mal rasé émergea au coin de la rue et marcha dans sa direction. Un piéton parmi d'autres, sinon qu'il ne quittait pas la Jeep des yeux. Le jeune homme passa à sa hauteur en cherchant à voir s'il y avait quelqu'un d'autre que lui à l'intérieur. Pike le regarda s'éloigner dans son rétroviseur. Le jeune homme tourna au premier coin de rue. Peu après, il réapparut dans le rétroviseur de Pike, flanqué d'un deuxième homme. Ils s'arrêtèrent sur le trottoir et passèrent plusieurs minutes à balayer du regard les passants, les véhicules en stationnement, et Pike. Au terme de ce manège, le jeune homme mal rasé sortit un portable. Pike le vit parler. Il rangea son téléphone, se remit en marche et approcha de la Jeep comme si elle était radioactive. Son comparse resta planté au coin de la rue.

Parvenu à la hauteur de sa portière, le jeune homme regarda Pike.

— Qu'est-ce que vous attendez pour descendre ? Venez avec moi sur le trottoir.

Pike descendit et rejoignit l'homme.

Quelques minutes plus tard, Michael Darko arriva au coin de la rue. Pike l'avait déjà vu à Lake View Terrace, mais ce n'était pas pareil. Il s'agissait cette fois d'une rencontre plus personnelle, plus réelle. Pike fut satisfait de voir qu'il était venu seul.

Il fixa longuement l'homme qui avait envoyé Earvin Williams et sa bande à l'assaut de la maison de Frank Meyer. Le pistolet de cet homme avait tué Ana Markovic et craché une des trois balles qui avaient coûté la vie à Frank. Il avait sous les yeux le responsable de la mort de Frank, de Cindy, de Frank junior et de Joey. Pike ne ressentit pas grand-chose en pensant cela. Il n'était ni en colère ni empli de haine. Il se sentait plutôt dans la peau d'un observateur. Pike savait qu'il aurait pu tuer ces trois hommes à coups de revolver en moins d'une seconde. Il aurait aussi pu les tuer de ses mains, quoique en un peu plus de temps. Il attendit l'arrivée de Darko pour faire un geste vers la Jeep.

— À l'arrière. Jetez un œil.

— Ouvrez vous-même.

Pike s'exécuta et fit pivoter le carton, de manière à ce que Darko voie bien les idéogrammes. Il souleva le couvercle et laissa ensuite l'arme parler d'elle-même. Le Serbe se pencha en avant mais ne la toucha pas. L'odeur du lubrifiant était intense.

Darko finit par se redresser.

— Bon. Il est d'accord pour vous les vendre, et vous, vous m'appelez.

— Il veut du cash. Je ne l'ai pas.

— Ah.

— Je les aurai à cinq cents dollars pièce – ce qui fait un million cinq. De votre côté, vous avez des acheteurs prêts à les acheter mille – les Arméniens.

— Mais vous n'avez pas de quoi payer.

— Non. Il veut la moitié de la somme avant de me les montrer. Sept cent cinquante mille. C'est ce qui m'a fait penser à vous. Vous les avez peut-être, mais il ne veut pas traiter avec vous. Donc on s'associe.

— Je n'ai pas envie de m'associer avec vous.

— Moi non plus, mais les affaires sont les affaires. C'est pour ça que je vous offre une prime.

— Jakovic.

— Quand Jakovic aura vu l'argent, il m'amènera là où se trouvent les armes, et tout sera au même endroit, les armes, l'argent et lui. Si on s'associe, vous y serez aussi, sauf qu'il n'en saura rien. À partir de là, vous pourrez résoudre votre problème, on gardera la totalité de la somme, et il n'y aura plus d'autre pakhan que vous.

— Bref, vous proposez qu'on lui vole les armes.

— Ça représenterait une belle économie pour nous deux.

À la façon dont Darko le dévisageait, Pike sut qu'il était tenté par son offre.

— Et votre ami ?

— Il me manquera, mais trois millions de dollars, dont un tiers pour moi, ça fait tout de même un million. Et je ne suis pas obligé de vous porter dans mon cœur.

— Je vais réfléchir.

— C'est oui ou c'est non. Si c'est non, je trouverai un autre associé. Peut-être vos collègues d'Odessa.

Une ombre d'irritation passa sur les traits de Darko, mais il hocha la tête.

— D'accord. Appelez-moi quand vous serez prêt. J'aurai l'argent.

Darko fit signe à ses hommes et s'en alla sans un mot de plus.

Pike referma le hayon de sa Jeep et les suivit des yeux. Il avait vaguement conscience de la présence des gardes du corps de Darko, mais ils étaient aussi insignifiants pour lui qu'une pensée passagère. Il resta concentré sur Darko. C'était lui le responsable, et Pike avait maintenant une obligation envers Frank. Cette obligation existait parce qu'ils s'étaient toujours couverts l'un l'autre et avaient toujours su que leurs coéquipiers viendraient les ramasser s'ils tombaient. On ne laissait jamais personne sur le carreau, d'où il s'ensuivait que l'obligation en question allait bien au-delà de la logique et de la rationalité. C'était une obligation faite aux vivants qui se perpétuait dans la mort. Pike avait longuement médité sur ces questions et conclu que c'était une affaire d'équilibre karmique.

Il laissa donc Darko repartir. Il éprouva une pointe de regret en songeant à l'accord qu'il avait passé avec Walsh, mais peut-être avait-il encore plus besoin de son aide que de tuer cet homme.

Il remonta dans sa Jeep et appela Walsh en s'éloignant sur le boulevard.

— Il faut que je vous voie.

— Une Jeep Cherokee rouge a été repérée hier en train de quitter une ferraille de Lake View Terrace. C'était vous ?

— Oui.

— Putain, vous avez tué cinq personnes là-haut ?

— Six. J'ai besoin de sept cent cinquante mille dollars.

— Qu'est-ce que vous foutez, bordel de merde ?

— J'ai rencontré Jakovic. Je viens de quitter Darko. Vous voulez ces armes, oui ou non ?

— Vous les avez rencontrés ? En vrai ?

— Vous voulez ces armes ?

Pike était à Hollywood, elle à Glendale. Ils firent chacun la moitié du chemin et se retrouvèrent sur un parking de Silver Lake, au bord de Sunset Boulevard. Pike arriva le premier et attendit dans sa Jeep qu'elle entre à son tour sur le parking. Elle conduisait une Accord gris métallisé. Son véhicule personnel. Il la rejoignit à pied et prit place dans le fauteuil passager de l'Accord. L'agitation qu'il avait sentie dans sa voix au téléphone n'était plus de mise. Elle semblait calme et distante.

— Vous êtes dans une merde noire, Pike. Les flics ont envie de vous arrêter, et ils me reprochent de les avoir impliqués dans ce bordel. Vous pouvez m'expliquer comment ces six personnes sont mortes ?

— Ils retenaient le petit-fils de Milos Jakovic en otage. Maintenant, c'est moi qui l'ai.

— Je vous demande pardon ?

Pike lui parla de Petar Jakovic, de Rina, de Yanni et du reste. Walsh n'était au courant de rien.

— Frank n'a joué aucun rôle dans cette vente d'armes, conclut-il. Jakovic me l'a dit lui-même. Frank et sa famille sont des victimes collatérales. Darko a attaqué la maison à cause de la fille au pair.

— Ana Markovic ? Vous me dites que tous ces gens ont été assassinés à cause d'une fille au pair de vingt ans ?

— Sa grande sœur lui avait confié le petit-fils de Jakovic pour le mettre à l'abri de Darko, mais Darko l'a retrouvé quand même. Il croyait pouvoir se servir du gosse pour imposer ses conditions à Jakovic. Il s'est trompé.

— Quel âge a cet enfant ?

— Dix mois. Un bébé.

— Et où est-il en ce moment ?

— Avec moi. Darko le faisait garder à la ferraille, mais maintenant c'est moi qui l'ai.

Walsh s'humecta les lèvres et crispa les mâchoires. Comme si la vague d'informations à traiter était en train de l'emporter trop haut, trop loin et trop vite pour lui laisser reprendre son souffle.

— Bon, dit-elle en hochant la tête. Je vous écoute.

— Jakovic veut Darko. Darko veut les armes. J'ai quelque chose qu'ils veulent l'un et l'autre, et je m'en sers pour les piéger. Je pense pouvoir les réunir autour des armes.

— Comment ?

— Jakovic croit que je vais les lui acheter, et Darko croit qu'on va les lui voler. Chacun croit que je vais doubler l'autre.

— Merde, Pike, vous êtes shooté à l'adrénaline, ou quoi ? C'est censé se passer quand ?

— En fin de journée. Darko est partant. J'attends des nouvelles de Jakovic. Mais j'ai besoin de trois choses pour que ça fonctionne.

— Dites toujours.

— Je ne sais pas si c'est possible. Je veux dire, même si je le voulais, je ne suis pas sûre du tout que ce soit légal.

— Je me fiche de savoir si c'est légal. Je veux juste que ce soit fait.

Walsh exhala un soupir. Son ongle tapotait la console centrale avec une régularité de métronome. Elle finit par acquiescer.

— J'ai intérêt à m'y mettre tout de suite.

Pike récupéra sa Jeep et retourna chez Cole. Cole, Stone et lui passèrent le restant de la matinée à préparer leur matériel. Les choses risquaient de s'enchaîner très vite après le top départ, et le top départ eut lieu à midi moins dix.

Le portable de Pike vibra ; cette fois, c'était Jakovic.

— Vous avez l'argent ?

— Je peux l'avoir dans quatre heures.

— Cash ?

— Oui. Cash.

— Et Michael. Je veux Michael.

— Si j'ai les armes, vous aurez Michael.

— Oui. Je l'aurai.

— On se retrouve où ?

— Ici. Sur le bateau.

Dès qu'ils furent d'accord sur l'heure, Pike coupa et appela Walsh.

— C'est parti.

— Je n'ai pas travaillé seul. Pour les personnes qui m'ont aidé, il me faut des garanties. Écrites. Pour moi aussi. Écrites. Certifiant que la justice renonce à toutes les poursuites susceptibles de résulter de nos actions dans le cadre de cette affaire, passées ou à venir.

— Cela ne constituera en aucun cas un permis de tuer.

— Je n'ai pas fini. J'ai aussi besoin de sept cent cinquante mille dollars, et il me les faut d'ici quelques heures. Darko a promis d'avancer l'argent mais il peut encore se défiler. Si c'est le cas, j'aurai toujours la possibilité de piéger Jakovic, mais il est impératif qu'il voie les billets.

— Bordel. Sept cent cinquante mille dollars ?

— Si je ne lui montre pas le cash, il ne me montrera pas les armes.

Elle hocha lentement la tête.

— OK. Je comprends. Je devrais pouvoir arranger ça.

— Encore une chose. J'ai le petit. Vous allez devoir lui obtenir un faux extrait de naissance et un statut de citoyen des États-Unis à part entière pour que je puisse ensuite le confier à une famille de mon choix. Ce placement ne laissera aucune trace officielle, que ce soit au niveau de l'État ou de l'administration fédérale. Aucun document d'état civil ne devra permettre à sa famille biologique de le retrouver.

Cette requête inspira à Walsh un silence encore plus long que lorsqu'il avait demandé des garanties écrites. Elle secoua la tête.

363

42

Walsh et quatre agents du Bureau de l'alcool, du tabac et des armes à feu se présentèrent chez Cole une heure plus tard. Deux d'entre restèrent autour des voitures, mais deux agents de sexe masculin entrèrent avec Walsh – un Latino à l'air dur, Paul Rodriguez, et un grand échalas du nom de Steve Hurwitz. Hurwitz portait une combinaison vert olive du Special Response Team, le groupe d'intervention spéciale de l'ATF, sorte d'équivalent du SWAT. Ils se déployèrent prudemment, presque suspicieusement, dans le salon de Cole, comme s'ils s'attendaient à voir quelqu'un surgir d'un placard. Jon Stone avait rapporté de chez lui une grosse boîte pleine de matériel de surveillance, et Cole l'assistait dans ses réglages. Il avait troqué sa chemise contre un gilet pare-balles. Pike ne pouvait pas leur reprocher de vouloir prendre des précautions, surtout au vu des sommes en jeu.

Sept cent cinquante mille dollars en espèces ne prenaient pas une place énorme. Le tout aurait tenu dans quatre boîtes à chaussures.

Walsh transportait la somme dans un sac de sport à bandoulière. Un sac plus petit que Pike ne l'aurait cru, mais dont la démarche de Walsh trahissait le poids.

Elle le hissa sur la table du coin salle à manger et l'ouvrit. Pike comprit alors pourquoi le sac était petit : les billets étaient en liasses comprimées sous vide dans du plastique transparent.

— Il n'y a pas que du vrai, dit-elle. On a mis un demi-million en fausse monnaie récupérée chez un narco.

— Et si Jakovic vérifie ? demanda Cole.

Hurwitz éclata de rire.

— Vous n'aurez plus qu'à partir en courant.

Walsh plaça un formulaire sur la table et tendit un stylo à Pike.

— Il va falloir me signer un reçu. Ne vous en servez que si Darko n'apporte pas sa part. C'est tout ce que j'ai pu faire dans un délai aussi court. Allez, signez, et mettons ça au point. J'ai beaucoup de monde à coordonner.

— Vous ne pensez pas qu'il voudra compter ? insista Cole.

— Arrêtez de jouer au con.

Pike signa puis repoussa le formulaire.

— Où est la sœur de la nounou ? demanda Walsh.

Cole alla chercher Rina dans la chambre d'amis. Son visage était tout fripé, encore plus livide que la veille. Rodriguez lui signifia son arrestation pendant que Cole sectionnait ses entraves en plastique. L'agent la retourna immédiatement et lui mit une paire de menottes. Hurwitz répéta en serbe tout ce que lui disait Rodriguez.

— Faites-en ce que vous voudrez, commenta Pike, mais elle nous a aidés sur la fin.

— Sympa. Si elle continue au moment de témoigner, ça lui rapportera peut-être quelque chose.

Rina chercha le regard de Pike pendant que Rodriguez l'entraînait vers la sortie et lui lança en serbe quelque chose qu'il ne comprit pas.

Hurwitz se tourna vers lui.

— Vous comprenez le serbe ?

— Non.

— Elle vous souhaite d'y arriver pour Ana.

Walsh afficha une mine agacée, comme s'ils étaient en train de perdre du temps.

— Et le bébé ? Où est-il ?

— En lieu sûr.

Elle faillit dire quelque chose, mais secoua la tête et se ravisa.

— Bah, oubliez ça. Venons-en au fait. Comment est-ce que ça va se passer ?

— Jon, dit Pike.

Stone montra aux flics un minuscule objet qui ressemblait au mouchard découvert sous la Jeep de Pike.

— Vous vous souvenez de ça ?

Walsh s'empourpra.

— Ce n'est pas le même, reprit Stone. Le truc que vous avez mis sur sa Jeep est parti à la poubelle. Celui-ci est à moi. En céramique, transmission numérique par paquets, zéro signal radio, indétectable par les scanners d'aéroport et autres. Mieux que le vôtre.

L'agent du SRT s'esclaffa.

— Mais ma bite est plus longue.

Stone l'ignora.

— Un sur Pike, un sur Cole – ils feront le voyage ensemble – et un sur leur véhicule, la Jeep de Pike. La réception se fera via le répéteur de mon ordinateur portable. Je peux vous envoyer le logiciel à télécharger par e-mail et vous installer un répéteur esclave, si vous voulez.

Hurwitz alla à la porte et lança à un des agents restés dehors :

— Carlos ? Ramène-toi, vieux. On a un truc technique à voir avec toi.

L'agent rappliqua au trot et se mit aussitôt à dialoguer avec Stone. Pike détailla son plan et la façon dont il avait prévu de réunir Jakovic et Darko là où se trouvaient les kalachnikovs. Walsh et ses hommes n'auraient qu'à suivre le mouvement puis à intervenir dès que la présence des armes serait avérée.

— Et pour Darko ? demanda-t-elle.

— Elvis et moi devons le retrouver à Venice. On lui a proposé un point de rendez-vous proche de la marina.

Walsh se tourna vers Cole.

— À deux ?

— Il risque d'amener du monde, répondit Pike. Ça fera meilleure impression si je fais pareil.

— Je suis son monde, précisa Cole en se montrant du doigt.

— Il croit qu'on vient chercher le fric, poursuivit Pike. En fait, on y va surtout pour lui remettre ça.

Stone leur montra un localisateur de poche.

— Il croit que ça va lui servir à suivre Joe et Elvis jusqu'aux armes, mais ça va surtout nous permettre de le suivre lui. Vous aussi, vous pourrez savoir où, quand vous aurez téléchargé le logiciel.

Carlos sourit largement.

— Ça me plaît.

— Si je comprends bien, dit Hurwitz, Venice sera notre point de départ ?

— On y va juste pour retrouver Darko. Ensuite, direction la marina. C'est plutôt là que se situera le vrai point de départ.

— Quant au point d'arrivée, ajouta Walsh, on ne le connaît pas. Jakovic doit les emmener jusqu'aux armes.

— S'ils y vont en bateau, on est baisés.

Hurwitz ne semblait pas enthousiaste. Il haussa tout de même les épaules.

— D'accord. Si je comprends bien, on leur file le train et on prépare le coup de filet. Ça, on sait faire.

Ils passèrent l'heure suivante à peaufiner leur plan et à régler leur matériel. Stone téléchargea son logiciel sur l'ordinateur portable de Carlos puis équipa Pike et Cole de leurs mouchards – dans les cheveux pour Cole, sous la boucle de ceinturon pour Pike. Pendant ce temps, Walsh et Hurwitz donnèrent de multiples coups de fil pour coordonner l'équipe tactique du SRT et les six agents spéciaux appelés en renfort.

À 12 h 45, les agents partirent pour Venice, où se trouvait leur point de rassemblement. Walsh fut la dernière à s'en aller. Elle attendit que tous les autres soient sortis pour attirer Pike à l'écart.

— Personne n'a apprécié ce qui s'est passé à Lake View, mec. Je me demande vraiment ce que vous essayiez de faire.

— Je vous l'ai dit.

— N'oubliez pas – à partir du moment où on envoie la sauce, Michael Darko est à moi.

À 13 heures pile, Pike et Cole montèrent dans la Jeep et descendirent des collines. Stone était déjà parti. Cole émit un soupir exagéré.

— Enfin… Un peu de temps pour papa et papa.

Pike ne répondit pas. Il pensait au petit. Ils l'avaient laissé chez la voisine de Cole, Grace Gonzalez, et il se demandait comment il allait.

Michael Darko les attendait au bout de Market Street, à Venice. Bordée de places de stationnement en épi, la rue se terminait face à la promenade en bois, à deux pas du Sidewalk Café. Cole avait suggéré cette adresse parce que les pizzas y étaient bonnes, et Darko avait accepté parce que l'endroit grouillait de touristes, d'artistes de rue et de gens du coin.

Deux grosses BMW noires et un Cadillac Escalade également noir étaient serrés les uns contre les autres devant le café, occupant presque tout l'espace disponible.

— Ces mecs ne connaissent pas d'autre couleur que le noir, ma parole, observa Cole.

Pike s'arrêta à la hauteur des BMW et descendit de la Jeep. Cole resta à l'intérieur. Pendant qu'il descendait, les portières des deux BMW s'ouvrirent ; Darko et trois de ses hommes en sortirent.

Darko vrilla ses yeux sur Cole.

— Qui c'est, celui-là ?

— Il va m'aider à vérifier les fusils. Jakovic est prévenu.

Pike remit à Darko le localisateur de poche et lui expliqua son fonctionnement. Un cercle lumineux vert était visible sur le plan affiché à l'écran.

— Ça vous permettra de nous suivre à distance. Vous voyez ce cercle ? C'est nous. Ne nous serrez pas de trop près, Jakovic pourrait vous repérer. Restez en retrait. Avec ce truc, vous ne risquez pas de nous perdre.

Darko et deux de ses hommes se lancèrent alors dans une conversation autour de l'appareil à laquelle Pike ne comprit rien, puis Darko ouvrit une des portières arrière de la BMW la plus proche. Il en sortit un sac de sport nettement plus volumineux que celui que leur avait apporté Walsh.

— Le fric. Vous pouvez vérifier.

Le sac était bourré de liasses de billets de cent. Pike ne se fatigua pas à les compter.

— Pas la peine. Vous récupérerez tout ça quand on aura les armes.

Darko sourit et adressa un clin d'œil à ses potes.

— Si ça marche, peut-être qu'on refera des affaires ensemble, vous et moi.

— Ça m'étonnerait, lâcha Pike.

Darko resta pensif.

— Dites-moi un truc, fit-il. Comment est-ce que vous aviez prévu de me livrer à Jakovic ?

— Je lui ai dit que vous vous attendiez à ce que je vous vende les armes. Je lui ai dit que j'allais vous fixer rendez-vous et que ses hommes n'auraient qu'à vous descendre à votre arrivée.

Pike mima un pistolet avec sa main, le pointa sur Darko et appuya sur la détente.

Darko parut se rendre compte de ce que Pike venait de dire et balaya lentement du regard les bâtiments environnants.

— On ferait mieux d'y aller, conclut Pike. Il nous attend.

Pike remonta dans sa Jeep et mit le cap sur la marina.

43

Pike les voyait dans son rétroviseur, à huit ou dix voitures de distance : les trois gros véhicules noirs roulaient presque à touche-touche, comme un train de marchandises.

Cole téléphona à Jon Stone et les lui décrivit.

— Deux BM et un Escalade, tous noirs. Ça capte bien ?

Cole écouta une minute puis referma son portable.

— Il les reçoit. Il nous reçoit. Il va transmettre à Walsh.

Ils descendirent vers le sud le long de la plage puis repiquèrent dans les terres sur Washington afin d'entrer dans Marina del Rey par Palawan Way. Ce n'était pas bien loin, et ils furent vite sur place. Le SRT et les équipes d'agents spéciaux s'étaient postés de part et d'autre de Palawan Way, à l'extérieur de la marina. Au moins un véhicule du SRT avait pris position de l'autre côté des grilles, sur la presqu'île, mais Pike ne se donna pas la peine de le chercher des yeux : sans doute ne l'aurait-il pas trouvé.

Il s'engagea sur Palawan, roula jusqu'à l'hôtel qui se dressait au bout de la langue de terre et se gara exactement au même endroit que la veille.

— Prêt ? demanda-t-il à Cole.

— Oui.

Pike appela Walsh :

— On est au portail.

— On vous voit, Pike.

— Je l'appelle.

Pike mit fin à la communication et téléphona à Jakovic. Une voix d'homme qui n'était pas la sienne répondit.

— Ici Pike. Pour M. Jakovic.

Pike s'attendait à ce qu'on lui ouvre le portail, mais ce ne fut pas le cas.

— On arrive, dit la voix.

Cinq minutes plus tard, Milos Jakovic et ses deux gardes du corps franchirent le portail à pied. Jakovic marqua un temps d'arrêt en voyant Cole, et Pike sentit qu'il n'était pas ravi. Les trois hommes finirent néanmoins par les rejoindre.

— Qui c'est ? interrogea Jakovic.

— Il va m'aider à inspecter les armes. Si je les prends, il s'occupera du transport.

La mine de Jakovic s'assombrit encore.

— Je ne vais pas rester à attendre pendant que vous inspectez trois mille armes. Rien que pour les sortir des caisses, il y en a pour la nuit.

— Vous ferez comme vous voudrez, mais je vais tout inspecter. Je vous avais prévenu.

Jakovic agita la main, irrité.

— Montrez-moi le fric.

Pike descendit de voiture et désigna le sac de sport de Darko.

— Sept cent cinquante.

Jakovic farfouilla dans les liasses, choisit un billet au hasard et l'examina. Il sortit un marqueur de sa poche, écrivit sur le billet et observa l'encre.

— Heureusement qu'ils ne sont pas faux, commenta Cole.

Jakovic lui décocha un regard glacial avant de remettre le billet dans le sac.

— OK. Allons-y.

Il leva une main et deux Hummer anthracite apparurent aussitôt en grondant, un de chaque côté de l'hôtel. Le premier s'arrêta devant la Jeep et le second derrière, de façon à lui bloquer le passage.

— Je vous emmène, dit Jakovic. Je préfère.

Pike n'hésita pas. Sans un regard pour son ami, il suivit Jakovic jusqu'au Hummer de tête pendant qu'un des gardes du corps escortait Cole jusqu'à l'autre. Cette séparation était une mauvaise nouvelle, mais manifester de l'appréhension aurait été pire.

— C'est loin ? s'enquit Pike.

— Non.

Dès qu'il eut pris place sur la banquette arrière, un homme assis à l'avant braqua un pistolet sur lui.

— On va vous prendre vos armes, cette fois, dit Jakovic.

L'autre garde du corps de Jakovic commença à le palper mais eut presque aussitôt un mouvement de recul.

— Il a un gilet.

— Par précaution, expliqua Pike.

Jakovic tira sur son sweat-shirt.

— On prend aussi le gilet. Vous n'en aurez pas besoin.

Après l'avoir délesté de son Python et du calibre 25 qu'il portait contre la cheville, ils demandèrent à Pike de retirer son sweat-shirt. Pike se débarrassa de son gilet pare-balles et fut autorisé à remettre son sweat-shirt. Le garde du corps le passa ensuite au détecteur de fréquences radio. Pike veilla à rester détendu, réfléchissant à ce qu'il ferait s'ils trouvaient le mouchard de Stone. Le détecteur effleura ses chaussures et remonta le long de ses jambes. S'ils découvraient le mouchard, Pike savait que sa seule chance serait de s'emparer d'une arme et de sortir du véhicule. Il n'essaierait pas d'attraper l'arme braquée sur lui. Si le détecteur bipait, il ferait basculer l'homme qui le tenait devant lui pour s'en faire un bouclier et lui arracherait son flingue dans le même mouvement. Il descendrait d'abord l'homme assis à l'avant, puis celui au détecteur, et il s'extrairait ensuite du Hummer.

Le détecteur effleura sa ceinture sans biper.

Un point pour Jon Stone.

Ils démarrèrent, et le second Hummer se mit en mouvement à son tour.

Deux points pour Stone.

Ils ressortirent de la presqu'île par Palawan et contournèrent la marina. Pike était à peu près certain qu'ils allaient rattraper l'autoroute, mais pas un instant les deux Hummer ne s'éloignèrent de la marina. Ils longèrent les tours en verre fumé et les restaurants et poursuivirent sur leur lancée jusqu'à ce que la route s'interrompe dans une zone en friche. À ce moment-là, ils se rabattirent vers la côte par la dernière rue menant à la marina. Ils laissèrent derrière eux une série de cales sèches puis longèrent le dernier tronçon du chenal avant que celui-ci se jette dans l'océan. Ici, le rivage accueillait un alignement d'ateliers de réparation, de magasins de matériel nautique, d'entrepôts et de loueurs de bateaux.

Les Hummer stoppèrent devant un hangar long et bas construit au bord du chenal, et Jakovic ouvrit la portière.

— Les armes sont là.

Pike regarda autour de lui. Ils n'avaient mis que cinq minutes pour atteindre cet endroit, mais il n'existait qu'une seule route pour y accéder ou en repartir. Les hommes de Jakovic verraient arriver Walsh et ses unités de soutien à cinq cents mètres de distance.

44

A. L. BARBER – HIVERNAGE À SEC, disait l'enseigne du bâtiment, lequel évoquait un hangar d'aviation avec ses portes gigantesques, présentement closes. Deux chariots élévateurs surdimensionnés étaient garés devant, à proximité de deux yachts posés sur un cadre en métal qui attendaient sur ce parking soit de prendre place dans le hangar, soit d'être remis à l'eau.

Une large entaille creusée dans le quai permettait aux bateaux d'être guidés sur une rampe. Ils étaient hissés hors de l'eau et installés sur un cadre. Les chariots élévateurs les transportaient ensuite à l'intérieur du hangar afin de les mettre à l'abri. Le hangar se dressait au bord du chenal mais, de l'autre côté de la rue, le paysage était désertique : une lande brunâtre et sablonneuse, ponctuée de chênes arbustifs rabougris et de broussailles, rien d'autre. Pike savait que la Ballona Creek coulait quelque part derrière cette lande, masquée par une butte.

— J'ai renvoyé tout le monde, dit Jakovic. On sera tranquilles.

— Le hangar est à vous ? demanda Cole.

— Bien sûr.

Jakovic ouvrit une petite porte latérale et pénétra dans les lieux. Deux de ses hommes le suivirent ; les autres restèrent près des véhicules.

Pike s'arrêta à la porte.

— Vous devriez faire entrer vos gars, dit-il. Ils risquent d'attirer l'attention en restant dehors.

— L'attention de qui ? Et qu'est-ce que ça peut faire, d'ailleurs ? Ce hangar m'appartient. J'ai parfaitement le droit d'être ici.

L'éclairage intérieur s'alluma progressivement. Le plafond, haut de plus de dix mètres, était renforcé par une série de poutrelles en acier parallèles. Des alignements de cases métalliques superposées occupaient toute la profondeur des murs latéraux sur trois niveaux, comme deux grilles de morpion placées en vis-à-vis. La plupart de ces cases contenaient un yacht.

Jakovic et ses deux chiens de garde se dirigèrent vers le fond du bâtiment. Cole et Pike les suivirent, pendant que deux autres hommes restaient en retrait. Jakovic s'arrêta devant un conteneur métallique de la taille d'un camion qui semblait avoir été simplement posé là et n'était fermé que par un cadenas. Il défit le cadenas et ouvrit la porte, qui racla le plancher de métal avec un couinement suraigu.

— Voilà, fit Jakovic.

Des piles de caisses en bois frappées d'idéogrammes chinois encombraient le conteneur. Pike devina à leurs dimensions que chacune renfermait dix fusils. Trois cents caisses. Jakovic marmonna quelque chose, et un de ses gorilles sortit une caisse du conteneur. Le bois se fendit lorsqu'il la laissa brutalement

378

tomber au sol. Chaque arme pesait environ quatre kilos. Quarante kilos par caisse. Trois cents caisses, douze tonnes.

Jakovic toucha la caisse du bout de sa chaussure.

— Si vous voulez les inspecter, autant vous y mettre tout de suite. Il y en a pour une éternité.

Pike ouvrit la caisse. Dix cartons identiques à celui de Jon étaient rangés à l'intérieur. Pike déchira l'un d'eux et en sortit un AK emballé dans du plastique.

— C'est bon, dit-il. On n'a pas besoin de vérifier.

— Mes kalachnikovs vous plaisent ?

— Oui.

— Parfait. À moi aussi. Je vais les garder. Je vais aussi garder votre fric.

Il fit un petit signe de l'index, et ses gorilles sortirent leurs armes.

Pike sentit plus qu'il ne vit Cole se décaler d'un pas. Il secoua la tête.

— Vous faites une croix sur Darko ?

— Je m'en occuperai moi-même. Il y a sept cent cinquante mille dollars à gagner.

— Juste une question. Avec tout ce que Rina vous a dit de moi, vous me croyez vraiment capable d'apporter sept cent cinquante mille dollars en cash à quelqu'un comme vous sans protection ?

Jakovic passa la main droite sous sa chemise et en ressortit un petit pistolet noir.

— Oui, peut-être bien. Et maintenant, on vous emmène faire un tour en bateau. Histoire de vous montrer le paysage.

Il était en train de donner des ordres en serbe lorsqu'un cri s'éleva à l'extérieur, suivi d'un léger *pop* rappelant le bruit d'un bouchon de champagne. Les deux gardes du corps restés près de la porte firent volte-face. Pike ne savait pas si c'était Darko ou Walsh qui venait de débouler, et il n'attendit pas de le savoir. Jakovic cria quelque chose aux gardes, et Pike passa instantanément à l'action. Il se jeta sur Jakovic, lui arracha son pistolet et abattit ses deux gorilles. L'un et l'autre lâchèrent leurs armes en s'écroulant, et Cole ramassa la plus proche. Pike passa un bras autour du cou de Jakovic et le maintint devant lui.

— Il y a une sortie sur l'arrière ?

— Je regarde, dit Cole.

Trois coups de feu résonnèrent à travers le hangar, et trois hommes entrèrent en courant par la petite porte de devant. Ils tirèrent encore plusieurs balles avant d'apercevoir leurs deux complices abattus par Pike, puis Pike qui tenait Jakovic. Jakovic leur cria quelque chose, mais Pike lui coupa le souffle avant qu'il ait pu finir sa phrase. Les trois nouveaux venus se réfugièrent entre les yachts en même temps que d'autres hommes apparaissaient sur le seuil.

— Par ici ! s'écria Cole. La grande porte !

Une fusillade en règle éclata à l'extérieur du hangar. Les balles perforaient les minces cloisons en tôle aussi facilement que du tissu, et quelques-unes se fichèrent dans les yachts. Pike traîna Jakovic jusqu'à la grande porte puis le lâcha pour aider Cole à faire coulisser un des énormes battants. Dehors, ils virent un groupe de types désorientés galoper entre les Hummer de Jakovic et la flotte noire de Darko en tirant à tout-va.

— Quel merdier, dit Cole.

— Voilà Walsh.

Au loin, un fourgon du SRT venait d'émerger du virage, talonné par plusieurs véhicules banalisés.

Pike se retourna vers Jakovic au moment où deux autres hommes entraient en courant dans le hangar. Le premier était Michael Darko. Il s'immobilisa juste au-delà du seuil, vit Jakovic, le visa et tira. Il courut dans sa direction et lui colla deux autres balles dans le corps. Après avoir vociféré quelque chose en serbe, il l'acheva. Alors seulement, il aperçut Pike ; Darko se fendit d'un grand sourire.

— On l'a eu, ce salaud. Votre plan était bon.

Il avait dû toiser de la même façon le cadavre de Frank Meyer. Pike le vit exécuter son ami.

Pike leva son pistolet et descendit l'homme qui venait d'entrer avec Michael Darko. Après être resté bouche bée une fraction de seconde, celui-ci pointa son arme sur Pike et tira.

Pike poussa Cole à l'extérieur et plongea derrière la grande porte au moment où un agent du SRT muni d'un mégaphone appelait les gangsters à la reddition générale. Quelques truands obtempérèrent, mais la fusillade continua.

— Il vient de ressortir par une porte latérale, dit Cole. Il s'enfuit.

Darko.

Pike longea au sprint la façade du hangar dans un chaos de détonations. Les agents du SRT et de l'ATF s'étaient réparti le périmètre d'intervention et effectuaient leurs premières arrestations.

Pike passa devant eux sans s'arrêter.

Parvenu à l'angle du bâtiment, il vit Darko en train de courir vers l'arrière de celui-ci, tournant le dos à l'action. Il se lança à ses trousses. Le Serbe bifurqua soudain vers la rue. Voyant que Pike le suivait, il ouvrit le feu sur lui à deux reprises, mais Pike ne ralentit pas.

Darko traversa la rue en courant, se jeta aussi haut qu'il le put sur le grillage et l'escalada frénétiquement. Il retomba de l'autre côté dans le sable envahi de brous-sailles, se releva en titubant, tira trois nouvelles balles. L'une d'elles arracha des étincelles au goudron juste devant les pieds de Pike, qui poursuivit sur sa lancée.

— Arrêtez, Pike ! hurla dans son dos la voix de Walsh. Arrêtez-vous ! Il est à moi !

Pike l'ignora.

Il bondit par-dessus le grillage et s'écrasa dans un buisson mort qui lui écorcha la peau. Il ne voyait plus, n'entendait plus Darko ; il longea le grillage jusqu'à retrouver l'endroit où le Serbe l'avait franchi. Ses traces seraient faciles à suivre. À cet instant, la voix de Hurwitz éructa dans le mégaphone :

— Retirez-vous, Pike ! On est en train d'investir le secteur ! On va l'avoir ! Allez, retirez-vous !

Pike se remit à courir.

Les empreintes de Darko le menèrent au sommet d'une petite butte, puis dans une cuvette envahie de chaparral et de sauge. Pike s'enfonça dans un maquis si haut et si dense qu'il ne voyait plus rien d'autre que le sol à ses pieds.

Le chaparral finit par s'éclaircir sur le versant opposé de la cuvette, cédant la place à une petite clai-rière en pente. Les empreintes de Darko se poursui-vaient jusqu'à l'autre bout de la clairière. Pike marqua un temps d'arrêt pour scruter le paysage au-delà de la butte, à l'affût du moindre mouvement. La Ballona

Creek était visible trois cents mètres plus loin. Cette rivière assez large, jugulée par un canal en béton, se jetait dans l'océan. Ils étaient tout près de la côte. Si Darko atteignait le canal, il risquait de leur échapper.

Pike s'élança à travers la clairière, accélérant encore.

Il était à peu près au centre quand Michael Darko jaillit de derrière une touffe de chaparral et le percuta. Il était revenu sur ses pas pour le prendre à revers en se dissimulant dans les broussailles, et il avait plutôt bien réussi sa manœuvre.

Darko était un poids lourd, un vrai costaud, mais Pike tourna sur lui-même pour atténuer l'impact et le repoussa. Darko chancela mais réussit à reprendre son équilibre. Il manquait de condition physique et de souffle. Il n'avait plus son arme. Il avait dû la perdre en fonçant à travers les broussailles.

— Plus de flingue ?

Haletant comme un phoque, Darko avait les yeux fixés sur l'arme de Pike.

Pike jeta celui-ci par terre, aux pieds du Serbe.

— Et maintenant ?

Darko plongea vers l'arme. Sa main venait de se poser sur la crosse quand Pike lui envoya un coup de pied circulaire qui lui brisa l'humérus comme une brindille sèche. Darko exhala un grognement sourd. Le deuxième coup de pied de Pike l'atteignit derrière les genoux et lui faucha les jambes. Darko s'écroula sur le flanc puis roula sur le dos.

Le pistolet était à côté de lui, mais il ne tenta pas de s'en emparer.

Pike le fixait toujours quand un bruissement s'éleva des broussailles. Elvis Cole apparut. Il embrassa la clairière du regard et s'avança de quelques pas.

— Tu l'as eu. C'est fini, Joe.

Pike ramassa le pistolet d'un geste nonchalant. Il le soupesa au creux de sa main sans quitter Darko des yeux.

— Ça va ? demanda Cole.

Pike n'aurait su dire si ça allait ou non. Peut-être que oui, mais il n'en était pas sûr.

— C'est fini, répéta Cole.

Il y eut d'autres bruissements en amont, et Walsh surgit dans la clairière. Elle tenait son arme de service au poing et visa immédiatement Pike.

— Posez ça ! Écartez-vous de lui et posez ça par terre, Pike. Vite !

Pike soupesa de nouveau le pistolet.

Cole s'interposa lentement entre son ami et Walsh, face à l'arme de celle-ci.

— Du calme, Walsh. Tout baigne.

Elle se décala sur le côté pour voir sa cible.

— Il est à moi, bordel de merde ! Éloignez-vous, Pike ! Ce fumier est à moi !

Pike lança le petit pistolet noir en direction de Walsh. L'arme atterrit dans le sable.

Pike baissa une fois de plus les yeux sur Darko, mais il vit Frank et Cindy. Frank, Cindy et leurs deux petits garçons.

Cole approcha et lui mit une main sur l'épaule.

— C'est fini. Tu l'as eu.

Pike suivit son ami hors des broussailles.

CINQUIÈME PARTIE

Repos

45

La sœur de Cindy avait organisé un service funèbre. Comme elle ne connaissait ni Pike, ni Jon Stone, ni les anciens amis de Frank, aucun d'eux ne fut invité. Cole l'apprit en lisant la nécrologie de la famille Meyer, publiée sous forme d'encadré dans un article du *Los Angeles Times* consacré à la guerre des gangs d'Europe de l'Est, à la mort de Milos Jakovic et à la triple condamnation à perpétuité de Michael Darko pour les meurtres d'Earvin Williams, de Jamal Johnson et de Samuel Renfro, ainsi que pour tous les crimes commis par ceux-ci sur ses ordres. Il n'y aurait pas de procès. Darko avait accepté de plaider coupable pour éviter la peine de mort. La nécrologie précisait qu'une messe du septième jour dédiée aux Meyer aurait lieu à l'église méthodiste unie de Westwood le dimanche suivant.

Cole montra du doigt l'encadré :

— Tu devrais y aller.

— Je ne sais pas.

Pike en parla à Jon Stone et lui demanda s'il irait. Stone refusa, non par indifférence vis-à-vis de Frank, mais parce qu'il détestait les funérailles. Ce genre de cérémonie le déprimait tellement qu'il s'y présentait toujours ivre.

Pike décida de s'y rendre. Il portait un costume noir sur une chemise noire et une cravate noire. Frank, Cindy, Frank junior et Joey étaient chacun représentés par une photographie au format poster fixée sur un chevalet, de part et d'autre d'un énorme agrandissement qui les montrait en famille.

L'assistance se composait majoritairement de parents de Cindy, mais il y avait aussi là un nombre significatif de personnes qui avaient connu les Meyer à l'école, au travail ou encore à l'église. Deux cousins de Frank avaient fait le déplacement, des hommes apathiques aux mains abîmées et à la peau rugueuse, qui trimaient sans doute dur pour joindre les deux bouts. Ils n'étaient là que pour accompagner la mère de Frank – une femme obèse, d'un milieu extrêmement modeste, qui avait du mal à marcher. Assise sur un banc du premier rang, elle semblait aussi mal à l'aise que les deux cousins, comme si elle avait conscience de ne pas être à sa place. Ses vêtements étaient de mauvaise qualité, sa coiffure ne payait pas de mine. Sitôt la cérémonie terminée, elle s'en retournerait vers sa caravane à San Bernardino.

Pike se présenta et lui tendit la main.

— Frank était mon ami. On a servi ensemble.

— C'est terrible. Je ne sais pas ce que je vais devenir.

— Je suis navré pour votre fils.

— Je ne sais pas ce que je vais devenir.

Pike serra d'autres mains. Chaque fois que quelqu'un lui posait la question, il répondait qu'il avait servi avec Frank, mais sans dire où ni quand, sans donner le moindre détail. Tous ces gens avaient connu le Frank qu'ils voulaient connaître – le Frank que Frank et Cindy avaient voulu qu'ils connaissent. Cela ne posait aucun problème à Pike.

Il partit au milieu de la cérémonie et se rendit devant la maison des Meyer. Le ruban jaune avait été retiré, et quelqu'un avait fait remplacer la porte d'entrée. Un écriteau À VENDRE était planté sur la pelouse.

Après avoir ôté veste et cravate, Pike retroussa les manches de sa chemise. Il franchit le portail latéral, contourna le bâtiment par l'arrière et s'arrêta sous le gigantesque érable, au bord de la piscine lisse comme un miroir. Les proches de Frank et de Cindy viendraient bientôt arpenter la demeure pour se partager les souvenirs et régler la question des affaires de la famille. Pike alla jusqu'à la porte-fenêtre mais n'entra pas. Il avait eu ce qu'il voulait. Il scruta l'intérieur de la maison de son ami, puis il se retourna vers la piscine et les arbres. Il n'eut aucun mal à imaginer Frank projeter ses fils en l'air, mais cela ne fit rien pour atténuer son chagrin.

Pike regagna sa Jeep et partit vers l'océan. Il prit Sunset Boulevard dans le sens ouest-est, traversa Brentwood et les Palisades pour rattraper la Pacific Coast Highway, remonta le long de la côte jusqu'à Malibu. L'océan gris était criblé de voiliers et de surfeurs venus s'amuser le temps d'un week-end.

Pike lança sa Jeep à l'assaut de Malibu Canyon et roula un certain temps, jusqu'à laisser loin derrière les gens et les maisons. Il emprunta une voie coupe-feu en gravier et finit par atteindre un promontoire perdu dans les collines, sans âme qui vive en vue. Pike coupa le contact, descendit de sa voiture et fit quelques pas.

Un soir, quatre hommes que Frank Meyer ne connaissait pas et avec qui il n'avait jamais rien eu à voir avaient attaqué sa maison. Ces hommes avaient tué Frank, sa femme, ses enfants, et tout ce qui lui était cher. Il ne restait plus rien de Frank, hormis la façon dont il avait vécu et dont il était mort.

Les empreintes digitales de Frank Meyer avaient été retrouvées sur le pistolet d'Earvin « Moon » Williams. L'autopsie de ce dernier avait par ailleurs révélé une rupture du ligament cubital collatéral ainsi que des fractures au cubitus et au radius. La fracture du radius, de type « bois vert », avait tellement endommagé les tissus périphériques qu'un flot de sang s'était déversé dans la cavité articulaire jusqu'au moment du décès de Williams. C'était ce souvenir-là que Pike voulait conserver de Frank. Même empâté, hors de forme et sur la touche depuis plus de dix ans, il avait cherché à protéger sa famille en défiant une force supérieure et perdu la vie au combat. Frank le Tank jusqu'au bout.

Pike retourna à sa Jeep et ouvrit une boîte posée sur la banquette arrière. Il en sortit son Python 357 et trois chargettes rapides. Deux d'entre elles contenaient six balles et la dernière moitié moins.

Pike leva le Python, appuya à six reprises sur la détente, puis rechargea le barillet. Après avoir tiré six autres balles en succession rapide, il rechargea à nouveau le barillet, tira encore six balles et y plaça pour finir les trois balles de la dernière chargette, qu'il tira. Vingt et un coups au total.

— Adieu, Frank.

Pike rangea le Python et entama son long trajet de retour.

46

Trois semaines plus tard, le lendemain du jour où ils lui avaient déplâtré le bras, Michael Darko considérait d'un œil sombre les champs plats et secs qui défilaient à l'approche de Corcoran, Californie. « On dirait la face cachée de la lune », pensa-t-il. Il avait eu la surprise d'être embarqué ce matin-là dans un panier à salade et d'apprendre son transfert à la prison d'État de Corcoran. Darko avait passé les deux semaines précédentes à Terminal Island, un établissement fédéral où il croyait avoir élu domicile pour de nombreuses années. Quand il avait demandé pourquoi on le transférait, personne ne lui avait apporté de réponse.

Selon un autre détenu, également du voyage, Corcoran était une prison pourrie, pleine de mecs dangereux, mais au bout de quatre heures dans ce fourgon, maintenant que la prison se découpait au loin, Darko était moins effrayé que déçu de sa laideur.

Après ce qu'il avait connu en Bosnie, les prisons et les prisonniers des États-Unis ne lui faisaient pas plus peur que les policiers des États-Unis. Michael Darko

391

venait d'un pays dangereux et était lui-même un homme dangereux.

Tandis que la prison grossissait derrière les vitres crasseuses du fourgon cellulaire, il se mit à planifier la façon dont il allait établir le contact avec ses codétenus d'Europe de l'Est et la Fraternité aryenne. Beaucoup d'organisations de ce genre étaient déjà dans la place et pourraient lui être utiles pour recréer un empire.

Dix minutes plus tard, le fourgon pénétra dans l'enceinte de l'établissement par un portail coulissant, puis se dirigea vers une petite aire de stationnement où l'attendaient plusieurs gardiens. Darko et les deux autres détenus transférés avec lui durent attendre que ceux-ci montent dans le fourgon. Chacun d'eux portait des entraves aux poignets et aux chevilles et était en outre enchaîné à son siège individuel, hors d'atteinte des autres. Cette précaution était due au fait que certains détenus violents avaient déjà tenté de tuer, de mutiler, de violer, voire de dévorer leur voisin pendant leur long trajet vers nulle part.

Les gardiens montèrent dans le fourgon un à un, détachant un détenu puis le faisant sortir – un gardien par détenu. Darko fut le dernier à descendre. Il gratifia son maton d'un regard impitoyable.

— Enfin à la maison ! Quel bel endroit, hein ?

Le gardien avait déjà entendu des caïds faire les malins et ne lui prêta aucune attention.

Les trois nouveaux pensionnaires furent soumis au rituel de la mise sous écrou. Ils furent déshabillés, fouillés au corps et radiographiés, ensuite de quoi on les prit en photo et on recueillit leurs empreintes digitales ainsi qu'un échantillon d'ADN. Ils furent aspergés d'antipoux et envoyés à la douche, puis on leur donna une tenue neuve et de nouvelles chaussures. Tout ce qu'ils portaient à leur arrivée irait à la poubelle. Les effets personnels qu'ils avaient été autorisés à conserver lors du transfert furent inspectés, enregistrés et restitués.

Le processus d'admission dura une quarantaine de minutes, pendant lesquelles le gardien-chef leur servit un sermon sur ce qui se faisait et ce qui ne se faisait pas à Corcoran, lut une série de règles écrites, et attribua à chacun son numéro de cellule.

Michael Darko fut affecté à une cellule du bâtiment 3, réservé aux auteurs d'homicides réputés capables de se maîtriser. Deux gardiens l'escortèrent jusqu'à l'entrée de son nouveau domaine et le confièrent à des collègues, qui se chargèrent de prendre le relais. Darko se vit remettre un matelas et des draps propres avant d'être conduit à sa cellule.

Il arrivait en pleine pause de l'après-midi, à une heure où les cellules étaient ouvertes et où les détenus avaient le droit de circuler dans les parties communes autorisées.

Un des gardiens ouvrit la porte et lui indiqua une couchette nue.

— De ce côté. Ton coloc s'appelle Nathaniel Adama Bey, c'est un frère de couleur. Un Maure, comme il dit. Deux homicides au compteur, mais il n'est pas si méchant que ça.

— Je suis sûr qu'on va devenir bons amis.

— Moi aussi.

Les gardiens se retirèrent, et Darko fit face à sa couchette. Il déroula le matelas, le mit en place, prit un des draps. Il était rêche et craquant d'amidon. Darko détestait faire son lit et regretta de ne plus avoir une de ses putes sous la main pour s'en charger. Il pouffa. Ce Nathaniel Adama Bey pourrait peut-être devenir sa pute et lui faire son lit.

Darko déplia le drap, puis le secoua pour mieux l'ouvrir. Le drap ondula, plana un moment dans le vide comme une énorme bulle blanche. La bulle était encore en l'air quand Michael Darko s'écrasa contre le mur la tête la première, en se cassant le nez. Dans la foulée, un bras dur comme de l'acier se referma autour de sa gorge et quelque chose se mit à lui piquer le dos comme une abeille furieuse, au-dessus du rein – *picpicpic, picpicpic, picpicpic* –, une sensation cuisante trop fugace pour être douloureuse, qui remonta progressivement de sa hanche vers ses côtes – *picpicpic, picpicpic*.

Michael Darko aurait voulu se redresser, mais l'homme l'empêcha de reprendre son équilibre – *picpicpic* – tandis qu'un souffle brûlant lui inondait l'oreille.

— Ne meurs pas – pas tout de suite.

Darko sentit qu'on le retournait. Il vit un petit Asiatique aux bras et aux épaules surpuissants, dont le visage lardé de cicatrices témoignait d'horribles blessures. Michael Darko aurait voulu lever les mains, mais cela lui était impossible. Il aurait voulu se défendre, mais il avait déjà atteint une autre dimension. Le pic à glace de l'homme lui criblait aussi frénétiquement le thorax que l'aiguille d'une machine à coudre – *picpicpic, picpicpic*.

Michael Darko se vit mourir.

L'homme lui saisit les joues et approcha son visage rageur, comme pour un baiser.

— Tu vas revoir Frank Meyer, sac à merde. Dis-lui que Lonny l'aime.

L'homme enfonça profondément son arme improvisée dans la poitrine de Darko, jusqu'au manche, et s'en alla.

Michael Darko baissa les yeux sur l'arme plantée dans sa poitrine. Il aurait voulu la retirer, mais ses mains ne répondaient plus. Darko glissa à bas de sa couchette et s'emmêla dans son drap, dont les pans l'enveloppèrent comme un suaire. Il sentit des colonnes de fourmis se déplacer sous sa peau et son dos, sa poitrine enfler à vue d'œil. Il n'arrivait plus à respirer. Il avait le tournis, il avait froid, il avait peur.

Le drap blanc rougissait.

47

Trafic au point mort. Fin d'après-midi. Quelqu'un avait dû perdre le contrôle de son véhicule, et la 405 s'était transformée en parking dans le sens nord-sud. Les vitres fermées, la climatisation en position chambre froide, les klaxons enfin réduits au silence. Le lecteur de CD. Elle enfonça la touche de lecture ; les choristes entamèrent aussitôt leur riff consolateur – *dum, dum, dum, dumdy, doo wah* – et Roy Orbison lui inonda le cœur de nostalgie et de chagrin.

Only the Lonely.

Walsh venait d'écouter la chanson quatre fois de suite, et c'était la cinquième : piégée dans un cocon de mélancolie sur cette autoroute embouteillée.

Il lui manquait terriblement : l'agent spécial Jordan Brant, tué dans l'exercice de son devoir, un de ses gars. Impossible d'échapper au sentiment coupable d'avoir manqué à ses engagements envers lui, à l'époque comme maintenant.

Michael Darko avait transigé avec la justice, si bien qu'il n'y avait pas eu de procès. Walsh savait qu'elle aurait dû s'en contenter, mais la femme de Jordie Brant avait perdu sa dernière chance de faire face à l'assassin de son mari et elle-même se retrouvait privée de la vengeance légitime d'un témoignage accablant contre Darko. Cette absence de point final lui donnait l'impression que Jordie n'était pas vengé et qu'elle l'avait à nouveau laissé choir. Perdu une deuxième fois.

« *They're gone forever.* »

Pendant qu'elle était assise là, à écouter Roy, son portable vibra. Après un coup d'œil au nom affiché sur l'écran, Walsh éteignit la musique pour répondre.

— Kelly Walsh.

— Tu es au courant ?

— Quoi, on m'accorde une promotion ?

— Mieux que ça. Michael Darko vient d'être assassiné.

La nouvelle la prit au dépourvu. Walsh s'attendait à recevoir cet appel tôt ou tard, mais pas si vite, pas ce jour-là. Un mélange de bien-être et de crainte s'épanouit dans son abdomen.

— Les meilleurs partent toujours les premiers, dit-elle.

— Ce sont des choses qui arrivent.

— Oui. Oui, bien sûr. On sait qui a fait le coup ?

— Non. Quelqu'un est entré dans sa cellule pendant la promenade. Pas d'images vidéo. La caméra était HS.

Walsh empêcha sa voix de sourire.

— Sans déconner ? Ce n'est vraiment pas de bol. Ils s'y sont pris comment ?

— On dirait des coups de pic à glace ou de tournevis. Il s'en est chopé soixante-deux.

Walsh sentit un sourire chaud et doux lui desserrer les lèvres, tout droit sorti de la tombe de Jordie Brant.

— Merci de m'avoir prévenue. Apparemment, quelqu'un avait une sérieuse dent contre ce connard.

— Et comment. J'espère que ce mec-là ne s'énervera jamais contre moi.

Après un rire poli, Walsh referma son téléphone. Elle resta un moment silencieuse et sentit son humeur s'éclairer. L'agent spécial Kelly Walsh avait fait des pieds et des mains pour que Darko soit transféré à Corcoran et allait certainement devoir renvoyer l'ascenseur à quelqu'un en échange de ce service, mais son obligation était remplie. Jordie Brant avait été un de ses gars. Il fallait savoir s'occuper des siens, et c'est ce qu'elle avait fait.

Walsh avait trouvé la solution en apprenant que Lonny Tang était à Corcoran.

Un petit vicieux de première.

Un tueur-né.

Walsh éjecta Orbison et décida qu'il était grand temps d'écouter un truc plus léger. Plus enlevé, plus pêchu. Elle chargea dans le lecteur sa compile spéciale filles préférée – les Pussycat Dolls, No Doubt, Rihanna et Pink, le tout saupoudré de quelques classiques des Bangles, de Bananarama et des Go-Go's. Elle enfonça le bouton de lecture et poussa le volume à fond.

L'énergie se répandit en elle.

Elle chanta avec le groupe :

« *This town is my town.* »

Elle se sentait déjà mieux.

Quelles rockeuses, ces nanas !

48

Ce fut Cole qui trouva la famille. Des gens bien, un jeune couple de la Sierra Madre qui avait déjà adopté deux enfants – lesquels, comme par hasard, étaient originaires de l'ex-Yougoslavie. Cole s'était soigneusement renseigné à leur sujet et avait eu plusieurs entretiens avec eux ; Pike avait observé les rapports qu'ils entretenaient avec le petit et leurs autres enfants. Il en avait conclu qu'ils s'en tireraient très bien.

Walsh avait réglé la question des papiers. Un document officiel établirait bientôt que l'enfant était un citoyen des États-Unis à part entière, né d'un couple fictif d'Independence, Louisiane, puis adopté par l'entremise d'un avocat de droit privé.

Pike le tint dans ses bras pour la dernière fois un beau matin ensoleillé, devant un immeuble de l'administration fédérale du centre de Los Angeles. Une assistante sociale au service de l'avocat allait remettre l'enfant à ses nouveaux parents, qui l'attendaient au même instant sur le trottoir d'en face.

Le bébé aimait le soleil et l'air libre. Il agita les bras et gazouilla de joie.

— Ça va ? lui demanda Pike.

Il agita les bras de plus belle et lui toucha le visage. Pike lui caressa le dos puis le tendit à l'assistante sociale. Il la regarda l'amener au jeune couple. La femme le prit dans ses bras et l'homme lui fit une grimace idiote. Le petit paraissait ravi de les voir.

Pike s'éloigna sans un regard en arrière, entra dans l'immeuble et localisa le bureau qu'il cherchait. Son occupante allait rédiger l'indispensable sésame.

Elle pria Pike de s'asseoir et fit face à son ordinateur.

— J'ai besoin de quelques informations. Son nom, sa date et son lieu de naissance, et cetera. Certaines seront modifiées par l'adoption – comme son nom – mais il me faut quelque chose dès à présent pour lui faire sa place dans le système.

— Je comprends.

— On m'a dit que vous aviez ces informations.

Pike opina.

— Bien. Allons-y. Vous me donnez son premier prénom ?

— Peter.

— Veuillez épeler, je vous prie.

— P-E-T-E-R.

— Deuxième prénom ?

— Pas de deuxième prénom.

— La plupart des gens ont un deuxième prénom.

— Pas moi. Lui non plus.

— D'accord. Son nom de famille ?

— Pike. P-I-K-E.

Remerciements

Pat Crais, Aaron Priest, Neil Nyren, Ivan Held, et Tim Hely Hutchinson. Jon Wood, Susan Lamb et Malcolm Edwards. Eileen Hutton. Mark et Diane. Gregg et Delinah. Jeffrey Lane – pour son calme. Frank, Toni. Bill Tanner, Brad Johnson, Lynne Limp. Damon et Kate, comme toujours. Les Plum Brothers : Alan « Night Train » Brennert, William F. « Slow Hand » Wu, Michael « Bardwulf » Toman, et Michael « Fastball » Cassutt. Otto. Shelby Rotolo. Eileen Bickham – parce que j'y tiens. Chip, Gene, Roger et Joe – maintenant, je sais. Stan Robinson. Gregory Frost. Tim Campbell. Lois, Vic, Coop, Biljon, Mike A., et Mike B. Jerry. April. Don Westlake. Betsy Little, Steve Volpe.

Tous m'ont aidé.

Composé par Facompo
à Lisieux, Calvados

Imprimé à Barcelone par :

BLACK PRINT

en décembre 2011

POCKET – 12, avenue d'Italie – 75627 Paris cedex 13

Dépôt légal : janvier 2012
S21856/01